Henrik Pontoppidan

Der Teufel am Herd

Fünf Erzählungen

Übersetzt von Mathilde Mann

Henrik Pontoppidan: Der Teufel am Herd. Fünf Erzählungen

Übersetzt von Mathilde Mann.

Erstdruck dieser Übersetzung von Mathilde Mann: Jena, Diederichs, 1910.

Neuausgabe
Herausgegeben von Karl-Maria Guth
Berlin 2019

Der Text dieser Ausgabe wurde behutsam an die neue deutsche Rechtschreibung angepasst.

Umschlaggestaltung von Thomas Schultz-Overhage unter Verwendung des Bildes: Carl Holsøe, Die Frau des Künstlers, Anfang 20. Jhd.

Gesetzt aus der Minion Pro, 11 pt

Die Sammlung Hofenberg erscheint im
Verlag der Contumax GmbH & Co. KG, Berlin
Herstellung: BoD – Books on Demand, Norderstedt

ISBN 978-3-7437-3421-0

Bibliografische Information der Deutschen Nationalbibliothek

Die Deutsche Nationalbibliothek verzeichnet diese Publikation in der Deutschen Nationalbibliografie; detaillierte bibliografische Daten sind im Internet über www.dnb.de abrufbar.

Inhalt

Der königliche Gast

Wenn Leute, die in dem lauten Treiben einer Großstadt herumgewirbelt werden, hin und wieder einmal – vielleicht mit einem kleinen Sehnsuchtsseufzer – an das Leben draußen auf dem Lande denken, schwebt ihnen in der Regel ein Dasein mit einem Gottessegen an Zeit vor. Sie stellen sich eine unendliche Reihe von ruhig dahinfließenden Tagen vor, wo jede Minute mit einer feierlichen Umständlichkeit verrinnt, ähnlich der, mit der eine Bornholmer Uhr in der Stube einer alten Bauersfrau die Ewigkeit abmisst.

Und doch ist ja in Wirklichkeit die Zeit nirgends flüchtiger, erscheint einem das Leben nirgends kürzer als gerade auf dem Lande. Wenn auch die einzelnen Tage träge genug sein können in ihrer Einförmigkeit, schon die Wochen sind geschäftig – die Jahre fliegen. Und eines schönen Tages ist das Leben dahin gefahren, und das Ganze ist vorbei wie ein Bruchstück eines Sommer- oder Winternachtstraumes.

Wenn der junge Arzt Arnold Höjer und seine kleine hübsche Frau daran dachten, dass sie schon volle sechs Jahre in Sönderböl gewohnt und genau ebenso lange verheiratet waren, mussten sie vor Erstaunen lachen. Sechs Jahre! Es war ihnen, als könnten unmöglich mehr als einige wenige Monate vergangen sein seit jener unvergesslichen Sternennacht, als sie mit der Postkutsche hierhergekommen waren. Und sie hatten doch in der dazwischenliegenden Zeit drei Kinder in die Welt gesetzt, und ihr Heim, das damals ein gleichgültiges Stück Handwerkerarbeit war, das noch nach der Kalkgrube roch, war der Mittelpunkt der ganzen Welt und die Schwelle zum Himmelreich geworden.

Sie stammten beide aus der Hauptstadt, und mitten in ihrem großen Liebesglück waren sie zu Anfang still verzweifelt gewesen. Die vielen neuen Verhältnisse und fremdartigen Gebräuche, die baumlose jütische Landschaft selbst, mit der Unmenge von Himmel, machten sie beklommen wie ein Paar verirrte Küchlein.

Frau Emmys Augen hatten sich mit Tränen füllen können, wenn sie an alles das dachte, was sie verlassen hatte, und dass vielleicht schon jetzt niemand sie mehr vermisste. Wenn Arnold auf Krankenbesuche gegangen war, setzte sie sich in sein Zimmer mit einem bedrückenden

Gefühl von Verlassenheit und tat nichts weiter als darauf warten, dass er zurückkehren würde.

Wie sonderbar kam ihr das jetzt vor, wenn sie daran zurückdachte! Dass sie wirklich so kindisch gewesen war! – Da hatte sie am Fenster gesessen, die Hand feierlich unter der Wange, und auf den dunklen Heidehügel hinausgestarrt mit einem schwindelnden Gefühl, als sei sie allein auf einem fremden Erdball zurückgelassen, weit draußen in dem unendlichen Weltenraum. Weniger konnte es nicht tun!

Nach einem einsameren Ort als Sönderböl hätte man aber auch lange suchen können. Es waren drei Meilen bis zur nächsten Station; eine Postkutsche besorgte die Verbindung mit der Außenwelt, aber selbst von der sahen sie nichts. Die große, gelbe Kutsche mit dem scharlachroten Kutscher, die sonst ja die düstere Landschaft ein wenig hätte beleben können, kam bei der Aus- wie bei der Rückfahrt zu nächtlicher Stunde durch das Dorf. Sie illuminierte jetzt nur ihre Träume, wenn sie in dunklen Nächten auf der Landstraße vorüberrumpelte und den Schein ihrer Laterne über das Rollo des Schlafzimmers hinschleppte.

Das Dorf selbst bestand nur aus sieben, acht mageren Bauernhöfen und der doppelten Anzahl Armeleutehütten. Nicht einmal eine Pfarrersfamilie behauste es, sondern nur einen Schullehrer, der sich obendrein als arger Krakeeler entpuppte. Dass sie sich hier niedergelassen, hatte denn auch keineswegs seinen Grund in irgendwelcher Vorliebe für diese Gegend. Aber die Bewohner hatten einen Arzt dorthin gewünscht, und Arnold, der bereits im dritten Jahr verlobt war, hatte sich fieberhaft nach einem selbstständigen Wirkungskreis gesehnt, um heiraten zu können.

Während des ersten Jahres hatten sie zuweilen Besuch von Verwandten und Freunden gehabt, die neugierig waren zu sehen, wie sie sich da draußen in ihrem Mesopotamien eingerichtet hatten. Aber schon im zweiten Jahr wurden die Besuche seltener, und da entbehrten sie sie auch nicht mehr. Weit schneller, als sie es hatten erwarten können, waren sie mit ihren neuen Lebensverhältnissen vertraut geworden und hatten sich Freunde unter der Bevölkerung angeschafft. Jetzt, nach Verlauf von sechs Jahren, empfanden sie ihre Einsamkeit gar nicht mehr.

Sie hatten ganz einfach keine Zeit mehr dazu. Emmy ging völlig in ihrem Haushalt und ihren Kindern auf; und wenn Arnold nicht auf Krankenbesuch aus war, hatte er genug im Garten zu tun, oder er stand drüben im Holzschuppen und schwitzte, sintemal er um der lieben Gesundheit willen selbst sägte und spaltete, was sie an Brennholz beschaffen konnten. Außerdem bekamen sie täglich ein paar Zeitungen zur Unterhaltung, und im Winter waren sie auf eine Lesemappe abonniert, die ihnen alle vierzehn Tage ein Lispfund von der hervorragendsten Literatur der Jahreszeit ins Haus brachte.

Es stand denn auch in ihren Gesichtern geschrieben, und zwar mit Linien und mit Farben, dass sie gediehen und zufrieden waren. Hinter dem Bretterzaun, der ihr Haus und ihren Garten umgab und Schutz gegen den Weststurm gewährte, schufen sie sich ein kleines irdisches Eden, wo ein kleiner Kain und ein kleiner Abel von der Sonne und dem Wind gebräunt wurden, während eine einjährige kleine Evastochter mit blonden Locken Huckepack auf ihrer Mutter Rücken ritt und allerlei nützliche und fruchtbare Tiere draußen auf dem Hofplatz und in den Wirtschaftsgebäuden herum schnatterten, glucksten und grunzten.

Wären nicht ihr Nachbar, Schullehrer Sörensen, und seine glasäugige Madame gewesen, so würden sie sich vollkommen glücklich gefühlt haben.

Eines Tages im Februar, nachdem sie seit längerer Zeit nichts von ihren Kopenhagener Angehörigen gehört hatten, kam ein Brief von Emmys beiden Cousinen und einem Vetter, die ihren Besuch auf Fastnacht anmeldeten.

Es war dies gerade nicht die beste Jahreszeit, um ihre Herrlichkeiten zu zeigen. Im Garten lag Schnee; und der Platz innerhalb der vier Wände war allmählich ziemlich beschränkt geworden, so dass es schwer hielt, genügend Schlafstätten zu beschaffen. Aber Emmy wusste immer Rat.

Wie ein wahrer Tausendkünstler tummelte sie mit Sofas und Betten herum und machte auch in der Küche größere Anstalten. Die Fremden sollten keinen anderen Eindruck haben, als dass sie willkommen seien, sagte sie. Und außerdem fasste sie es als eine Art Mission auf, den Kopenhagenern zu zeigen, welch ein tüchtiger und gesunder Mensch man hier draußen auf der jütischen Heide werden konnte.

Aber der Teufel hatte an dem Tage, als die Gäste erwartet wurden, seine Hand mit im Spiel. Das Haus stand festlich bereit zum Empfang, und die Betttücher waren schon auf Stühlen um die Öfen herum aufgehängt, um abzudampfen, als ein Telegramm mit einer Absage kam. Es waren im letzten Augenblick Hindernisse eingetreten. Der Besuch musste auf ein andermal verschoben werden.

Arnold machte gerade einen Krankenbesuch, als das Telegramm kam. Emmy nahm es in Empfang und musste lachen, so ärgerlich sie auch in Wirklichkeit war. Schnell entschlossen erteilte sie den Mädchen Befehl, alles wieder an seinen gewohnten Platz zu stellen.

Als Arnold um die Mittagszeit nach Hause kam, war das Haus schon wieder in Ordnung gebracht, und um einen gar zu unbeherrschten Ausbruch des Verdrusses abzuwehren, empfing sie ihn mit einem strahlenden Lächeln in der Tür.

Aber es half alles nichts. Arnold war ein Brausekopf, der sich bei jeder Widerwärtigkeit persönlich gekränkt fühlte. Als er das Telegramm gelesen hatte, wurde sein von der Witterung gerötetes Gesicht aschfahl bis über den Bart hinaus, und er schimpfte über die unverschämte Rücksichtslosigkeit.

Emmy dachte im Grunde genau so wie er; aber sie konnte dergleichen nun einmal nicht so tragisch nehmen.

»Jetzt reden wir nicht mehr darüber, Arnold!«, sagte sie schließlich. »Komm jetzt nur herein und iss. Essen haben wir nun wenigstens genug im Hause, das weiß ich.«

Nach Tische saßen sie wie gewöhnlich zusammen in Arnolds Zimmer und hielten Dämmerstunde, während das Kindermädchen die kleinen Jungen im Esszimmer jenseits der Diele beaufsichtigte. Arnolds Gemüt hatte sich beruhigt. Er saß – wohlgesättigt – mit einer langen Pfeife im Schaukelstuhl am Ofen und hatte es sich in Schlafrock und Filzpantoffeln bequem gemacht.

Emmy saß am Fenster, ihr kleines Mädchen auf dem Schoß. Die dicke Kleine lag auf dem Rücken und strampelte wohlbehaglich mit den nackten Beinchen, während die Mutter sie trocken legte. Draußen fiel dichter Schnee. Es hatte den ganzen Tag ein klein wenig geschneit, aber jetzt war es Ernst damit geworden. Draußen auf dem Fenstergesims und oben auf den Fenstersprossen lag schon eine fingerdicke Verbrämung. Aber es erhöhte nur das Gefühl der Sicherheit und Traulichkeit, dass der Winter selbst es so warm und dicht für sie machte.

Emmy hatte keine Zeit gehabt, sich umzukleiden. Sie war noch in ihrem Morgenkleide und hatte das Haar mit einem Stück schwarzen Schleiers verhüllt. Sie war im Laufe der Jahre ein wenig nachlässig in Bezug auf ihr Äußeres geworden, obwohl sie in der Ehe keineswegs verloren hatte. Ihre kleine, üppige Gestalt mit den dunkelbraunen Augen und den starken Brauen – »die Eule« hatten ihre Freundinnen sie in alten Zeiten genannt – hatte sich ziemlich unverändert gehalten, hatte höchstens mütterliche Formen und noch weichere Umrisse bekommen.

»Weißt du was«, sagte sie mit einem langen, müden Gähnen, »ich glaube, wir sollen es uns nicht so leid sein lassen, dass sie nicht gekommen sind. Es wäre am Ende gar nicht so nett gewesen mit der Einquartierung. Ich kann es jetzt merken, dass ich mich in den letzten Tagen gar nicht so recht heimisch in meinen eigenen Stuben gefühlt habe.«

Arnold wandte den Blick von seinen Tabakswolken ab und musste lächeln. Wie das so häufig geschah, hatte sie ausgesprochen, woran er gerade gedacht hatte. Wenn er nicht erst eben vom Stuhl aufgestanden wäre, um sich ein Streichholz zu holen, so hätte er ihr einen Kuss für die Worte geben mögen!

Nun saßen sie eine Weile plaudernd da. Sie sprachen über das, was sich ringsumher im Dorf zugetragen hatte, beredeten ihre eigenen häuslichen Angelegenheiten, sprachen über die Magenverhältnisse der Kinder, über eine neue Hühnerrasse, die sie in der Gegend einführen wollten – Gesprächsstoffe, über die ihre Gedanken auszutauschen, infolge des aus dem Geleise geratenen Zustandes im Hause, ihnen die rechte Gelegenheit gefehlt hatte.

Plötzlich rief Emmy aus:

»Das ist ja wahr! Das habe ich dir noch gar nicht erzählt! Ich sah heute Vormittag den alten Thorvald Andersen mit einem Papier in die Schule hineingehen. Glaubst du, dass das die Adresse gewesen sein kann?«

Die Pfeifenspitze entfiel Arnolds Mund ganz. Sein Gesicht nahm einen Augenblick einen dummstaunenden Ausdruck an. Er saß lange da, ohne ein Wort zu sagen.

Aber als er die Sprache wiedergefunden hatte, war seine Stirn ganz bis an die Haarwurzeln hinauf von Runzeln durchfurcht wie ein gepflügter Acker.

»Das will ich dir aber sagen, Emmy. Wenn Schullehrer Sörensen Ernst macht mit der Adresse und sie an den Gemeindevorstand einschickt, dann gibt es hier Krieg. Ich *will* sein ekelhaftes Spülwasser nicht in unserm Graben haben. Wendet er sich an den Gemeindevorstand, so melde ich die Sache bei der Gesundheitskommission. Und ich werde, so wie das letzte Mal, eine Eingabe aufsetzen, die Hand und Fuß hat. Darauf kannst du dich verlassen!«

»Ja, wenn du das nur tun wolltest! Hua! Ich gönne dem sommersprossigen Kerl, dass er mal ordentlich einen auf den Hut kriegt! Du! Hab ich dir das übrigens schon erzählt? Gestern, als ich drüben beim Kaufmann war, wer meinst du wohl, stand da mitten im Laden – Frau Adolfine in höchst eigener Person. Tableau! Du hättest sie nur sehen sollen! Eins, zwei, drei dreht sie mir den Rücken zu. Ich tat natürlich, als hätte ich es nicht gemerkt, ging zu ihr hin und sagte ›Guten Tag‹, und fragte: ›Wie geht es Ihnen, und was machen die Kinder?‹ – Es war eine Komödie, das kannst du dir denken!«

Aus der Essstube drang Weinen und Gezänk herüber. Die Dämmerung hatte die Jungen schläfrig gemacht. Emmy stand auf, um Licht da drinnen anzuzünden und gleichzeitig die Kleine zu Bett zu bringen.

Als sie zurückkam, hatte Arnold selbst die Hängelampe angesteckt und die Gardinen vor das Fenster gezogen. Er stand da und stopfte seine Pfeife am Rauchtisch, wandte aber das Gesicht nach dem Zimmer hin.

»Weißt du, woran ich eben denke, Emmy? Wir sprachen neulich davon, dass es hier in unserm Wohnzimmer ein wenig voll geworden sei. Was meinst du dazu, wenn wir das Bücherbord ein wenig weiter nach der Tür heranrückten und den ovalen Sockel mit der Gipsbüste hier in die Ecke hineinstellten. Das würde das Ganze beleben!«

»Du bist wirklich schrecklich, Arnold! Ich sollte denken, wir hätten in den letzten Tagen genug hier im Hause herumrumort! Lass mich doch wenigstens erst einmal zur Ruhe kommen!«

»Nun, du brauchst dich deswegen doch nicht gleich so zu ereifern. Es ist ja nur ein Vorschlag.«

»Ja, aber es ist wirklich eine förmliche Manie bei dir geworden. Ich glaube, du leidest an der Umziehkrankheit.«

»Und du bist eine echte Bruthenne geworden, Emmy. Du kannst es bald nicht mehr leiden, dass man auch nur einen Stuhl im Hause an einen andern Platz stellt.«

»Nein – wozu sollte man das auch wohl tun?«

Arnold lachte.

»Weißt du wohl noch, als ich im vergangenen Jahr den Vorschlag machte, die Laube der Aussicht halber nach Westen hinüber zu setzen? Damals widersetztest du dich doch auch gleich mit Hand und Fuß – du sagtest, es sei dort zugiger, was ich bestritt. Gib doch zu, dass ich recht hatte.«

Nun war die Reihe zu lachen an Emmy. Sie ging hin und legte ihm die Hand auf die Schulter.

»Nein, lieber, guter Arnold – das kann ich wirklich nicht zugeben. Es war da ja den ganzen Sommer hindurch nicht zum Aushalten vor Zug. Das kannst du doch nicht vergessen haben.«

»Ich habe nicht vergessen, dass du bei dieser Behauptung bliebst. Aber das ist etwas ganz anderes.«

Sie wandte sich von ihm ab.

»Ach, das meinst du ja gar nicht. Du willst nur nicht eingestehen, dass du dich geirrt hast. Das habe ich dir schon unzählige Male gesagt.«

»Hör einmal, Emmy, wenn du bei dieser dummen Behauptung beharrst, breche ich eines schönen Tages die ganze Laube ab. Ich hab es wirklich satt, diese Geschichten mit anzuhören. Dann kannst du mitsamt den Kindern sehen, was aus euch wird!«

Er nahm eine Zeitung und setzte sich an den Tisch, den Rücken ihr zugewandt. Sie hatte angefangen abzustauben, und jetzt summte sie eine Melodie vor sich hin, was sie zu tun pflegte, wenn sie beleidigt war und ein Unwetter in ihr heraufzog.

Da ward die Spannung der Stimmung durch das Geklingel eines Schlittens unterbrochen, der vor dem Hause hielt.

»Du sollst gewiss zu einem Patienten kommen«, sagte Emmy. Und versöhnlich fügte sie hinzu: »Bei dem Wetter!«

Arnold hatte den Kopf erhoben.

»Das müssen Pastors sein! Hörst du es nicht? Es sind Pferde mit Glocken!«

Es vergingen ein paar Minuten. Dann klemmte sich die Kleinmagd auf Socken durch die Tür, die von der Diele hereinführte und war so benommen, dass sie nicht einmal die Laterne hingestellt hatte. Atemlos erzählte sie, es sei ein fremder Herr da draußen, der fragte, ob die Herrschaften zu Hause seien.

»Hat er seinen Namen nicht genannt?«

»Ne, er hat bloß nach Herr Doktor und Frau Doktor gefragt.«

»Ach, das wird wohl der Landesinspektor, der Schwager des Pfarrers, sein.«

»Ne! Es is einen ganz fremden Minschen. Und ein fürchterlich feiner Herr, glaub ich. Am End' is' es der neue Bischof, der hier vergangen Jahr auf Visitation war.«

»Ach – Unsinn!«, sagte Arnold, sah aber dennoch mit Bekümmerung an sich nieder.

Auch Emmy ward unruhig bei dem Gedanken an ihre Kleidung, die nicht darauf berechnet war, sich vor Fremden sehen zu lassen.

»Du musst hier bleiben und ihn empfangen«, sagte sie und verschwand eiligst durch die Tür zum Wohnzimmer.

Arnold legte die Pfeife weg und raffte den Schlafrock zusammen, um so weit wie möglich die Mängel seiner Toilette zu verbergen. Durch die halbgeöffnete Tür sah er draußen auf der Dielenwand den Schatten eines korpulenten Mannes, der mit Hilfe des Mädchens ein Paar große Pelzstiefel von den Füßen zog und hinterher einen Reisemantel abstreifte.

Nach einer Weile erschien die ganze Persönlichkeit in der Tür.

Es war ein mittelgroßer Mann von ungefähr fünfzig Jahren mit einem Kranz graubrauner Locken um eine hohe, kahle Stirn. Ein außerordentlich gut gekleideter Mann in langem, schwarzen Rock mit großen seidenen Aufschlägen. Ein Mann, der trotz seines ungewöhnlichen Umfanges keineswegs einen lächerlichen oder abstoßenden Eindruck machte. Ein Mann mit Haltung. Im Grunde ein ganz schöner Mann, frisch und rotwangig, mit ein Paar lebhaften, hellbraunen Augen und einem jugendlichen Mund voll großer, weißer Zähne.

»Ich habe die Ehre, Herrn Dr. Höjer zu begrüßen?«, fragte er, als ihm Arnold entgegengegangen war.

»Ja, bitte schön – wollen Sie nicht Platz nehmen!«

Sie setzten sich jeder auf eine Seite des Tisches unter die Hängelampe, und jetzt, wo Arnold ihn in voller Beleuchtung sah, bekam er einen noch jüngeren Eindruck von ihm. Er schätzte ihn – trotz der Wohlbeleibtheit – höchstens auf etwa Vierzig. Die Ähnlichkeit mit dem neuen Bischof konnte er soeben erkennen. Aber sonst war auch nicht das Geringste an dem Mann, was an Geistlichkeit erinnerte. Hätte er nicht einen kleinen gestutzten Schnurrbart und eine entsprechende Fliege unter der Unterlippe getragen und wäre nicht seine Kleidung und sein ganzes Auftreten so vollkommen die eines Gentleman gewesen, so hätte er ihn unbedingt für einen Schauspieler bei irgendeiner Wandertruppe gehalten.

»Sie kommen aus Jerrild?«, fragte er, indem er sich darüber wunderte, dass der andere sich noch immer nicht vorgestellt hatte.

Den Ausdruck in dem Gesicht des Fremden verfinsterte flüchtig ein Stutzen. Es war, als wolle er eine unangenehme Überraschung verbergen. Im nächsten Augenblick lächelte er wieder mit seinen sämtlichen weißen Zähnen.

»Sie setzen mich wirklich in Erstaunen, Herr Doktor! Ich begreife nicht, wie Sie wissen können –. Ich muss Sie ja fast im Besitz jenes magischen Spiegels glauben, von dem die Märchen erzählen.«

»Ach nein, die Erklärung ist wirklich ganz einfach. Pastor Jörgensen ist der einzige hier in der Gegend, der mit Schlittenglocken fährt. Die Bauern haben alle zusammen Schellen.«

»Ach so!«

Der Fremde sah gleichsam verlegen zur Seite und schwieg einen Augenblick.

»Ja, dann kann ich wohl nur lieber gleich beichten. Aber zuvor müssen Sie mir gestatten, einen Wunsch zu äußern, der Ihnen vermutlich sehr sonderbar erscheinen wird. Ich möchte Sie nämlich bitten, Herr Doktor, mich von einer Vorstellung meines staatsbürgerlichen Menschen zu entbinden und mir zu erlauben, schlecht und recht als ein namenloser Reisender vor Sie hinzutreten. Ja, ich sehe, Sie stutzen. Sie denken vielleicht sogar, dass Sie einen Verrückten vor sich haben. Aber ich versichere Ihnen, ich habe wirklich ganz vernünftige Gründe für mein Anliegen.«

»Daran zweifle ich nicht«, erklärte Arnold mit einem verlegenen Lächeln. Die Kunstsprache des geselligen Lebens war ihm fremd geworden. Er wusste nicht recht, ob die Worte des Mannes buchstäblich zu nehmen seien oder vielleicht nur eine elegante Redensart waren.

»Sie werden wohl verstehen, Herr Doktor, dass wenn ich versuche, eine Entschuldigung – oder doch wenigstens eine Erklärung – für meine dummdreiste Anwesenheit hier zu geben – für meine unverschämte Zudringlichkeit, wie Sie wahrscheinlich in Ihrem stillen Sinn denken werden –«

»Aber keineswegs!«, murmelte Arnold, immer unsicherer werdend.

»Nun ja! Kurz und gut: Pastor Petersen in Jerrild ist mein alter Freund aus der Kinderzeit –«

»Petersen?«, sagte Arnold. »In Jerrild gibt es keinen Pastor Petersen!«

»Wie beliebt? Ach so – ja – das ist ja wahr! – Das können *Sie* natürlich nicht wissen. Aber eigentlich heißt er Petersen.«

»Heißt Pastor Jörgensen Petersen?«

Der Fremde lachte laut.

»Ja, das heißt, so haben wir alle, seine alten Jugendgefährten, ihn immer genannt! Es kam daher, weil er sich einmal – halb im Scherz übrigens – über seinen ordinären Namen beklagte. Da kamen wir auf den Einfall, dass wir ihn in Zukunft Petersen nennen wollten. Und wir waren so entzückt von dem Witz, dass wir ihn später nicht wieder haben vergessen können. – Ich habe meinen lieben Kindheitsfreund seit vielen Jahren nicht gesehen, und es ist schon lange mein Wunsch gewesen, ihn eines schönen Tages in seinem Pfarrhausidyll zu überraschen. Aber ich bin nicht glücklich gewesen in Bezug auf die Wahl des Tages. Als ich heute Nachmittag nach Jerrild kam, war die Familie eben ausgefahren, und man erwartete sie erst im Laufe der Nacht zurück.«

»Ah – jetzt verstehe ich!«, sagte Arnold.

»Ja, Herr Doktor, ich will ehrlich bekennen, dass ich zu den geselligen Naturen gehöre. Die Aussicht, einen langen Winterabend mutterseelenallein in einer Reihe fremder Zimmer zubringen zu sollen, brachte mich zur Verzweiflung. Da kam ich denn auf die verwegene … nein, auf die verworfene Idee, in die Umgegend zu fahren und menschliche Barmherzigkeit anzuflehen. Ich erkundigte mich bei den Dienstboten und erfuhr, dass in einer Entfernung von einer Meile die liebenswürdige und gastfreie Familie eines Arztes wohne – ja, und nun sitze ich hier und bin ganz beschämt über meine unerhörte Kühnheit.«

»Dazu ist nicht der geringste Grund vorhanden. Sie brauchen sich deswegen wirklich nicht entschuldigen.«

Der Fremde verneigte sich vor ihm mit einem herzlichen Ausdruck von Dankbarkeit.

»Ich gebe mich wirklich der Hoffnung hin, dass Sie mir gestatten werden, Sie einige Stunden mit meiner Anwesenheit zu belästigen. Der Kutscher hat den Befehl erhalten, sobald der Mond aufgeht, anzuspannen und mich zurückzubefördern.«

»Sie sind uns sehr willkommen. Es sollte mich freuen, wenn unser Heim Ihnen einen kleinen Ersatz für das Entbehren Ihrer Freunde bieten könnte.«

»Ach, davon bin ich schon ganz überzeugt! Aber nun werden Sie wahrscheinlich sagen, dass dies alles noch keine Erklärung dafür ist, dass ich Ihnen gegenüber so gern inkognito bleiben möchte. Nennen Sie es meinetwegen eine Laune von mir, einen kindischen Einfall, eine fixe Idee. Und doch, lieber Herr Doktor, werden Sie wohl verstehen können, dass ich – wirklich ernstlich bedrückt von meiner unverzeihlichen Aufdringlichkeit, wie ich es bin – mich in dieser Vermummung Ihnen gegenüber weit freier fühlen werde.«

Arnold fand den Einfall trotz allem höchst extravagant, wusste aber nicht recht, was er sagen sollte. Der Fremde nahm sein Schweigen für Zustimmung, und indem er – jetzt ganz unbefangen – seinen starken Körper in den Stuhl zurücklegte, fuhr er fort:

»Sagen Sie mir doch bitte einmal, lieber Herr Doktor, welche Freude könnte es Ihnen im Grunde bereiten, wenn ich mich als Großhändler Mogelstrup aus Aarhus oder Baumeister Falittenberg aus Kopenhagen vorstellen wollte? Ich bin überhaupt der Ansicht, je mehr das Persönliche bei einer Unterhaltung ausgeschaltet wird, umso freier und angeregter plaudert es sich. Jegliches Im-voraus-wissen grenzt sofort einen mehr oder weniger engen Vorstellungskreis ab, der dieselbe Wirkung auf den Gedanken ausübt wie der bekannte Kreidestrich auf ein Huhn. Geben Sie mir darin nicht recht? Und außerdem – heute ist Fastnacht! Wir haben geradezu eine Art Verpflichtung, unter der Maske aufzutreten. Die strengen Gesetze des Alltags sind für eine kurze, glückliche Weile aufgehoben. Habe ich nicht recht?«

»Selbstredend!«, sagte Arnold mit seinem verlegenen Lächeln. »Wenn es Ihr Wunsch ist. Aber *irgendwie* müssen wir Sie doch nennen. Wir können einen Namen oder doch wenigstens einen Titel nicht ganz entbehren.«

»Nun, so nennen Sie mich … ja, zum Beispiel … nennen Sie mich Prinz Karneval!«

Sie fingen beide an zu lachen, Arnold halb wider seinen Willen. Er fühlte sich abermals auf unangenehme Weise dem Manne gegenüber unsicher und zugleich bedrückt durch seine gesellschaftliche Überlegenheit.

Er hatte außerdem Emmy mit einiger Unruhe im Wohnzimmer, zu dem die Tür nur angelehnt war, hantieren hören. Sie hatte die Lampe angezündet, das Klavier geöffnet und Stühle an ihren Platz gerollt. Jetzt erschien sie plötzlich in der Tür in ihrem braunen Sonntagskleide mit der Busenschleife.

Er konnte es ihr sofort ansehen, dass sie einen Teil ihrer Unterhaltung gehört haben musste. Obwohl der Fremde sich mit der größten Höflichkeit vor ihr verbeugte und überhaupt die angenehmste Überraschung verriet, blieb sie in der Tür stehen und beantwortete seinen Gruß mit einer äußerst knapp bemessenen Neigung des Hauptes. Gleichzeitig sandte sie ihrem Gatten einen Blick aus den Augenwinkeln zu, der besagte: »Du hättest ihn nicht annehmen sollen. Schick ihn doch weg!«

Er hatte in der Tat die größte Lust, ihrer Anweisung Folge zu leisten. Aber es war eine eigene Sache, einen guten Freund von Pastor Jörgensen aus der Tür zu werfen, namentlich, da ja sonst eigentlich nichts an dem Benehmen des Mannes auszusetzen war. Und – wie der Fremde gesagt hatte – es war ja Fastnacht.

Er wusste daher nichts anderes zu tun, als auf seinen Scherz einzugehen. Nach schwachen Kräften versuchte er sich auf dem humoristischen Gebiet und sagte:

»Darf ich dir einen zelebren Gast: Seine königliche Hoheit Prinz Karneval, vorstellen!«

Emmy sah von dem einen zu dem andern hinüber und machte kein Hehl daraus, dass sie sich gekränkt fühlte. Sie hatte wirklich das meiste von dem gehört, was der Fremde zu Arnold gesagt hatte; und von der Kleinmagd hatte sie außerdem erfahren, dass er zwei große Handkoffer mit sich führte und sie ohne Weiteres gebeten hatte, diese in das

Fremdenzimmer zu stellen. Nie im Leben war ihr eine solche Frechheit vorgekommen.

Der Fremde trat offen vor sie hin und wiederholte mit vielen beredten Handbewegungen seine Entschuldigungen und Erklärungen. Sie sah ihn misstrauisch an und antwortete ihm nicht; aber er schien gar keine Missstimmung zu bemerken. Als sich Emmy nach Verlauf einiger Minuten schweigend (und mit einem erneuten Seitenblick auf Arnold) ins Wohnzimmer zurückzog, fasste er dies gar als eine stillschweigende Aufforderung auf, den Schauplatz zu verlegen, und folgte ihr ritterlich, indem er sich in Lobeserhebungen über die Traulichkeit der Zimmer und die ganze Einrichtung des Hauses erging.

Arnold kam verlegen hinterdrein. Auch er fand, dass der Scherz jetzt lange genug gewährt hatte. Aber der Fremde ging lächelnd umher und dachte offenbar nicht im Geringsten mehr daran, seine Schuldigkeit zu tun.

Jetzt blieb er am Klavier stehen. Er hatte ein altes Familienbild entdeckt, das an der Wand über dem Instrument hing. Er sprach von den gut abgestimmten Farben, fragte, wen es vorstelle, bemühte sich, den Namen des Malers zu erraten und fand fast sogleich den richtigen, obwohl das Bild keineswegs von einem Meister stammte.

»Sollte er Künstler sein?«, dachte Arnold überrascht und sah zu Emmy hinüber, die sich mit demonstrativem Nachdruck mit einem Strickstrumpf in die Sofaecke gesetzt hatte.

Der Fremde wollte weitergehen, als plötzlich das Klavier seine Aufmerksamkeit fesselte.

»Ah – ein altes Marschallinstrument!«, rief er entzückt aus. »Nein, das ist doch wirklich amüsant! Ich lernte in meiner Kindheit die ersten fünftönigen Übungen auf so einem Instrument, und ich habe seither die Klänge geliebt! Gestatten Sie, dass ich es versuche?«

Ohne eine Erlaubnis abzuwarten, nahm er Platz auf dem Sessel, der jämmerlich stöhnte unter dem Gewicht seiner zwei-, dreihundert Pfund.

Emmy und Arnold sahen einander hilflos an. Emmys große Eulenaugen waren voller Flehen. Was sollten sie doch nur mit diesem verrückten Menschen anfangen?

»Die gnädige Frau spielt natürlich?«

»Meine Frau hat die Musik an den Nagel hängen müssen«, antwortete Arnold für sie. »Eine Hausfrau hat ja nur selten Zeit für dergleichen.«

»Aber das ist doch wirklich schade. Denn das Instrument ist gut. Es muss nur etwas mehr gespielt werden.«

Er hatte die Finger ein paarmal über die Tasten laufen lassen und fing nun an zu spielen. Es war Schuberts scherzhaftes Menuett, das Emmy Ton für Ton kannte, da sie es selbst einmal mit ihrem Musiklehrer eingeübt hatte. Sie beurteilte aus diesem Grunde sein Spiel rein fachmäßig und war ganz überwältigt von seiner meisterhaften Technik und der Bravour des Vortrags.

Was sie dachte, entfuhr ihrem Munde unversehens in demselben Augenblick, als er schloss:

»Sie sind Musiker ... Komponist etwa?«

Er erhob sich lächelnd und verneigte sich, die Hand auf dem Herzen: »Meine gnädige Frau! Ich bitte demütigst, dass Sie mir aufs Wort glauben möchten. Ich *bin* wirklich der, für den ich mich ausgebe. Nicht wahr – dann kennen Sie meine berühmte Familie? Mein Großvater ist der ehrwürdige Herr Eulenspiegel. Mein Vater hieß Hans Quast. Und Harlekin ist mein Vetter. Meine Heimat ist das Schlaraffenland, und ich bin Reisender in den bekannten gebratenen Tauben, die einem jeden, der den Mund nur genügend weit aufmachen will, von selber in den Mund fliegen!«

Arnold fiel wieder mit seinem kurzen, angestrengten Lachen ein. Emmy hingegen stellte sich nach wie vor ganz unempfänglich für seine Witze. Sie bereute, dass sie überhaupt mit ihm gesprochen hatte. Nicht im Entferntesten verriet ihre gekränkte Hausfrauenmiene, dass sie ihn trotzdem recht unterhaltend fand.

Während er spielte, hatten die Jungen neugierig aus dem Esszimmer hereingelugt, und die Kleinmagd hatte einen Wink bekommen, sie zu entfernen und zu Bett zu bringen. Jetzt wurde die Tür wieder leise geöffnet, aber diesmal erschien niemand.

»Kannten Sie das, was ich spielte, meine gnädige Frau?«, fragte der Fremde.

»Ja. Es war Schuberts Menuett«, antwortete sie in gleichgültigem Ton. Sie konnte sich nicht enthalten zu zeigen, dass sie Bescheid wusste, ärgerte sich aber gleichzeitig darüber, dass sie sich wieder mit ihm eingelassen hatte.

»Stellen Sie Schubert sehr hoch?«, fragte Arnold, indem er sich ihm näherte. Er war ganz ohne Musikverständnis, hatte aber die kleine Schwäche, in allen Verhältnissen als der Sachverständige aufzutreten.

»Ja, ich habe ihn sehr gern. Er hat eine so herzensgute Laune. Aber zur Zeit ist Petschoff mein Lieblingskomponist. Dieser geniale junge Russe. Sie kennen ihn doch?«

Emmy hatte den Namen noch nie gehört und schwieg deswegen. Arnold hingegen sagte:

»Welche von seinen Kompositionen stellen Sie am höchsten?«

Der Fremde besann sich einen Augenblick und sah ein wenig verschmitzt aus. Dann rief er aus, indem er die Hände ausstreckte:

»Den Totentanz! Ich kann die wunderbaren Einleitungstakte niemals hören, ohne tief aufgewühlt zu sein. Ich denke mir, so ungefähr muss die große Reveille klingen, die am Jüngsten Tag uns Siebenschläfer alle aus den Gräbern erwecken soll. Es ist eine Reise geradewegs in den achten Himmel hinein!«

Die Essstubentür tat sich endlich ganz auf. Die ältliche Köchin hatte dort auf der Lauer gestanden. Unter dem Vorwand, sich Bescheid über das Abendessen holen zu wollen, plumpste sie herein, um den Fremden näher in Augenschein zu nehmen und überhaupt darüber ins Reine zu kommen, was für sonderbare Dinge sich eigentlich dadrinnen zutrugen.

Von ihrer Sofaecke aus winkte ihr Emmy ungeduldig ab.

Aber das Mädchen ließ sich nicht abweisen. Sie blieb an der Tür stehen, die großen, gelben Augäpfel starr und misstrauisch auf den fremden Mann gerichtet.

»Ane, Sie können gern gehen«, musste Emmy schließlich sagen. »Ich werde schon herauskommen und Ihnen Bescheid sagen.«

Dann trottete sie schmollend ab.

»Haben Sie nicht Lust, ein wenig von dieser ›Danse macabre‹ zu spielen?«, fragte Arnold.

»Ach, ich bin nur ein elender Dilettant! Aber wenn Sie fürlieb nehmen wollen –«

Er setzte sich wieder auf den Klaviersessel, machte versuchsweise einen Anlauf in Form einer Reihe von Akkorden, hielt dann aber inne, schüttelte den Kopf und erhob sich. Indem er stehen blieb, eine Hand auf das Klavier gelegt, ließ er den Blick unruhig und verlegen durch das Zimmer schweifen.

»Ja, nun denken Sie natürlich wieder, dass ich ein sonderbarer Patron bin. Aber ich habe eine Bitte an Sie. Wollen Sie mir nicht gestatten, die Lichter in dem Kronleuchter dort anzuzünden? Die sämtlichen Lichter! Und dann muss ich dringend um Erlaubnis bitten, mich umkleiden zu dürfen – ich war vorhin so frei, meine Reiseutensilien in Ihr Fremdenzimmer bringen zu lassen. Ich will Ihnen nämlich sagen, ich bin – wie bereits gesagt – nur Dilettant, und es ist mir ganz unmöglich, in die rechte Musikstimmung zu kommen, wenn ich nicht in Dress bin.«

Emmy und Arnold zuckten förmlich zusammen. Unwillkürlich sahen sie einander an. Jetzt waren sie nicht mehr im Zweifel darüber, dass bei dem Mann eine Schraube los war.

Er ging durch das Zimmer und fing an, sich ruhig zu erklären. Mit Petschoffs Musik – sagte er – sei es ihm ungefähr so ergangen, wie es einem seiner Freunde mit Shakespeares Dichtung erging, der er lange Zeit nicht das geringste Interesse hatte abgewinnen können, jedenfalls nur wenn er sie auf dem Theater aufgeführt sah. Diesem Freund wurde einmal der Rat erteilt, er solle sich eines Abends in Gala werfen und seine Zimmer mit Licht und Blumen schmücken, als erwartete er hochvornehme Gäste, um sich dann in den Stunden vor Mitternacht hinzusetzen und »Wie es euch gefällt« zu lesen. Er befolgte den Rat und hatte später eingestanden, dass sich ihm in jener Nacht nicht allein Shakespeares Poesie, sondern überhaupt die Poesie der ganzen Welt in all ihrer Herrlichkeit offenbart habe.

»Und so ergeht es wohl den meisten von uns armen Sterblichen mit den Gaben der Kunst. Und vielleicht mit dem Leben überhaupt. Wenn man nicht selbst ein wenig von dem Teufel im Leibe hat, versteht man nichts von dem Werk eines Genies. Auch nichts von des lieben Gottes Werk. Das habe ich – wie gesagt – ganz besonders in Bezug auf Petschoffs Musik erkennen müssen.«

Er war, sich die Hände reibend, auf dem Teppich auf und nieder gegangen und hatte, während er sprach, zu der Decke emporgesehen. Jetzt blieb er vor Emmy stehen und sagte, indem er den Kopf flehend auf die Seite legte:

»Würden Sie es mir sehr übelnehmen, meine gnädige Frau, wenn ich Sie an das allerliebste mittelmeerblaue oder himalajafarbene seidene Kleid erinnerte, das Sie sicher irgendwo in dem Grabesdunkel des Kleiderschrankes hängen haben, wo es nur Motten und andern Kreaturen der Finsternis zur Freude gereicht? Und Sie, verehrter Herr Doktor, würden Sie etwas dagegen haben, sich in Frack und weiße Binde zu kleiden in Veranlassung dieses kleinen Petschoff'schen Auferstehungsfestes? Würden Sie mir überhaupt gestatten, in allen Grenzen des Anstandes natürlich, das Haus hier heute Abend ein wenig auf den Kopf zu stellen? Es ist ja Fastnacht! Und ich habe Ihnen gesagt, wer ich bin. Also dürfen Sie mich nicht vor den Kopf stoßen.«

Seine klaren, hellbraunen Ziegenbockaugen schweiften mit einem verführerischen, lockenden Blick zwischen ihnen hin und her. Als niemand von ihnen eine Antwort gab, empfahl er sich, indem er – sich ehrerbietig verneigend – der Hoffnung Ausdruck verlieh, dass er sich im Besitz von ein wenig der Überredungskunst zeigen möge, die man einem gewissen Herrn zuschrieb, von dem es hieß, dass, wenn man ihm erst einen kleinen Finger gereicht habe ...

Noch in der Tür verneigte er sich zweimal und sagte lächelnd:

»Auf Wiedersehn!«

Kaum war er fort, als Emmy vom Sofa aufsprang, das Strickzeug wegwarf und zu ihrem Mann hinüberlief.

»Es ist ganz schrecklich! Was sollen wir nur machen? Er ist ja total verrückt!«

»Ja, ganz richtig im Kopf ist er offenbar nicht.«

»Wer glaubst du, dass er ist?«

»Das weiß ich wirklich nicht. Aber ich entsinne mich, dass Pastor Jörgensen einmal von einem seiner Freunde sprach – ich glaube, es war ein Gutsbesitzer –, der während der Studentenzeit bei einem Ausflug in den Wald vom Wagen fiel und seither immer ein wenig wunderlich geblieben war.«

»Du hättest ihn nicht empfangen sollen. Das war nicht richtig.«

Sie sagte dies mit einem Gesichtsausdruck, der ihn unwillkürlich veranlasste zu lächeln, weil er ihn in rührender Weise an ihre nervösen Mädchentage erinnerte, wo sie sich von allem einschüchtern ließ und immer gleich Schutz bei ihm suchte.

»Ich glaube, er hat dir wirklich bange gemacht«, sagte er und schlang den Arm um sie. »Dein Herz pocht schneller.«

»Ja, aber willst du mir bitte sagen – was wir machen sollen?«

»Ach, wir müssen ihn mit ausgesuchter Freundlichkeit behandeln. Wir wollen doch um keinen Preis dem Pfarrer Grund geben, sich zu beklagen, dass wir seinen Gast nicht ordentlich empfangen haben. Geh du nun hinaus und sag in der Küche Bescheid. Wir bekommen ja außerdem hierdurch eine passende Verwendung für all unser gutes Essen. Wir wollen Rotwein und Sherry auf den Tisch stellen, da wir es ja nun doch einmal im Hause haben.«

»Ja, du glaubst aber doch selbst, dass der Mann verrückt ist!«

»Nun – verrückt: Das ist wohl ein reichlich krasser Ausdruck. Es ist vielleicht eine kleine Schraube bei ihm los: Das wird wohl das Ganze sein. Im Übrigen macht er ja einen sehr sympathischen Eindruck, finde ich. Und er ist ganz unterhaltend. Und nun will er uns ja etwas vorspielen. Wie hieß doch der Russe noch?«

Emmy antwortete zerstreut. Sie hatte die Hand noch immer um seinen Nacken geschlungen und schmiegte sich wie in Angst fest an ihn.

Arnold fuhr fort, sie zu beruhigen:

»Er spielt ja gut. Es ist wirklich eine erstaunliche Fertigkeit. Und es kann ja ganz amüsant werden bei so einem kleinen Musikfest. Es ist in der Hinsicht in den letzten Jahren ja ziemlich kärglich bei uns bestellt gewesen.«

Emmy hatte seinen oberen Westenknopf gefasst, der über dem zusammengebundenen Schlafrock hervorlugte.

»Aber es kann doch nicht dein Ernst sein, Arnold – du willst doch nicht verlangen, dass ich – so wie er es wünschte – mein rosaseidenes Kleid anziehen soll?«

Arnold musste lachen.

»Nein, das verlange ich wirklich nicht! … Obwohl, du! Warum eigentlich nicht? Ich hätte wohl Lust, dich einmal wieder in Staat zu sehen. Du hast das Kleid seit der großen Gesellschaft bei deinem Onkel nicht wieder angehabt – weißt du wohl noch? Und, mein Gott, es ist ja Fastnacht! – Ja, du siehst mich an. Aber es ist wirklich mein Ernst!«

»Ach, das kannst du doch nicht meinen, Arnold! Es würde ja Torheit sein … ganz wahnsinnig!«

Sie zerrte an dem Westenknopf und wurde immer unruhiger.

Aber nun war er ganz erpicht darauf, ein Fest zu veranstalten. Er schlang auch den andern Arm um sie und wollte sie zu einem Kuss zwingen.

»Ich sage dir, es ist mein Ernst! Ich bekomme wirklich Lust, einmal über die Stränge zu schlagen. Hörst du, Emmy! Ich will dich in deinem seidenen Kleide sehen.«

»Nein, nein – es nützt nichts, Arnold! Es geht nicht an. Bedenke doch, ich bin eine alte Frau! – Was würden die Mädchen wohl dazu sagen?«

»Die Mädchen?«

»Ja. Morgen würde das ganze Dorf darüber reden.«

Diese Voraussage kühlte ihn einen Augenblick ab. Er sah im Geiste Schullehrer Sörensen herumhausieren und die Neuigkeit mit seinem schiefen, schadenfrohen Lächeln kolportieren. Aber diese Aussicht reizte ihn auf der andern Seite nur noch mehr.

»Lass die Leute reden! Was geht das uns an? Es ist ja übrigens eine gute althergebrachte Bauernsitte, am Fastnachtsabend Scherz zu treiben. – Komm! Nun gehen wir beide hin und machen uns fein!«

»Nein, Arnold. Ich tue es nicht. Das Kleid passt mir natürlich auch gar nicht mehr.«

»Was macht das? Wir wollen doch nicht auf einen Kommerzienratsball.«

»Und dann ist es ausgeschnitten.«

»Ja, was schadet das? Du bist doch am allerschönsten in deinem weißseidenen Kleide, das der liebe Gott dir selbst genäht hat. – Au!«

Sie hatte ihm einen Klaps auf das Ohr gegeben.

»Willst du gefälligst hübsch artig sein!«

Er lachte und schlang ausgelassen beide Arme um ihre Beine, um sie fortzutragen.

»Es ist ja wahnsinnig! Arnold! … Arnold!«, fuhr sie fort zu rufen, während sie zappelnd – ohne jedoch ernsten Widerstand zu leisten – sich an die Schlafstubentür führen ließ. »Seid ihr denn alle beide gleich verrückt?«

Plötzlich ließ er sie los, und sie fuhren auseinander. Die Essstubentür hatte geknarrt. Die alte Ane kam wieder auf ihren Flickenpampuschen hereingeschlumpt, um nach dem Abendessen zu fragen. Sie hatte offenbar etwas gehört, denn sie blieb an der Tür stehen, den hässlichen Hängemund ganz verdutzt weit aufgesperrt.

Arnold war wütend und fuhr auf sie ein, um sie auszuschelten. Aber Emmy, die sofort ihre ganze Ruhe wiedergewonnen hatte, legte sich ins Mittel und erteilte dem Mädchen mit ihrer gewohnten Bestimmtheit und hausmütterlichen Umsicht ihre Befehle. Die gepökelten Enten, sagte sie, sollten zusammen mit den Salaten kalt aufgetragen werden, und es sollte Schlagsahne zu der Pflaumentorte geschlagen werden. Die Butter sollte in Kugeln angerichtet und der Käse in Würfel geschnitten und beides auf einer zusammengefalteten Serviette angerichtet werden –

»Denn wir feiern heute Abend ein Fest!«, sagte Arnold mit übertriebener Lebhaftigkeit. »Haben Sie ganz vergessen, dass heute Fastnacht ist, Ane?«

In jener sternenhohen Herbstnacht vor sechs und einem halben Jahr, in der Arnold und Emmy als Neuvermählte mit der Postkutsche in Sönderböl anlangten und ihr großes Gepäck in aller Eile auf der Landstraße vor dem Hause abgeladen werden musste, befand sich in dem Haufen von Koffern und anderen Habseligkeiten ein funkelnagelneuer Reisekorb, über dem Emmy mit besonderer Sorgfalt wachte und den sie gleich im Hause in Sicherheit brachte.

Diesen Korbkoffer öffnete sie auch am nächsten Tage zuallererst, als sie anfing, auszupacken und ihr Hab und Gut in dem neuen Heim unterzubringen. Er enthielt die Heiligtümer ihres Jungfrauenstandes, in erster Linie alle Hochzeitserinnerungen: Das Brautkleid, den Schleier und den Myrthenkranz, außerdem das Bukett, das Arnold ihr vor der Trauung geschickt hatte, die Speisenfolge und die gedruckten Lieder, die bei Tische gesungen worden waren, alle Briefe Arnolds und kleinen Geschenke aus der Brautzeit, endlich das wertvollste von ihrer persönlichen Aussteuer, darunter ein rosaseidenes Kleid mit weißem Spitzenbesatz, das sie in einer Familiengesellschaft am Tage vor der Hochzeit getragen hatte.

Während des ersten Jahres hatte sie in den langen, leeren und einsamen Stunden, wenn Arnold weg war, oft ihre Zuflucht zu diesen Kleinodien genommen. Sie saß dann auf dem Rande der ausgezogenen Schublade und ließ die festlichen Gemütsbewegungen der Hochzeitsvorbereitungen wie im Traum durch ihren Sinn ziehen. Oder sie probierte ihre hübschen Kleider vor dem Spiegel an, schmückte das Haar mit Blumen und Kleinodien – kurz sie benahm sich auf eine Art und Weise, über die sie seither oft gelacht hatte und die ihr verschroben erschienen war. Wie sie zu sagen pflegte: Sie hatte jetzt Gott sei Dank an etwas anderes zu denken und hatte andere Sachen, zu denen sie ihre Schubfächer gebrauchen musste. Sie konnte sich noch ganz deutlich entsinnen, ja, sie konnte es förmlich fühlen, wie ihre Gedanken sich im Laufe der ersten Schwangerschaft von dem Entschwundenen ab- und dem Künftigen zugewendet hatten. Jahr für Jahr mussten neue Schubladen in Kommoden und Schränken leergeräumt werden, um Platz für die Kindersachen zu schaffen.

Als sie deswegen jetzt das seidene Kleid herausholen wollte, musste sie in einer alten Pappschachtel, die oben auf dem Kleiderschrank stand, danach suchen; und als sie das Kleid sah, gab sie sofort den Gedanken auf, es anzuziehen, und erklärte plötzlich sehr bestimmt, dass sie die Narrenstreiche nicht mitmachen würde.

Bei Arnold war der Mut in Wirklichkeit auch gesunken. Schon allein das Ablegen des Schlafrocks und das Hervorsuchen des Gesellschaftsanzuges machten ihn nüchtern. Aber jetzt würde es zu fatal sein, den Scherz aufzugeben. Um sich selbst anzufeuern, fing er denn an, Emmy auszuschelten. Sie sollte sich jetzt nicht anstellen! Wenn auch das Kleid ein wenig zerknittert und etwas altmodisch im Schnitt war – was machte das? Das ganze sei ja nur ein Karnevalscherz.

Aber Emmy wollte nichts davon hören. Sie setzte sich verstimmt auf den Rand des Bettes und lehnte es sogar ab, ihm bei dem Suchen nach dem weißen Schlips zu helfen.

Draußen in der Küche fand zu gleicher Zeit ein bewegter Auftritt statt.

Die alte Ane schlurfte auf ihren Flickenpantoffeln herum und murrte vor sich hin, wie sie es zu tun pflegte, sobald nicht alles nach ihrem eigenen, dicken Kopf ging. Sie kam gerade, die kalten Enten auf einer Schüssel, aus dem Keller herauf und erteilte der Kleinmagd den Befehl, den Kochtopf aufs Feuer zu stellen, als der Fremde plötzlich in vollem Putz, eine Rose im Knopfloch, in der Tür erschien.

Sie sank in das eine Knie und stöhnte laut auf. Es fehlte nicht viel, so hätte sie die Schüssel fallen lassen. Sie hätte nicht aufgebrachter sein können, wenn der Böse in leibhaftiger Gestalt plötzlich hinter ihr gestanden hätte.

Er blieb in der Tür stehen und nickte ihr freundlich zu.

»Lassen Sie sich nicht stören! Ich wollte nur sagen … Ich sehe, Sie haben angefangen, den Tisch im Esszimmer zu decken. Aber es ist ziemlich kalt da drinnen und auch nicht recht gemütlich. Ich möchte vorschlagen, dass Sie im Wohnzimmer decken. Sie können das Esszimmer dann als Anrichtezimmer benutzen.«

Ane stellte die Schüssel mit einer Wucht auf den Küchentisch, dass sie förmlich klirrte.

»Ich lass mir bloß was von Herr Dokter und von Frau Dokter sagen – dass Sie das man wissen!«

Er sah sie einen Augenblick fest an.

»Ich weiß sehr wohl, dass ich hier im Hause nichts zu sagen habe«, entgegnete er darauf in unverändert freundlichem Ton. »Es ist nur ein Vorschlag, den ich Ihnen mache. Aber ich bin übrigens fest überzeugt, dass die Frau Doktor ihn billigen wird. Haben Sie also die Güte zu tun, was ich Ihnen sage. Und sollten Sie zufällig irgendein Gefäß aus altem Silber oder schönem Porzellan – eine Vase oder dergleichen – beschaffen können, wollen Sie es mir dann herausgeben.«

»Ich weiß garnich', was hier vor sich geht«, sagte das alte Mädchen, vor Wut und aufsteigender Angst dem Weinen nahe. »Na, meinetwegen! Ich will nichts nich mehr damit zu tun haben.«

Sie riss die Schürze ab und warf sie auf den Küchenstuhl, humpelte dann in die Mädchenkammer und knallte die Tür hinter sich zu.

Der Fremde zuckte die Achseln.

Dann winkte er der Kleinmagd, die sich in der Ecke hinter dem Herd verkrochen hatte. Sie war ein Kind von fünfzehn Jahren, ein kleiner rotwangiger Flachskopf mit einem Paar großen, luftblauen, einfältig vergnügten Augen.

»Komm einmal her, mein Kind!«, sagte er einschmeichelnd.

Sie gehorchte, als sei sie hypnotisiert. Freimütig stellte sie sich vor ihn hin, das Kinn in die Luft, die Arme am Leibe herabhängend, wie ein Schulkind, das vor seinem Lehrer steht.

»Komm jetzt zu mir herein. Wir beide wollen zusammen den Tisch decken. Aber es muss ganz still abgehen. Kein Geräusch! – Lass mich einmal sehen, was du an den Füßen hast!«

Sie streckte wie auf Kommando ihren rechten Fuß vor und zeigte, dass sie auf Socken ging.

»Das kann gehen! Aber auch kein Schwatzen! Vergiss das nicht! Es soll eine Überraschung sein, weißt du. – Warte einmal! Wie heißt du?«

»Abelone.«

Er streichelte ihr die Wange.

»Das ist ein guter Name. Ein festlicher Name. Aber nun hör einmal, mein Kind! Du hast doch wohl ein andres Kleid, das du anziehen kannst, als dies alte Schüsseltuch? Ein schwarzes Kleid, nicht wahr? Und eine reine, weiße Schürze? – Gut! Dann komm mit mir!«

Drinnen im Wohnzimmer hatte er schon in aller Stille die ersten Vorbereitungen getroffen. Er hatte die steif in Reih und Glied auf den Fensterbrettern stehenden Blumen weggenommen und sie sorgfältig zur Ausschmückung des Zimmers ringsumher angebracht. Der runde Tisch wurde vor dem Sofa weggerollt und mitten in der Stube unter den Kronleuchter gestellt, und nun bekam Abelone den Befehl, hier zu decken.

Anfänglich ging es zum Verzweifeln. Sie war gehorsam wie ein Automat, aber freilich wie einer, der verkehrt eingestellt ist. Beständig missverstand sie seine Befehle, weil er, da die Schlafstube ganz in der Nähe lag, nicht zu sprechen wagte, sondern sich mit Zeichen und Gebärden begnügen musste. Als sie einmal Bescheid erhielt, Weingläser zu holen, schlüpfte sie ganz geschwind in die Küche hinaus, kehrte aber mit dem Staubbesen zurück; und als er eine Blumenschale verlangte, kam sie mit einem Wassereimer herbei.

Plötzlich hörte man eine Tür gehen. Draußen auf dem Schlafstubengang ertönten hastige Schritte. Er blieb erschreckt stehen und spitzte die Ohren. Aber die Schritte flogen vorüber und verschwanden.

Arnold ging da draußen in Hemdsärmeln und mit einem Licht in der Hand. Er war auf dem Wege nach dem Dachboden, wo sein Frack irgendwo in einer der Rumpelkammern hing. Er ging und summte eine Melodie vor sich hin, war aber in Wirklichkeit in fürchterlicher Laune. In seinem innersten Innern hatte er ein unangenehmes Gefühl von Verlegenheit, er wünschte den fremden Eindringling und seine Karnevalsscherze zum Teufel.

Da oben in der Dunkelheit und Einsamkeit des Speichers ging er endlich in sich. Mit der glücklichen Empfindung, sich von einem ungemütlichen Zwangsgedanken zu befreien, sah er ein, dass Emmy recht hatte: Er war im Begriff, sich rettungslos zum Narren zu machen.

Er ließ den Frack hängen und ging ruhig und entschlossen wieder hinab.

Aber es lag nicht mehr in seiner Macht, dem Gang des Spieles Einhalt zu gebieten. Als er in die Schlafstube zurückkehrte, wurde er hier von einem unerwarteten Anblick empfangen, der seinen Sinn zu hellen Flammen entfachte.

Emmy hatte dem Zauber des rosa Seidenen doch nicht widerstehen können. In seiner Abwesenheit hatte sie versuchsweise das Kleid angezogen und stand nun auf den Zehenspitzen und reckte sich, um sich dünne zu machen, so dass sie den Gürtel zuhaken konnte.

»Aber nein!« – Unwillkürlich streckte er beide Arme in die Höhe. – »Emmy! Du bist ja großartig!«

Sie konnte die Haken kaum schließen. Ihre Wangen glühten. Sie war so bange gewesen, dass er sie lächerlich finden und sie auslachen würde.

»Findest du, dass es mich noch kleidet?«

»Brillant, mein Schatz! Ganz großartig! Und es passt dir ja noch ganz gut. Sonderbar, dass du dich nicht mehr verändert hast!«

»Meinst du, dass ich dies hier auch nehmen soll?«

Sie entnahm einer roten Schachtel zwei Eichenblätter aus Silber mit kleinen Tautropfen aus Diamanten. Sie bildeten zusammen ein Diadem.

Arnold stellte sich hinter sie und sah über sie hinweg in den Spiegel, während sie den Schmuck im Haar befestigte.

»Kennst du das wohl noch?«, fragte sie.

»Ob ich es noch kenne! … Nein, wie lange das her ist!«

»Findest du, dass ich es tragen kann?«

»Vorzüglich! Ganz ausgezeichnet! Du wirst ja eine Märchenprinzessin! Ich versichere dir, Emmy, du bist nie schöner gewesen!«

Sie errötete von Neuem. Und in einem plötzlichen Ausbruch von Glücksgefühl beugte sie sich zurück, legte beide Hände um seinen Kopf und drückte seinen Mund auf den ihren.

»Noch einmal«, sagte sie lachend.

Und sie küsste ihn wieder, so dass ihm fast der Atem verging.

Im selben Augenblick berührte eine Hand das Klavier im Wohnzimmer.

Erschreckt fuhren sie auseinander. Sie waren beide nahe daran gewesen, ihren sonderbaren Gast zu vergessen.

»Das ist ja schrecklich!«, sagte Emmy. »Er ist schon da!«

»Ach was! Nun unterhält er sich ja mit Klavierspielen!«, tröstete Arnold.

Und zu den Tönen einer prachtvollen, festmarschähnlichen Musik vollendeten sie ihre Toilette. Aber Arnold musste ja noch einmal auf den Dachboden hinauf. Und außerdem musste er Emmy fortwährend Handreichungen tun, ja sogar einmal mit Nadel und Faden einspringen. Und das alles hielt umso mehr auf, als dergleichen sofort die Veranlassung zu einem neuen Austausch von Küssen und allerlei anderen verliebten Schäkereien wurde, ganz als wären sie noch in den Flitterwochen.

Arm in Arm unternahmen sie schließlich die letzte Musterung vor dem Spiegel. Aber an der Tür zum Wohnzimmer mussten sie noch einmal einen kleinen Kampf mit der Verlegenheit bestehen. Unter einem gezwungenen Lachen suchten sie sich gegenseitig zu bewegen, zuerst hinein zu gehen. Bis Arnold plötzlich die Tür aufriss und mit Emmy am Arm hineinsegelte.

Da erstarrten sie beide, und das Lachen ging in einen Ausruf des Verwunderns über. Sie erkannten ihr eigenes Zimmer nicht wieder.

Nicht nur in dem Kronleuchter unter der Decke, sondern auch in einigen Wandlampetten, die seit der ersten Kindtaufe nicht benutzt waren, brannten Lichter. Und überall waren Blumen. Mitten auf dem Tische stand eine große Schale mit wunderschönen gelben Rosen, zwischen denen reife Pfirsiche und blaue Trauben hervorlugten. Über das Tischtuch waren kleine Veilchensträuße gestreut.

Der Fremde hatte sich vom Klavier erhoben. Die Hand auf dem Herzen, begrüßte er sie ehrfurchtsvoll.

»Meine gnädige Frau! Verehrter Herr Doktor! Sie werden es mir hoffentlich verzeihen, dass ich mich so ganz unberufen selber zum Zeremonienmeister bei diesem kleinen improvisierten Fest aufgeschwungen habe. Ich bitte auch um Verzeihung, dass ich mir erlaubt habe, ein wenig Tafelschmuck anzuwenden, den ich in meinem Koffer mitgebracht hatte, um nicht mit ganz leeren Händen zu meinem geistlichen Freund zu kommen.«

Die beiden hatten aufgehört, sich über irgendetwas zu wundern. Während Emmy um den Tisch herumging, wie ein Kind um einen Tannenbaum, blieb Arnold an der Tür stehen, beide Hände in die Seite gestemmt, und ließ die geblendeten Augen durch das ganze Zimmer schweifen. Und plötzlich brach er in schallendes Gelächter aus.

Er ging zu seinem Gast hinüber und drückte ihm die Hand.

»Königliche Hoheit«, sagte er, indem er sich tief verbeugte – und es lag nichts Verlegenes mehr in seiner Munterkeit – »darf ich Sie bitten, meine Frau zu Tische zu führen!«

Sie hatten jetzt ungefähr eine Stunde bei Tische gesessen und waren bis zum Dessert gelangt. Die kleine rosenwangige Abelone, die das Aufwarten besorgte, sah allerliebst aus in ihrem schwarzen Konfirmationskleide und der weißen Latzschürze; aber ihr Aufwarten war zum Lachen und zum Weinen. Einmal strauchelte sie sogar über das lange Kleid, so dass ein paar Teller über den Fußboden hinflogen. Und erst recht verwirrt wurde sie, als weder der Doktor noch ihre Herrin ihr Vorwürfe von *der* Art machten, wie sie ihnen sonst lose genug auf der Zunge zu liegen pflegten. Der Doktor stimmte sogar ein Lachen an und rief: »Da capo!«

Die alte Ane stand hinter der halbgeöffneten Tür zum Esszimmer auf der Lauer. Sie hatte auf die Dauer ihre Neugier nicht zügeln können. Sie hatte sogar zuletzt selbst Hand angelegt beim Decken des Tisches. Aber jetzt war sie wieder ganz außer sich vor Empörung über das, was sie hier sah und hörte.

Der Fremde führte fast die ganze Zeit das Wort. Arnold konnte kaum weiter vor Lachen, und Emmy hatte sich gleich von Anfang an schweigend verhalten. Sie hatten es beide allmählich aufgegeben, Klarheit darüber zu erlangen, wer er war. Sie machten sich nicht einmal mehr etwas daraus, es zu erfahren. Es genügte ihnen, dass er sie mit seiner Unterhaltung beständig hoch emportrug zu der Märchenstimmung des Augenblicks, und sie ergötzten sich an seinen Erzählungen und seinen vielen scherzhaften Einfällen.

Emmy fühlte sich aber doch nicht ganz sicher und war auf ihrem Posten. Seine Anekdoten wurden zuweilen reichlich kühn. Trotzdem musste sie darüber lächeln, wenn auch im Verborgenen. Seine ruhige

Art und Weise zu erzählen, die ganze drollige altmodische Redeform, die ihm eigen war, legten gleichsam einen Flor über das Anstößige.

Trotz all seiner Redseligkeit wirkte er auch auf keine Weise anmaßend oder lärmend. Im Gegensatz zu Arnold, der anfing, ein wenig umnebelt zu werden, schien er nicht sonderlich vom Wein beeinflusst zu sein. Die Farbe seiner vollen Wangen war nur noch ein wenig tiefer geworden, und der Schelm in den klaren Ziegenbockaugen hatte sich gleichsam etwas weiter hervorgewagt. Er glich einem alternden Satyr, wie er dasaß und mit seinem traubenroten Mund lächelte, während die graubraunen Haarlocken wie ein herbstlicher Weinlaubkranz von dem blanken Scheitel abstanden.

Emmy hatte sein Versprechen, dass er ihnen etwas vorspielen wolle, nicht vergessen. Als die Dessertteller nun herumgesetzt waren und Abelone endlich entbehrt und die Tür zum Esszimmer geschlossen werden konnte, erinnerte sie ihn daran.

Er machte auch keine Einwendungen. Nur bat er sich vorher eine Gunstbezeugung aus. Er hielt um die Erlaubnis an – wie er sich ausdrückte –, sie alleruntertänigst als Königin des Festes krönen zu dürfen.

Sie verstand nicht gleich, was er meinte, und sie fühlte sich nicht ganz sicher bei seinen immer gewagter werdenden Einfällen. Aber wie immer, wenn sie nicht sogleich antwortete, fasste er ihr Schweigen als Einwilligung auf. Er hatte im Voraus die Fruchtschale einiger der schönsten und größten Rosen beraubt, und diese befestigte er nun mit leichter und geschickter Hand in ihrem Haar, so dass sie einen goldenen Kranz unter dem silbernen Diadem bildeten.

Anfänglich gefiel ihr das nicht recht. Es war ihr unangenehm, seinen dicken Körper so in der Nähe zu haben und seine Finger in ihrem Haar zu fühlen. Sie fürchtete auch, dass Abelone hereinkommen könne. Aber nachdem sie sich in den Mienen der andern gespiegelt und gesehen hatte, dass die »Krönungstracht« sie kleidete, leistete sie keinen Widerstand mehr. Arnold war ganz erfüllt von Bewunderung. Er schlug die Hände zusammen und äußerte sich laut und völlig unbeherrscht über ihre wunderbare Schönheit. Um die Illusion vollständig zu machen, kam er auf den Einfall, dass sie auch gesalbt werden müsste. Er sammelte eine Handvoll Rosenblätter und ließ sie langsam auf sie herabrieseln, und sie blieben auf ihrem Kleide liegen gleich strahlenden Pailletten.

Sie ging allmählich ganz unbefangen auf ihre Rolle ein und sagte schließlich mit Königinnenmiene:

»Und nun Musik!«

Der Fremde erhob sich sofort und verneigte sich tief vor ihr.

»Ich bin Euer Majestät allerdemütigster Diener!«

Aber statt zum Klavier hinzugehen, verschwand er durch Arnolds Zimmer auf die Diele hinaus und kehrte mit einem langhalsigen perlmuttereingelegten Instrument, einem Zwischending zwischen einer Mandoline und einer Laute, zurück.

Emmy war ein wenig enttäuscht. Arnold hingegen klatschte in die Hände und rief Bravo.

»Eure königliche Hoheit sind auch Sänger?«, sagte er.

»Ein ganz klein wenig in aller Unschuld!«

Zuerst sang er ein französisches, dann zwei verliebte kleine italienische Lieder in Volksweisenton. Seine Stimme war nur klein und obendrein recht trocken. Aber die Lebensfülle des Vortrags und vor allem die virtuosenhaft glänzende Begleitung brachten eine große Wirkung hervor.

Arnold, der nur wenig von dem Text verstand und keinen rechten Genuss von Musik hatte, wurde schnell unaufmerksam. Er saß gegen den Stuhlrücken gelehnt da und fingerte lächelnd in seinem Bart herum, während er zu Emmy hinübersah, mit einem Blick, der feucht war von Wein und Verliebtheit. Er fing jetzt an, genug von dem fremden Mann zu haben. Er sehnte sich danach, wieder allein mit Emmy zu sein. Sie wollten dann das Fest ganz für sich fortsetzen und in noch kühneren Formen. Die Mädchen sollten so schnell wie möglich zu Bett geschickt werden. Nur die brennenden Lichter sollten Zeugen ihres Sardanapalschen Nachtfestes sein!

Der Fremde hatte ein neues Lied angestimmt, diesmal eins in seiner Muttersprache. Es war ein Lied von dem Gott des Märchens, der, in einen Narrenmantel vermummt, in der Welt umherzog und schlaftrunkene Eroten und schwermütige Satyren von dämmrigen Böden und aus dunklen Kellern herausbeschwor, wohin die Langeweile des Alltagslebens sie verjagt und mit Schimmel bedeckt hatte. Die Melodie war frisch und voller Humor, und jeder Vers endete mit einem sechszeiligen Refrain:

»Ja, das Leben, das geht seinen schiefen Gang,
Macht schwarz zu weiß,
Macht laut zu leis,
Und wendet alles, kurz wie lang.
Tra–Tra! Da kommt der Herr Bajatz,
Stellt alles auf den rechten Platz!«

Arnolds feuchte Augen hatten Emmy nicht losgelassen, die mit der Hand unter dem Kopf lauschte. Er saß da und dachte daran, dass auch sie wohl nicht sonderlich aufmerksam war, dass sie sich so wie er selber nur danach sehnte, den lästigen Gast und sein Lirumlarum loszuwerden. Es lag etwas von einer liebesträumenden Mänade über ihr, so wie sie dasaß, den nackten Ellbogen auf dem Tisch und die Hand unter dem blumengeschmückten Nacken. Die großen Augenlider waren gesenkt. Um den Mund lag ein stillstehendes, ein geheimnisvolles Lächeln.

Er versuchte, ihren Bück zu sich hinüberzulocken, indem er sie unter dem Tisch leise mit seiner Stiefelspitze anstieß. Er fand auch ihren Fuß; aber obwohl er sie allmählich ganz hart stieß, sah sie nicht auf. Da zog er langsam seinen Fuß zurück und wurde misstrauisch.

Nach einer Weile, als das Lied beendet war, erhob sich der Fremde, sein Glas in der Hand, und brachte in zierlichen Wendungen ein Wohl auf das bocksfüßige Gefolge des Märchengottes aus; auf alle diese kleinen Herzensdiebe und Verstandsräuber und Schlafstörer, die in dem königlichen Haushalt der Natur eine ähnliche Bestimmung erfüllten wie gewisse Fäulniskeime in den edlen Champagnerweinen: Sie schenkten dem Trunk des Lebens das Bukett und machten ihn moussieren.

Er verneigte sich vor Emmy. Und ohne sich zu besinnen, erhob sie ihr Glas und stieß es mit einem strahlenden, einem entzückten Ausdruck, der Arnold auf einmal ganz nüchtern machte, gegen das seine.

Der Fremde wandte sich nun auch zu ihm:

»Prost, Herr Doktor! Es lebe das Verderben! Auf das Aroma des Lebens und des Todes!«

Aber Arnold rührte sein Glas nicht an, er starrte vor sich hin, als hätte er nichts gehört.

»Aber was hast du auf einmal?«, fragte Emmy. »Du bist doch nicht krank geworden?«

Er hatte beide Hände in die Taschen gesteckt und antwortete nicht. Einen Augenblick wurde es unheimlich still. Da zog der Fremde seine große goldene Uhr heraus und sagte, dass er leider jetzt aufbrechen müsse. Es sei schon viel zu spät geworden. Sein Kutscher müsse drüben im Krug eingeschlafen sein und die Zeit vergessen haben. Noch einmal erhob er sein Glas und dankte ihnen beiden herzlich für den unvergesslichen Abend.

Man erhob sich schweigend – Emmy mit einer verdrießlichen und beschämten Miene –, und der Gast nahm Abschied.

Als Arnold ihn hinausbegleiten wollte, suchte er das gleichsam ein wenig ängstlich abzuwehren.

»Bemühen Sie sich doch bitte nicht, lieber Herr Doktor. Es ist kalt da draußen auf der Diele. Und Sie haben ja gesehen, dass ich mich ausgezeichnet auf eigene Hand zurechtfinde.«

Aber Arnold war schon wieder ruhiger geworden und wollte seine Schuldigkeit bis zuletzt tun. Als sie auf die Diele hinausgekommen waren, erbot er sich auch, nach dem Krug hinüberzuschicken und den Schlitten holen zu lassen, was der Fremde jedoch auf das Bestimmteste ablehnte.

»Das fehlt noch, dass ich Ihnen auch noch die Umstände mache. Sie sehen ja hier« – er zeigte auf seine großen, pelzgefütterten Stiefel und lachte –, »ich bin gut gestiefelt. Das sind die berühmten Siebenmeilenstiefel, wissen Sie.«

Während er seine Sachen im Fremdenzimmer zusammenpackte, blieb Arnold auf der Diele stehen. Der Abschied war kurz, und von Arnolds Seite trug er das Gepräge kühlster Höflichkeit. Kaum dass er sich überwinden konnte, ihn zu bitten, Pastor Jörgensen einen Gruß zu überbringen.

Als er in sein Zimmer kam, stand Emmy hier. Sie hatte sich hinter den Schaukelstuhl in das entgegengesetzte Ende des Zimmers gestellt und erwartete offenbar eine Erklärung; die Tür zum Wohnzimmer war geschlossen, vermutlich damit die Mädchen, die da drinnen mit dem Abdecken beschäftigt waren, nichts hören sollten.

Aber er ging quer durch das Zimmer, ohne ein Wort zu sagen. Durch das Wohnzimmer ging er in die Schlafstube, um seinen Schlafrock anzuziehen. Als er auf dem Rückwege aufmerksam darauf wurde, dass die Lichter noch im Kronleuchter an den Wänden brannten, stieg ihm sein Zorn als vollkommene Verzweiflung zu Kopfe.

»Aber zum Teufel auch! So löscht doch die Lichter aus!«, brüllte er. »Seid ihr denn ganz von Sinn und Verstand! Löscht die Lichter aus – sage ich!«

Als er in sein Zimmer zurückkam, stand Emmy noch auf demselben Fleck.

Sie hatte gleich zu Anfang sein Benehmen bei Tische als Folge eines Rausches aufgefasst und sich herzlich seiner geschämt. Erst hinterher ward es ihr klar, dass etwas anderes vorliegen müsse. Es war etwas in ihr selber – eine kleine Unruhe in ihrem Gewissen –, das sie in der Beziehung geleitet hatte.

Sie sah auch allmählich ein wenig verlegen aus. Und es lag keine rechte Festigkeit in dem gekränkten Ton, mit dem sie jetzt fragte:

»Was soll dies alles nur heißen? ... Was ist nur geschehen, Arnold?«

Er wandte den Kopf zu ihr herum, als entdeckte er sie erst jetzt, und maß sie langsam von Kopf zu Fuß.

»Du hast es ja gehört! Ich sagte, sie sollten die Lichter da drinnen auslöschen. Es hat doch keinen Sinn, die Lichter die ganze Nacht hindurch brennen zu lassen.«

Er hatte eine Tischlampe aus dem andern Zimmer mit hereingebracht. Er setzte sich vor seinen Schreibtisch und schlug sein Tagebuch auf, als wollte er sich daran machen, Rechnungen auszuschreiben.

Emmy stand da, die Arme auf die Stuhllehne gestützt. Sie beugte sich vor und fing an, sich langsam hin und her zu schaukeln. So bedrückt sie sich auch fühlte, konnte sie sich doch kaum eines Lächelns enthalten. Es rief so viele muntere Erinnerungen in ihr wach, als sie ihn so sah. Sie hatte fast vergessen, wie gut er aussehen konnte, wenn er so recht gründlich böse auf sie war.

Sie entsann sich jetzt auch, auf welche Weise sie ihn in alten Zeiten zu besänftigen pflegte, wenn er sich von ihr oder von andern zurückgesetzt glaubte. Nachdem sie ihm etwas Zeit gegeben hatte, sich zu sammeln, setzte sie sich unbefangen auf die Seitenlehne des Stuhles, und den Arm um seinen Hals schlingend, sagte sie:

»Arnold – habe ich etwas getan, was dir nicht recht ist?«

Aber die Wirkung war eine ganz andere als in der Brautzeit. Er stieß sie sehr unsanft von sich und bat sie, ihn mit ihrer Zärtlichkeit zu verschonen.

»Aber Arnold –!«

Sie war jetzt allen Ernstes beleidigt und schalt ihn gehörig aus. Aber da wandte er sich nach ihr um, mit einem so verzerrten Gesicht, dass sie unwillkürlich verstummte.

»Du siehst doch, dass ich beschäftigt bin! Nun hast du dich doch wohl für heute Abend auch genügend amüsiert!« – Und indem er sie ein paarmal mit verächtlichem Blick von oben bis unten ansah, fügte er hinzu: »Du hast es auch wohl sehr nötig, zur Ruhe zu kommen. Du bist so exaltiert. Der fremde Herr hat offenbar keinen günstigen Einfluss auf dein Nervensystem gehabt.«

Sie erhob auf einmal den Kopf und sah ihn erstaunt und betrübt an. Sie wartete darauf, dass er die letzten Worte zurücknehmen würde. Als das nicht geschah, sagte sie leise, indem sie ihm den Rücken wandte:

»Du solltest dich schämen!«

Nach einer Weile verließ sie das Zimmer.

Als sie in die Schlafstube kam und vor dem Spiegel stand, schämte sie sich plötzlich ihrer selbst und ihrer Halbnacktheit. Sie hüllte sich in den Frisiermantel und nahm beschämt die Rosen aus dem Haar. Aber sie tat es zögernd und mit einem verstohlenen Mitleid mit sich selber, so wie man Abschied von einem zu schönen Traum nimmt. Dann ging sie in die Kinderstube nebenan, um sich nach den Kleinen umzusehen, erteilte darauf den Mädchen die letzten Befehle durch die Tür nach dem Küchengang hinaus, verschloss die Tür und kehrte in das Schlafzimmer zurück.

Hier standen die beiden Betten friedlich Seite an Seite von der Wand in das Zimmer hinein mit zurückgeschlagenen Steppdecken. Unter der Decke brannte die rosa Ampel. Sie hatte sie selbst angezündet, als sie sich ankleidete; sie war sonst seit vielen Jahren nicht benutzt worden. Jetzt war das festliche Licht ihr unangenehm. Sie zog sie herunter und löschte sie aus.

Dann setzte sie sich missmutig vor den Spiegel und machte sich daran, ihr Haar aufzulösen. Sie zürnte Arnold nicht mehr, obwohl sie es nicht begriff, dass er es hatte übers Herz bringen können, ihnen beiden die Freude dieses Abends zu verderben. Aber sie hätte das voraussehen müssen. Sie wusste ja aus alten Zeiten, wie sonderbar er sein konnte. Deswegen verzieh sie ihm auch seine Kränkung. Wenn er die Sache erst beschlafen hatte, würde er ganz von selbst einsehen, wie lächerlich sein Verdacht gewesen war, und ihn bereuen.

Sie entkleidete sich langsam und ging zu Bett. Aber sie ließ das Licht doch noch eine Weile brennen. Erst nach Verlauf einer ganzen Stunde hörte sie Arnold hereinkommen. Da tat sie, als schliefe sie.

Am nächsten Vormittag hatten sie sich noch nicht ausgesöhnt. Emmy hatte den ganzen Morgen vollauf zu tun gehabt, das Haus nach der gestrigen Störung wieder in Ordnung zu bringen, außerdem war ein lärmender Streit zwischen den Mädchen entbrannt wegen eines goldenen Zwanzigkronenstücks, das der Fremde auf dem Waschtisch im Logierzimmer hinterlassen hatte. Die alte Ane, die ihren eigenen geheimen Verdacht in Bezug auf die fremde Mannesperson hegte und noch immer Schwefel in den Stuben roch, wagte nicht, ihren Anteil an diesem Gelde in Empfang zu nehmen, gönnte aber auf der andern Seite Abelone auch nicht einen Öre mehr als das Drittel, das ihr von Rechts wegen zukam. Unter dieser schweren Pein war sie noch wütender als sonst, und Emmy musste ein Mal über das andre in die Küche hinaus und Frieden stiften.

Arnold war zu einer Häuslerfamilie weit draußen auf der Heide geholt worden und konnte erst am Spätnachmittag wieder zurückerwartet werden. Als Emmy ihre häuslichen Arbeiten endlich beendet hatte, und die Kinder ihren Nachmittagsschlaf hielten, fing sie an, sich einsam zu fühlen, und sehnte sich nach seiner Rückkehr. Sie pflegte diese ungestörte Stunde zu ihren Haushaltsabrechnungen zu verwenden, hatte aber an diesem Tage keine Ruhe zu dergleichen Arbeit. Es war das erste Mal in ihrer Ehe, dass eine so ernste und andauernde Missstimmung zwischen ihnen geherrscht hatte. Arnold hatte ihr nicht einmal Guten Morgen gesagt und war weggefahren, ohne sich zu verabschieden.

Sie setzte sich schließlich so wie in längst entschwundenen Tagen an das Fenster in seinem Zimmer, von wo aus sie die Landstraße mit ihren Telegrafenstangen ganz bis an die Heidehügel hinan übersehen konnte. Sie saß da, einen Strumpf über dem Arm und einen ganzen

Korb mit Wollsachen vor sich, und warf hin und wieder einen sehnsuchtsvollen Blick den Weg entlang.

Es war ein stiller grauer Tauwettertag ohne Himmel, und dies öde Wetter wirkte gerade hier in hohem Maße niederdrückend, wo man daran gewöhnt war, Tag und Nacht den Westwind katzenfreundlich an dem Haus entlangstreichen und an Türen und Fenstern miauen zu hören. Ein schläfriges Tropfen vom Dach war das einzige, was die bedrückende Stille belebte.

Hin und wieder gingen Leute im Schneeschlamm vorüber; aber ganz gegen ihre Gewohnheit beachtete sie gar nicht, wer es war. Selbst als sie Schullehrer Sörensen mit seinen wackelnden X-Beinen über den Weg gehen sah, glitt sein Bild nur ganz schattenmäßig durch ihr Bewusstsein, gleichzeitig mit einer flüchtigen Vermutung, dass er nun wohl wieder mit dieser Adresse unterwegs sei.

Sie saß da und dachte über etwas nach, was sie zu Arnold sagen wollte, wenn er endlich in sich gegangen war und sie um Verzeihung gebeten hatte. Sie wollte nicht kostbar tun oder ihm eine Szene machen. Sie wünschte ihn in Wirklichkeit auch gar nicht anders, als er war. Sie konnte nicht wieder vergessen, wie ihn sein Auftritt als Othello gekleidet hatte, und sie wollte ihm auch in Zukunft gern seine männlichen Torheiten verzeihen. Aber sie wollte Monsieur beim Ohr nehmen und ihm zeigen, dass er kein Recht dazu hatte, sie zu beargwöhnen, dass sie einen so schlechten Geschmack entfalte und einen älteren und kahlköpfigen Musikanten mit Posaunenengelwangen einem Manne wie ihm vorziehe. Vielleicht würde sie ihn auch an damals erinnern, als sie verlobt waren und er ihr den Ring zurückschickte, nur weil sie auf einem Studentenball zwei Tänze mit einem andern getanzt und sich mit Eistorte hatte traktieren lassen. Hier in Sönderböl hatte Arnold oft selbst darüber geredet und sich über seine Torheit entsetzt.

Aber auch an ihn, den Fremden, dachte sie zuweilen, während sie dort am Fenster saß und spähte. Sie suchte irgendeine Gelegenheit auszutüfteln, wie sie mit dem Pfarrhause in Verbindung kommen konnten, um auf diese Weise zu erfahren, wer er war. Sonderbar war es übrigens, wie schwer es ihr wurde, zu begreifen, dass er noch immer existierte und sogar nicht weiter entfernt war, als dass er deswegen jederzeit leibhaftig zur Tür hereintreten konnte. Das Geschehen des Abends verschwamm für sie schon wie etwas, was sie nur geträumt hatte; und so wollte sie es sich auch am liebsten vorstellen. Namentlich genierte es sie, daran zu denken, dass er jetzt vielleicht da drüben im Pfarrhause umherging, dieselben Narrenpossen für ein anderes Publikum vorbereitete und – auf seine stille und listige Weise – sich den Schein gab, als sei er verliebt in die Pfarrersfrau.

Es war schon spät am Nachmittag, als Arnold heimkehrte. Die Kinder waren längst von ihrem Nachmittagsschlaf aufgestanden. Sie hatte sich mit den Jungen in die Wohnstube gesetzt und zeigte ihnen Bilder.

Das Herz schlug ihr bis an den Hals, als sie ihn hörte. Während sie zerstreut die Fragen der Knaben beantwortete, lauschte sie seinen Schritten, und es war ihr, als könnte sie hören, dass er versöhnlicher gestimmt war.

Er sagte denn auch Guten Tag, als er hereinkam und bat – wenngleich ein wenig kurz – um sein Mittagessen. Sie überlegte einen Augenblick, ob sie mit ihm ins Esszimmer gehen solle. Aber sie blieb sitzen und begnügte sich damit, den ältesten der Jungen mit einem Bescheid an die Mädchen in die Küche hinauszuschicken. Es war doch wirklich seine Sache, den ersten Schritt zu tun!

Als Arnold gegessen hatte, kam er auch wieder herein, offenbar in der Absicht, eine Annäherung zu machen. Vorläufig mussten die Kinder als Brücke zwischen ihnen dienen. Er fuhr ihnen liebkosend über das Haar, fragte, was für Bilder sie da hätten und womit sie sich sonst heute amüsiert hatten. Schließlich mischte sich Emmy mit ein paar gleichsam hingeworfenen Worten in die Unterhaltung. Bei dem bloßen Klang ihrer Stimme – leise und unsicher wie sie war – löste sich der letzte Bodensatz von Bitterkeit in seinem Gemüt auf. Und als die Jungen nach einer Weile zu ihrem Vesperbrot hinausgerufen wurden und sie alleine blieben, ging er zu ihr hin und legte seine Hände um ihren Kopf.

»Wollen wir es dann vergessen sein lassen, Emmy?«

Sie wandte, statt einer Antwort, ein paar tränenerfüllte Augen und einen stummen Mund zu ihm empor. Und der Mund verzog sich in die Breite und zitterte wie bei einem Kinde, dem man ein Leid angetan hat und das mit dem Weinen kämpft.

»Nun, nun! Nur keine Szenen mehr!«, ermahnte er sanft und bewog sie auch wirklich – zur Besiegelung des Friedens – zu einem Lächeln.

Über die Ereignisse des gestrigen Tages wurde freilich kein Wort geredet, und überhaupt hatten sie keine Gelegenheit, weiter miteinander zu reden. Noch ehe Arnold seinen Kaffee getrunken hatte, hielt schon wieder ein Wagen vor der Tür.

Emmy begleitete ihn, gegen ihre Gewohnheit, ganz auf die kalte Diele hinaus und legte eine große Sorgfalt an den Tag, dass er sich auch gut einpacken solle. Und als er am Abend wieder zurückkehrte, hatte sie die Mädchen zu Bett geschickt und stand selbst mit der Laterne in der Tür, um ihn aus seinen wärmenden Hüllen herauszuschälen.

Aber die Schlange war nun doch einmal in ihr kleines Paradies hineingeschlüpft und hatte sie verführt, von dem Baume der Erkenntnis des Guten und des Bösen zu essen. Als Arnold am nächsten Tage in der Dämmerung von einem Krankenbesuch im Dorf heimkehrte, stutzte er, denn aus dem Wohnzimmer drang ihm Klavierspiel entgegen. Sein Herz begann zu pochen. Er biss sich in den Bart. War es möglich …? Sollte er es sein?

Er ging auf den Zehenspitzen in sein eigenes Zimmer hinein und stand dort still und lauschte. Die Tür nach dem Wohnzimmer war geschlossen, aber er konnte allmählich aus dem tastenden Vortrag heraushören, dass es Emmy war, die spielte. Aber sein Argwohn war nun einmal geweckt. Und nun erkannte er, trotz der suchenden und sehr unvollkommenen Wiedergabe, eine der schmachtenden französischen oder italienischen Melodien, zu denen der Fremde gesungen hatte.

Er riss die Tür jäh auf und ging hinein. Sie hatte ihn offenbar nicht kommen hören. Es war ihm wirklich geglückt, sie zu überraschen, und er konnte sehen, dass ihre Gedanken auf Abwegen gewesen waren. Sie hörte sofort auf zu spielen. Und indem sie sich erhob, sah sie schnell von der Seite zu ihm auf, mit einem scheuen und forschenden Blick im Auge.

Ohne ein Wort zu sagen, ging er in das Schlafzimmer und zog seinen Schlafrock an. Als er zurückkam, stand sie am Fenster und sah hinaus. Ohne sich umzuwenden, fragte sie ihn, ob sie die Lampe anzünden solle. Er antwortete: »Nein.«

»Es ist etwas Neues, dich am Klavier zu sehen«, sagte er nach einem längeren Schweigen, von dem Lehnstuhl in der Ecke am Ofen herüber. »Was war es, das du vorhin spieltest?«

»Ach – es waren nur Fingerübungen.«

Es quälte sie, ihm etwas vorlügen zu müssen. Es war das erste Mal seit vielen Jahren, aber sie wusste nichts anderes zu antworten. Sie hatte es im Gefühl, wie hoffnungslos es sein würde, den Versuch machen zu wollen, ihm ihre Gefühle zu erklären.

Sie verstand sie ja nicht einmal selbst recht.

Sie würde nicht imstande sein, ihm zu sagen, was sie so schwermütig machte. Und wo findet man auch wohl das Wort, das dieses geheime Flattern des Gedankens um das Fremde und Verbotene so recht erklärt, das Wort für dies Staubkörnchen angestammter Verderbnis, das die Liebe der Frau so sprudelnd frisch bewahrt und ihr ihre Süße verleiht?

Arnolds anhaltendes Schweigen machte sie schließlich bange. Die fröhlichen Stimmen der Kinder, die aus dem Esszimmer schallten, steigerten diese Angst nur. Es war ihr, als legten sich mit jeder Minute des Schweigens Meilen zwischen sie und die anderen. Sie hatte eine Empfindung, als entschwänden sie ihr mehr und mehr hinter einer ungeheuren Kluft aus Finsternis und Kälte. Gleichzeitig fühlte sie, wie sich Abgründe in ihrem eigenen Innern auftaten. In wachsendem Schwindel starrte sie hinab in die verborgenen und ungeahnten Winkel des menschlichen Herzens, wo die Dämonen ihr Reich haben.

Sie wandte sich um, und ihr Auge suchte Arnold. Er saß zusammengesunken dort im Lehnstuhl mit einem so bleichen Gesicht, dass es im Halbdunkel leuchtete.

Da fasste sie sich ein Herz. Nach einer Weile stand sie neben ihm und legte ihm schüchtern die Hand auf die Schulter.

»Arnold –«

Mehr brachte sie nicht heraus. Er packte sie beim Arm und schleuderte sie mit einer brutalen Kraft von sich, so dass sie hinfiel.

»Dirne!«, fauchte er.

Sie war mitten im Zimmer umgesunken. Wirr vor Überraschung, Zorn und Scham und außerdem von einem Wollustgefühl, das ihr neue Angst in das Blut trieb, blieb sie auf den Knien liegen, die Hände vor dem Gesicht. Erst nach Verlauf einer Minute war sie imstande, sich zu erheben. Langsam ging sie in das Schlafzimmer, das Gesicht beständig mit den Händen verbergend.

Zwei Tage darauf kam Arnold draußen über die Heide gefahren, einen tüchtigen Weststurm im Rücken. Er saß zurückgelehnt in seinem Doktorstuhl und hatte den Pelz gut über die Ohren gezogen. Es war nicht viel weiter von ihm zu sehen als sein Bart und dann ein Paar graue wollene Fausthandschuhe. Die schwere hölzerne Pfeife, die Hand und Mund wie der Henkel einer Krücke zu verbinden pflegte, war an diesem Tage nicht da. Verlassen lag sie in der Seitentasche des Reisestuhls und ließ das Mundstück hängen. Nicht einmal der Tabak, der ihn doch sonst immer in allen Widerwärtigkeiten des Lebens hatte trösten können, wollte ihm in diesen Tagen helfen.

Er hatte jetzt seit anderthalb Tagen nicht mit Emmy gesprochen. Aus Rücksicht auf die Kinder und die Dienstboten hatten sie bei den Mahlzeiten zusammen gesessen, wie sie überhaupt jeden Bruch der Hausordnung vermieden hatten. Aber nach Tische waren sie regelmäßig jeder in sein Zimmer gegangen. Seit dem ersten Abend, als Emmy weinend im Bett gelegen und leise nach ihm gerufen hatte, war auch von ihrer Seite nicht der leiseste Versuch zu einer Annäherung gemacht worden.

Was er für sie empfand, war freilich nicht mehr Zorn, sondern Mitleid. Er entschuldigte sie, weil sie eine Frau war, das heißt ein Wesen mit einem abnormen Gefühlsleben und einem daraus fließenden, verwirrten Gedankengang. Er war nicht einmal sicher, ob sie nicht angefangen hatte, sich als die Gekränkte zu betrachten. Es lag etwas in dem Trotz, den sie ihm in der letzten Zeit entgegengebracht hatte, was darauf schließen ließ. Und das würde ihr ja nur ähnlich sehen! Wie deutlich entsann er sich ihrer aus den alten Zeiten, wo sie auf die unschuldigste und glaubwürdigste Weise auf ihrem Leugnen beharren konnte, selbst wenn er beide Hände voll von Beweisen gegen sie hatte!

Er machte denn auch niemand als sich selbst für die Enttäuschung, die er erlitten hatte, verantwortlich. Wie er jeden Augenblick zu sich selbst sagte: Er war nicht um ein Haar besser gewesen als die vielen verliebten Ehemänner, deren Verblendetheit er selbst so häufig auf dem Theater und in Wirklichkeit mit ausgelacht hatte. Er hatte sich in seinem häuslichen Glück ein Idealbild von seiner Frau geschaffen und auch sie dahin gebracht, dass sie daran glaubte. Jetzt war der Glorienschein verflogen, und er musste die Wahrheit des Wortes erkennen, dass auf dem Herzensgrunde selbst der unschuldigsten Frau eine giftige Natter im Winterschlaf liegt. Es kam nur auf Zufälligkeiten an, ob sie ruhig weiterschlafen oder zum Leben erweckt werden und Verderben bringen würde.

Er hatte Totenschau über einen armen Häusler draußen auf der Heide abgehalten und befand sich jetzt auf dem Heimwege. Er pflegte auf dieser öden Strecke, wo man selten jemand begegnete, einen kleinen Schlummer abzuhalten. Aber auch der Schlaf ließ ihn diesmal im Stich. Er empfand auch kein Bedürfnis, die Telegrafenstangen zu zählen oder vielstellige Zahlen im Kopf zu addieren, was er zuweilen auf seinen langen Fahrten tun musste, um die Langeweile zu vertreiben. Wie das Leben selbst ihm ein fremdes Gesicht zugewandt hatte, so war ihm auch die Natur in diesen Tagen neu geworden. Die große kahle Landschaft und der mächtige Wolkenhimmel zogen seine Gedanken mit einer Macht an, wie er sie lange nicht gekannt hatte. Während er dort vom Sturm umhüllt saß, wurden in seinem Sinn große, feierliche Stimmungen wiedergeboren, die das Herz bewegten und die Gedanken fruchtbar machten.

Er hatte überhaupt so halbwegs angefangen, sich zurechtzufinden und in seine Einsamkeit einzuleben, die er als unabwendbar betrachtete. Es gab Augenblicke, wo er – obwohl er das auf keine Weise anerkennen wollte – nahe daran war, den Schiffbruch seines Glücks als eine Befreiung zu empfinden, oder wo er doch Ersatz dafür in jener entsagenden Wehmut fand, die das Gemüt der Unendlichkeit erschließt.

Aber der Gedanke an den fremden Mann war der Pfahl in seinem Fleisch, der ihn seine Schande nie lange vergessen ließ. Ehe er ihn nicht sicher aus der Gegend fort wusste, würde er keinen Frieden finden. Obwohl er einräumen musste, dass er ihm nichts Wesentliches vorzuwerfen hatte, waren seine Gefühle für ihn doch von einer solchen Beschaffenheit, dass eine erneute Begegnung verhängnisvoll werden konnte.

Der Wagen war jetzt über die äußersten Heidehügel hinausgelangt. In schnellem Trab ging es nach Sönderböl hinab. Das Dorf lag da unten auf den schneebedeckten Feldern mit seiner Mühle, seinem Molkereischornstein und seinem roten Doktorhaus, ganz so, wie er es Hunderte von Malen hier oben vom Hügelabhang herab hatte liegen sehen, und doch so ganz verändert. Es stieg an diesem Tage keine kleine trauliche Glücksstimmung in ihm auf beim Anblick seines Heims. Sein Paradies war in die Erde versunken und an dessen Stelle lag diese trostlose Gruppe von Häusern auf der dem Winde zugänglichen Fläche – ein Stück entkleideter Wirklichkeit, so durch und durch trübselig und verkommen, aber auch so feierlich groß in seiner wilden Nacktheit.

Als er das erste Gehöft im Dorf erreichte, wurde der Wagen von einem großen weißhaarigen Bauern angehalten, der mit ihm zu reden wünschte.

Es war derselbe Thorvald Andersen, den Emmy vor einigen Tagen mit einem Papier in der Hand hatte zum Schullehrer hineingehen sehen.

Der Mann war ihm ergeben, weil er einmal seiner Frau in einer schweren Krankheit beigestanden hatte. Er lag außerdem in beständigem Streit mit Lehrer Sörensen wegen einiger Schulstrafgelder, die er vor vielen Jahren hatte bezahlen müssen. Und doch war er immer sehr bedenklich, wenn es sich darum handelte, Partei für Arnold gegen den Schulmeister zu ergreifen in den Streitigkeiten, die ihre nachbarliche Feindschaft zwischen diesen streitbaren Jütländern um sich her aussäte. Lehrer Sörensen entstammte einer Bauernfamilie und gehörte also zu seinen Standesgenossen, und obwohl er weder seinen Gottesglauben noch seine politische Überzeugung teilte, wurde er dennoch heimlich von ihm wie von seinen andern Gegnern bewundert wegen seiner großen Schlauigkeit und seines Talents, unter der Maske der Freundschaft sich zu dem empfindlichsten Punkt seines Widersachers hindurchzufingern und dann ohne Barmherzigkeit zuzustoßen.

Arnold verstand sofort bei dem ersten Blick auf das Gesicht des Bauern, dass er ihm ein Geständnis ablegen wollte.

Er musste beinahe lachen über seine Verlegenheit. Die ganze Sache war ihm so herzlich gleichgültig geworden.

Der Mann fing damit an, sich zu entschuldigen, dass er ihn aufhalte, obwohl er Besuch zu Hause habe.

»Besuch?«, fragte Arnold.

Ja, er habe wenigstens vor Kurzem Pastor Jörgensens geschlossenen Wagen durch das Dorf fahren sehen. Er halte jetzt beim Krug.

Um sich nicht zu verraten, zog Arnold sein Taschentuch heraus und putzte mehrmals seine Nase. Er rückte im Doktorstuhl hin und her und fing schließlich an, eine Melodie vor sich hin zu summen. Ein paar Minuten ertrug er es, der hackenden Erklärung des Mannes zuzuhören. Dann unterbrach er ihn kurz und erteilte dem Kutscher den Befehl, weiterzufahren.

Daheim im Wohnzimmer traf er wirklich Besuch. Pastor Jörgensen schwänzelte mit flatternden Rockschößen in der Stube herum. Seine Frau saß mit dem Hut auf dem Kopf hinter dem Tisch. Er sah sofort, dass sie es waren. Auch über Emmy, die im Lehnstuhl in der Nähe der Pfarrersfrau saß, flogen seine Augen, ohne sie zu sehen. Sein Blick schweifte umher, auf der Suche nach jemand, der nicht da war.

Von dem Augenblick an, wo Emmy ihn kommen hörte, hatte sie auf Wache gesessen, um seinen Gesichtsausdruck im selben Nu beobachten zu können, wo er eintrat. Und mit Triumph im Gemüt und einer hervorsickernden Lüsternheit im Blute sah sie die Eifersucht in seinen suchenden Augen brennen.

Pastor Jörgensen stellte sich vor Arnold hin und griff ihm mit beiden Händen in die Aufschläge seines Jacketts, als wolle er mit ihm tanzen. Er gehörte zu den Menschen, die selbst in fremder Leute Stuben beständig auf der Wanderung sein müssen und jeden Augenblick erschreckt nach der Uhr sehen und erklären, dass sie jetzt wirklich fort müssen, und die man doch niemals los wird. Da stand er nun auf und erzählte Arnold, was er Emmy bereits zweimal auseinandergesetzt hatte, dass er und seine Frau den Wunsch hätten, sie am nächsten Sonntag zusammen mit einigen andern Leuten aus der Umgegend bei sich zu Tische zu sehen. Sie hätten, sagte er, die Einladung selbst überbringen wollen, könnten aber nur einen Augenblick bleiben, da sie einen Besuch machen wollten.

Arnold dankte für die Einladung auf eine Art und Weise, die sowohl ja als auch nein bedeuten konnte.

Nun wurden Wein und Kuchen gebracht und die Unterhaltung entwickelte sich zu einer der gewöhnlichen Visitenunterhaltungen, die schnell in Redensarten erstarren und jeden Augenblick ganz ins Stocken zu geraten drohen. Der Pfarrer klagte, zu Arnold gewandt, über seinen Rheumatismus in der Schulter, und seine Frau erzählte Emmy von ihren Dienstmädchen. Keiner von ihnen hatte bisher auch nur mit einem Worte ihres fremden Freundes Erwähnung getan.

Arnold saß stumm da und kochte vor Wut. Was er am allermeisten gefürchtet hatte, war also eingetroffen. Der Schimpf, den er und das ganze Haus erlitten hatten, war von dem Fremden verraten, und einzig und allein aus Feingefühl erwähnten die Pfarrersleute seinen Besuch in keiner Weise.

Er wusste schließlich nicht mehr, wo er mit seinen Augen bleiben sollte. Er fürchtete namentlich, Emmys Blick zu begegnen. Wäre er mit ihr allein gewesen, er hätte sie zu Boden geschlagen. In ihm schrie es: »Dein Name ist entehrt! Dein Heim ist dem Gerede der Leute preisgegeben! Deine Zukunft ist vernichtet!«

Wohlan! Dann konnte auch das Übrige seinetwegen zum Teufel gehen! Jetzt wollte er frisch von der Leber reden!

Um den Pfarrer zu zwingen, von dem fremden Manne zu sprechen, ersann er eine List. Er brachte wieder das Gespräch auf Pastor Jörgensens Rheumatismus in der Schulter und sagte, er habe sich den wahrscheinlich neulich abends auf dem Ausflug in dem argen Schneegestöber geholt.

Aber der Pfarrer verstand ihn nicht. Er sei wahrhaftig nicht im Schneewetter draußen gewesen, sagte er.

Arnold lächelte mit unverhohlenem Misstrauen.

»Wie können Sie das nur sagen, Pastor Jörgensen! Ich weiß ja doch, dass Sie am Fastnachtsmontag ausgewesen sind!«

»Aber lieber Doktor! Was sind das für Beschuldigungen! Amalie, du bist mein Zeuge, dass ich am Montag nicht zur Tür hinausgewesen bin.«

»Nein, mein Mann ist wirklich zu Hause gewesen. Wer hat ihn denn anderswo gesehen?«

Arnolds erregte Augen liefen noch eine kleine Weile forschend zwischen ihnen hin und her. Aber es war auf die Dauer nicht möglich, daran zu zweifeln, dass ihre Überraschung ungeheuchelt war. Sie verpflanzte sich dann auf einmal auf ihn. Sein Gesicht verzog sich plötzlich zu einer Maske. Und unwillkürlich sah er zu Emmy hinüber.

Sie saß in dem Stuhl zurückgelehnt und spielte mit den Fingern auf den Armlehnen. Sie schien gar nicht erstaunt, wenn auch ein wenig sinnend, und sah mit einem übermütigen Lächeln zum Fenster hinaus.

Arnold musste nun mit einer Erklärung herausrücken. Er erzählte von dem Besuch des fremden Mannes, von seinem falschen Vorgeben, seiner Weigerung, seinen Namen zu nennen, und machte schließlich eine genaue Schilderung seines Äußern. Die Pfarrersleute waren beide wie aus den Wolken gefallen. Pastor Jörgensen fühlte sich außerdem ein wenig beleidigt.

»Lieber Doktor – wie konnten Sie doch nur so naiv sein? Nach dieser Beschreibung, die sie von dem Manne gemacht haben, begreife ich nicht, wie Sie ihn allen Ernstes für einen Freund von *mir* haben halten können!«

Arnold entschuldigte sich, so gut er es in der Verwirrung des Augenblickes vermochte. Er erklärte, der Pfarrer habe ihm einmal von einem Jugendfreund erzählt, der von einem Wagen gefallen sei und sich seither ein wenig sonderlich benommen habe.

»Ach, der arme Marius! Aber der ist ja schon seit vielen Jahren tot! – Nein, dies ist ein frecher, ein schändlicher Betrüger gewesen! Nie im Leben hab ich etwas Ähnliches gehört!«

Emmy hatte währenddessen eine Häkelarbeit hervorgeholt und häkelte fleißig, scheinbar ohne sich weiter für die Unterhaltung zu interessieren.

»Sie verstellt sich!«, dachte Arnold, der sie im Geheimen bewachte. »Diese Ruhe ist erheuchelt! Ich kenne sie! Sie will mich sicher machen!«

Der Pfarrer drehte sich im Zimmer herum und fuhr fort sich aufzuregen:

»Der frechste Betrüger! An Ihrer Stelle würde ich die Sache sofort bei der Polizei melden. So ein Gauner verdient, dass man ihn beim Kragen kriegt und ihn gehörig durchprügelt! Hat man je so etwas gehört! Sie können mir glauben, es ist einer von diesen zudringlichen, gewissenlosen Handlungsreisenden gewesen, einer von diesen abscheulichen Probenreitern, die nun auch angefangen haben, es hier auf dem Lande unsicher zu machen. Er hat sich gewiss ein Gratisabendessen verschaffen wollen. Das sieht diesen Menschen so recht ähnlich!«

Arnold ergriff den Gedanken mit Begier, um ihn als vergiftete Waffe zu benutzen. Er sagte, er habe während der ganzen Zeit einen Argwohn gegen den Kerl gehegt. Im ersten Augenblick habe er ihn für einen heruntergekommenen Schauspieler gehalten oder auch für einen umherreisenden Kneipensänger; aber er müsse dem Pfarrer recht geben, es sei wohl eher einer von diesen Herren Reisenden gewesen, die den ordinären Geschmack mit einer gewissen oberflächlichen Politur übertünchten, aber der Schrecken aller wirklich gebildeten Menschen seien. Es habe in der Tat etwas von dieser falschen Eleganz über dem

Mann gelegen, wie man sie sich in Provinzhotels und Kopenhagener Tingeltangels aneignete.

Emmy saß da und hatte Mitleid mit seinen wütenden Anstrengungen, den eingebildeten Nebenbuhler niederzumachen. Aber auf der andern Seite fand sie doch Gefallen daran. Die blutdürstigen Worte fielen auf ihr Herz wie heiße Liebeszeichen. Aber wie wenig er sie doch verstand! Probenreiter! Kneipensänger! Ach, du lieber Gott, das war ihr ganz gleichgültig; sie empfand nicht das geringste Verlangen, dem Manne wiederzubegegnen. Es war ja nur lächerlich, wenn sie sich neulich in einem Augenblick der Verwirrung selbst Vorwürfe wegen dieses gemütlichen Dicksacks gemacht hatte. Für sie würde er allein sein und bleiben, wofür er sich selbst ausgegeben hatte: Prinz Karneval, der ihr noch einmal, für eine Nacht, das Reich des Märchens erschlossen und sie zu dessen Königin gekrönt hatte.

Pastor Jörgensen riss zum zehnten Mal seine Uhr aus der Tasche:

»Amalie – wir müssen fort!«

Im selben Augenblick ließ er sich mit der Uhr in der Hand auf einen Stuhl niederplumpsen. Er musste etwas Sonderbares erzählen, was ihm gerade einfiel. Er könne sich noch entsinnen, dass er in seiner Kindheit seine Eltern von einer ganz ähnlichen Begebenheit bei einem Förster irgendwo oben in Jütland habe erzählen hören, wo sich ein fremder Mann unter einem falschen Vorwand in den Schoß der Familie eingedrängt und sich dort mehrere Tage als ihr Gast gütlich getan habe.

»Aber diese Begebenheit nahm dort freilich ein weit tragischeres Ende«, schloss er, indem er sich erhob. »Sie war – soweit ich mich erinnere – die Veranlassung zu einer höchst traurigen Familienkatastrophe. Wenn ich nicht irre, ging der Förster sogar hin und erschoss sich.«

Arnold wusste wieder nicht, wo er mit seinen Augen bleiben sollte. Während der Pfarrer seine Erzählung fortsetzte, versank er einen Augenblick in tiefes Mitleid mit sich selbst. Emmy verstand das sogleich. Trotz seiner gesenkten Augenlider durchschaute sie ihn ganz und erriet alle seine trübseligen Gedanken. Und in ihrem Herzen wallte eine zärtliche und stürmische Freude auf. Ihre Brust tat ihr weh, so pochte es da drinnen vor Sehnsucht, jetzt allein mit ihm zu sein. Ach, wie wünschte sie, dass diese fremden Menschen doch verschwinden möchten! Dann wollte sie gerade auf ihn zugehen und beide Arme fest um ihn schlingen, so dass er sich ihrer Küsse nicht erwehren konnte. Und sie wollte ihn nicht eher freigeben, als bis er alle seine hässlichen Worte und Gedanken zurückgenommen und richtig begriffen hatte, dass sie ihn nie heißer und mit innigerer Dankbarkeit geliebt hatte als gerade in diesen letzten Tagen.

Aber die Pfarrersleute blieben noch eine halbe Stunde; und als sie endlich glücklich abgefahren waren, kamen die Kinder aus dem Esszimmer hereingestürmt und hinter ihnen drein die alte Ane, die wie eine Hexe grunzte, weil sie mit dem Mittagessen hatte warten müssen – und so war der gelegene Augenblick zu einer Versöhnung diesmal verpasst. Sobald sie gegessen hatten, ging Arnold in sein Zimmer.

Emmy stand ganz mutlos, eine Leere in den Augen, da und sah ihn die Tür hinter sich schließen.

Aber am Abend, als die Kinder zu Bett gekommen, und es im Hause still geworden war, hörte Arnold von seinem Zimmer aus, dass sie sich an das Klavier setzte. Sie spielte erst ein paar Tonleitern und andere Fingerübungen und nahm dann plötzlich – wie infolge eines kühnen Entschlusses – dasselbe Musikstück wieder auf, bei dem er sie neulich überrascht hatte, als sie sich bemüht hatte, es nach dem Gehör herauszufinden.

»Was soll das nur bedeuten?«, dachte er unruhig. Er fing an, ängstlich zu werden über ihr fortgesetztes Trotzen.

Diesmal spielte sie die Melodie fast ohne Stocken durch. Es war beinahe, als hätte sie sie in den dazwischenliegenden Tagen geübt. Und nun fing sie, weiß Gott, an, dazu zu summen. Es war, so weit er es unterscheiden konnte, das Lied, das der Fremde gesungen hatte, das Lied von dem lieben Gott oder dem Teufel oder wer es nun war, der eines schönen Tages eine irdische Gestalt annahm und als Narr verkleidet unter den Menschen umherzog und Wunder tat. Er entsann sich noch des Refrains:

»Ja, das Leben, das geht seinen schiefen Gang,
Macht schwarz zu weiß,
Macht laut zu leis,
Und wendet alles, kurz wie lang.
Tra-Tra! Da kommt der Herr Bajatz,
Stellt alles auf den rechten Platz!«

Er blieb in Gedanken versunken sitzen, die Hand unter dem Kopf, während sie fortfuhr, da drinnen zu spielen. Es klang wie ein Versuch zu verlocken. Nach und nach arbeitete sich auch ein kleines Lächeln um seinen bärtigen Mund hervor, ein bleiches und trübseliges Lächeln. – Ach ja, warum auch nicht? So arm er auch geworden war, so wünschte er seine eingebildeten Reichtümer doch nicht zurück. Und er liebte Emmy ja in Wirklichkeit jetzt nicht weniger als früher, wenn auch auf eine andere Weise. Oft in diesen Tagen hatte er sogar gemeint, dass seine Liebe wahrer und tiefer geworden sei, seit er sie wieder in ihrer ganzen menschlichen Schwäche kennengelernt hatte. – Und er selbst war ja schließlich auch nicht ohne Fehler. Es diente ihr wirklich ein wenig zur Entschuldigung, dass es gewiss nicht immer ganz leicht mit ihm umzugehen war. Sie hatte sicher nicht ganz selten Grund gehabt, sich über seine Reizbarkeit und seinen Mangel an Rücksicht zu beklagen. – Auf alle Fälle: Sie konnten einander ja doch nicht entbehren. Gerade jetzt bedurften sie einander mehr denn je als Stütze, mussten sie versuchen, in gegenseitiger Nachsicht zusammenzuhalten, wenn nicht das ganze Leben für sie in die Brüche gehen sollte.

Er erhob sich langsam, um zu ihr hineinzugehen. Er wollte ihr offen sagen, was er in diesen ruhigen Augenblicken des Besinnens gefühlt und gedacht hatte. Aber gleich in der Tür blieb er stehen und stutzte. Es war dunkel in dem Zimmer. Nur die Klavierlichter brannten. Sie zeichneten nach beiden Seiten ihre Silhouette in mannigfacher Gestalt auf den Fußboden und auf den Wänden ab. Es war, als sei die Stube von Schatten bevölkert.

Emmy fuhr fort zu spielen; aber er konnte es ihrem Rücken ansehen, dass sein Kommen sie nervös machte. Ihre Unruhe rührte ihn. Vorsichtig ging er durch das Zimmer, und als er einen Augenblick hinter ihr gestanden hatte, legte er schweigend seine Hände um ihren Kopf. Ohne sogleich das Spiel zu unterbrechen, beugte sie sich hintenüber und sah ihm glückstrahlend in die Augen. »Kommst du endlich!«, sagte sie leise.

Ihre Hände sanken herab. Wie ein überwältigtes Kind schmiegte sie sich an ihn, während Freudentränen unter den geschlossenen Augenlidern hervorsickerten.

Es war Schullehrer Sörensen der große Ärger vorbehalten, dass, als er endlich nach jahrelanger, fuchsschlauer Arbeit Arnold Höjer gehörig eingekreist hatte und nun mit der Schulabflusswasser-Angelegenheit den letzten, kräftigen Schlag gegen seine Autorität dort in der Gegend richten wollte, Arnold ihm und seinen Verschworenen ins Gesicht lächelte, und zwar mit einer Liebenswürdigkeit, mit einer so teilnehmenden Sanftmut, dass man Lavst Sörensen heißen und zu den starken Jütländern gehören musste, um sich nicht verlegen und beschämt zu fühlen.

»Liebe Freunde!«, sagte er zu den beiden Sendboten, die am Tage nach Pastor Jörgensens Besuch feierlich antraten, um ihm den Beschluss der Majorität in der Sache mitzuteilen. »Reden wir doch nicht mehr über die Bagatellen. Ich beuge mich selbstverständlich der Entscheidung der Bevölkerung.«

Er trieb seine Liebenswürdigkeit sogar so weit, dass er die beiden Männer zu Kaffee und Zigarren einlud. Und Frau Emmy schenkte ihnen den Kaffee selbst ein und gab ihnen hinterher Apfelsinen und Feigen für ihre Kinder mit.

Lavst Sörensen fand in alledem gleich einen neuen Grund, sie zu verdächtigen und für seine eigene Bauernbildung in die Trompete zu stoßen:

»Ja, hab ich es nich' ümmer gesagt? So sind nu mal diese Stadtminschen. Die schlingern hin und her mit ihren Launen und Stimmungen. Ich bedaure die Leute.«

Sein Urteil erhielt eine – für seine Mission sehr günstige – Bestätigung durch die Gerüchte, die allmählich über das Leben in dem Hause des Arztes durchsickerten. Man hatte schon von dem sonderbaren Fastnachtsfest gehört, das dort gefeiert worden war; und Leute, die in letzter Zeit des Abends vorübergekommen waren, hatten Musik herausschallen hören und Licht in allen Fenstern gesehen, als wenn da jeden Abend Gesellschaft wäre. Andere hatten von den Dienstboten des Hauses erfahren, wie sich der Doktor und seine Frau den einen Tag vom Morgen bis zum Abend küssten und den andern umhergingen, ohne ein Wort zueinander zu sagen, und überhaupt wie ein Paar Neuvermählte lebten.

Nun wurde die Neugier noch mehr wachgerufen durch den Bericht von dem ungeladenen Fastnachtsgast und seinen Verdiensten. Und da

Doktors selbst offenbar keine Schritte tun wollten, um des Betrügers habhaft zu werden, so fing man an, die Nachforschungen auf eigene Hand umso eifriger zu betreiben. Aber im Kruge, wo er den Schlitten eingestellt, hatte man weder die Pferde noch den Kutscher gekannt, und dieser, ein kleiner, brünetter Bursche, hatte nichts sagen wollen, sondern hatte nur dagesessen und gegreint und Nüsse mit seinen großen Affenzähnen geknackt. Auch weder in der Stadt noch in den umliegenden Dörfern hatte man Aufklärungen erlangen können. Niemand kannte einen Schlitten wie den beschriebenen. Niemand hatte ihn gesehen. Er war wie spurlos in der Luft verschwunden.

Während alles dessen war es für die Leute eine leichte Sache, sich darüber zu einigen, dass mit dem jungen Doktorpaar eine Veränderung vor sich gegangen war, und zwar eine, die ihnen keineswegs zum Vorteil gereichte. Selbst die Pfarrersleute fingen an, sich von ihnen zurückzuziehen, nachdem Emmy in der Gesellschaft im Pfarrhause mit entblößten Schultern erschienen war und bei derselben Gelegenheit sich zuvorkommender gegen den neuen Provisor in der Apothekenfiliale erwies, als es ihrem Mann offenbar gefiel und als es auch passend war.

»Ich verstehe mich nicht mehr auf die Menschen«, sagte Pastor Jörgensen bekümmert. »Es ist, als wären alle guten Geister auf einmal aus dem früher so traulichen und gemütlichen Doktorhause geflohen. Es ist ja auch ganz unverkennbar, dass sie sich beide nicht mehr glücklich fühlen.«

Dies letztere hatte gewissermaßen seine Richtigkeit.

Die kleinen, freundlichen, rundlichen Hauselfen, die bisher so unverkennbar einen jeden in dem kleinen Doktorheim umschwebt hatten, waren zur Zeit landflüchtig geworden. Und hinter dem festlichen Aufzug von Eroten und Faunen, der dort jetzt sein Wesen trieb, offenbarte sich von Tag zu Tag deutlicher ein unheimliches Schattengefolge.

Oft wenn Emmy umherging und eine Melodie vor sich hin summte und fröhlich war und sich mit den Kindern beschäftigte oder zum Fenster hinaussah, ob Arnold nicht bald käme, konnte sie plötzlich ein Missmut befallen, eine Schlaffheit, die ihr alles gleichgültig machte. Zu andern Zeiten konnte die geringste Widerwärtigkeit sie in Tränen ausbrechen lassen. Wenn Arnold des Nachts geholt wurde, konnte sie nicht schlafen. Allerlei Schreckbilder, allerlei Selbstanklagen hielten sie wach. Und die Angst machte sie abergläubisch. Sie zündete die Nachtlampe an und setzte sich zitternd im Bett auf, die Hände um die in die Höhe gezogenen Knie geschlungen. Und jeder Laut, der durch die nächtliche Stille zu ihr drang, ward zu einer geheimen Botschaft, die ihr aus der Welt der Geister gesandt wurde. Oder sie stand auf und holte ihr Neues Testament, das noch aus der Konfirmationszeit stammte, aus der Schublade. Oder sie faltete die Hände kindlich unter dem Kinn, erhob die Augen und fand Ruhe in einem brennenden Gebet.

Währenddes humpelte Arnolds Gefährt schwerfällig dahin, draußen im Schneeschlamm oder unter strahlenden Froststernen. Auch er war ganz wach. Wehmütig lächelnd saß er in seinem Doktorstuhl und dachte an sie, das Herz voll Zärtlichkeit und Verzeihung. Es ging ihnen wieder so wie in den ersten Tagen ihrer Liebe: Mit wie viel Bitterkeit sie sich auch trennen mochten, sobald sie fern voneinander waren, lebten sie in beständigem Sehnen. Arnold meinte zuweilen, rein physisch spüren zu können, wie ihn Emmys Gedanken mit Küssen oder Tränen begleiteten. – Saßen sie aber zu Hause beieinander, so konnte er auf der andern Seite ein Gefühl haben, als wenn hundert Meilen sie trennten. Nie mehr geschah es, wenn sie drinnen in seiner Stube Dämmerstunde hielten, dass sie lachen mussten, weil sie auf genau dieselbe Weise über dieselbe Sache gedacht hatten. Emmys Gedanken gingen jetzt ihre eigenen Wege, denen er nicht zu folgen vermochte, gingen zu Träumen über, die er nicht deuten konnte. Selbst nicht in den Augenblicken der Hingebung, in dem Rausch ihrer Liebe, war er ihrer ganz sicher. – Aber wie lieblich betrübt konnte sie dann sein, wenn die unvermeidliche Enttäuschung und Niedergeschlagenheit des nächsten Tages, die sie nicht kannte, ihn aus ihren Armen forttrieb! Wie süß konnte sie für jede Freude danken, die er ihr schenkte! Und wie rührend konnte sie in der Angst der Einsamkeit sein, mit der sie ihn in einer Nacht wie dieser erwartete!

Was wollte er denn im Grunde noch mehr? Wozu nach dem verlorenen Paradies des ruhigen und sicheren Besitzes seufzen, wenn er sich doch nicht benachteiligt fühlte? Er war zufrieden mit seiner friedlosen Liebe. Mit seinem schwermütigen Glück. Dankbar auch für seine einsamen Stunden, die ihm die Natur zur Vertrauten gegeben und ihm die Traumtiefe der Unendlichkeit hinter den ewig verheißungsvollen Sternen des Nachthimmels erschlossen hatte. –

Nun, nach einer Weile beruhigte sich beider Sinn.

Die kleinen Ereignisse des Alltags fingen von Neuem an, sie in Anspruch zu nehmen. Der Lebenslauf glitt in das gewohnte Geleise zurück. Aber wie sehr sich auch der Gesichtskreis allmählich wieder für sie verengte, man merkte es ihnen doch noch lange an, dass das Märchen ihr Haus besucht hatte, und die Leute fühlten sich noch immer nicht so recht wohl bei ihnen. Wie Pastor Jörgensen sagte: Es war, als wenn es da überall zöge. Man habe immer ein Gefühl, als säße man bei offnen Türen.

Und wirklich lag beständig eine gewisse Unruhe und Rastlosigkeit über ihrem Treiben. Aber noch immer geschah es von Zeit zu Zeit, dass die Schwärmerei sie von Neuem erfasste. Es kam über sie wie ein Raptus, der seine Zeit haben musste, wie der Schnupfen im Herbst und das Fieber in den Hundstagen. Und weit häufiger als es Arnold – geschweige denn sonst jemand ahnte, gerieten Emmys Gedanken auf Abwege und stahlen sich in das Märchenland hinein. Noch als alte Frau mit weißem Haar stand sie manch liebes Mal in der Einsamkeit am Fenster mit einem traumfernen Blick in den dunklen Eulenaugen und starrte hinaus auf den Sonnenuntergang und den großen Gewitterhimmel, an dem Erdkugeln aus zerrissenen Wolken unaufhaltsam von Westen her dahinsegelten, ein Bild der Ruhelosigkeit des Ewigen.

Thora van Deken

Auf einer der hölzernen Bänke im Wartesaal einer kleinen ostjütischen Landstation saßen an einem Herbstabend ein paar Bauern und warteten auf einen Zug, der in einer kleinen Stunde kommen sollte. Der Rauch aus ihren Pfeifen zog sich in langen Streifen durch die nasskalte Luft und sammelte sich gleich einer schläfrigen Wolke um die Petroleumlampe unter der Decke. Sie saßen da und schwatzten über einen, der im Sterben lag. Nämlich über Gutsbesitzer Engelstoft, die Standesperson der Gegend, den Herrn von Sophiehöj und Besitzer eines guten Packens zinsentragender Papiere.

Dieser Mann und seine häuslichen Verhältnisse hatten während der letzten Jahre dem Klatsch der Gegend reichliche Nahrung geliefert. Nach einer achtzehnjährigen Ehe war er von seiner Frau geschieden worden und hatte sich mit einem ganz jungen, sehr bürgerlichen, aber überaus schönen Mädchen, einer Schwester des Realschuldirektors drinnen in der Provinzstadt, verlobt.

Da waren ja einige, die den Gutsbesitzer aus diesem Grunde strenge verurteilt hatten. Aber neben allem offiziellen Ärgernis war man im Allgemeinen sehr zufrieden mit dem Ereignis gewesen. Frau Engelstoft hatte sich in der Gegend nicht beliebt gemacht. Die meisten erblickten in ihr ein wahres Ungetüm. Es war und blieb den Leuten ein Rätsel, wie der schöne und lebensfrohe Gutsbesitzer sich mit ihr hatte verheiraten können. Freilich war sie selbst einmal eine Schönheit gewesen, nicht groß von Gestalt, aber doch recht stattlich. Noch immer lag eine gewisse Hoheit über ihrer aschblonden Erscheinung mit dem liniengeraden Rücken. Man musste ja auch anerkennen, dass es im Wesentlichen ihrer Sorgfalt und rücksichtslosen Energie zu verdanken war, wenn Sophiehöj und Engelstofts andere Besitztümer, mit denen sowohl er als auch sein Vater recht nachlässig geschaltet hatten, wiederum in eine blühende Verfassung gebracht waren. Aber sie war so misstrauisch, zanksüchtig und geizig, dass die Leute von ihr sagten, sie fordere Rechenschaft auch von jedem halben Öre, der im Haushalt draufging.

Sie stammte von väterlicher Seite selbst aus einer Gutsbesitzerfamilie. Ihre Mutter dagegen war aus Bauerngeschlecht, die Tochter eines reichen Hofbesitzers und Pferdehändlers aus der Gegend von Randers, was sie so wenig vor Fremden zu verbergen suchte, dass sie sich im Gegenteil stets ihrer Mutter und deren Familie rühmte, während sie Fremden gegenüber ihren Vater, den Jägermeister van Deken, niemals erwähnte. Mit junkerlicher Freimütigkeit hatte dieser nämlich das Vermögen des Pferdehändlers verzehrt und verprasst, so dass die Mutter nach seinem Tode mit ihren beiden halberwachsenen Kindern auf der Landstraße stand. Als Engelstoft seine künftige Gattin zum ersten Mal sah, war sie recht und schlecht Gouvernante auf einem der Güter in der Gegend und hatte ihren Platz am unteren Ende des Tisches neben den Kindern des Gutsbesitzers.

Aber trotz ihrer märchenhaften Erhöhung von der armen Lehrerin zur Herrin von Sophiehöj war sie von Jahr zu Jahr immer verschlossener und menschenfeindlicher geworden. »Die Kröte« nannten die Bauern in der Gegend sie. Beständig zwang sie ihren friedliebenden Mann zu Rechtsverfolgungen und gerichtlichen Klagen, so dass er bald mit den Behörden wegen Ausbesserung einer Wegestrecke, bald mit einem Nachbarn wegen einer Grenzscheide im Prozess lag. Bei dem bloßen Argwohn, dass man sie übervorteilen könne, setzte sie lieber ihr ganzes Glück aufs Spiel, als dass sie von einem Vergleich hören wollte.

Es hatte den Ehemann denn auch einen schweren Kampf gekostet, die Scheidung zustande zu bringen. Die Leute begriffen nicht, wie Engelstoft den Mut dazu gefunden hatte. Sein juristischer Vertreter, Rechtsanwalt Sandberg, war in der Woche, in der die Ehescheidungsverhandlungen gepflogen wurden, täglich in Sophiehöj gewesen; und man erzählte, dass die Ehegatten, die sich jeder in seinem Flügel des Schlosses verbarrikadiert hatten, nur in Gegenwart von Zeugen miteinander sprachen, während ihre Tochter, die sechzehnjährige Esther, in ihrem Zimmer eingeschlossen saß und von ihrer Mutter wie eine Geisel bewacht wurde.

Es wurde schließlich vereinbart, dass der Gutsbesitzer selbst Sophiehöj, das der Familie zum gewöhnlichen Aufenthaltsort gedient hatte, behalten sollte, und dass Frau Engelstoft im Namen der Tochter Agersögaard übernahm, das in einer entlegenen Ecke von Vendsyssel lag und ein bedeutend größeres, aber schlecht gehaltenes Gut mit großen unkultivierten Heide- und Moorstrecken war. Sie hatte dies gerade wegen der Einsamkeit der Lage vorgezogen. Außerdem wurden ihr persönlich fünfzigtausend Kronen in barem Gelde zugesprochen.

An demselben Abend, an dessen Nachmittag der Ehescheidungskontrakt vor dem stellvertretenden Amtmann unterschrieben worden war, verließ sie Sophiehöj mit der Tochter, die nicht einmal die Erlaubnis erhielt, ihrem Vater Lebewohl zu sagen. Man erzählte, dass das verwirrte und eingeschüchterte Kind ihm habe zuwinken wollen, der oben von seinem Fenster in Verzweiflung ihren Namen in die Finsternis hinausrief, als der Wagen abfuhr. Die Mutter aber habe ihr das Taschentuch aus der Hand gerissen.

Schon ein paar Wochen später veröffentlichte der Gutsbesitzer seine Verlobung mit dem jungen Mädchen, dessen frische, zigeunerhafte Schönheit ihn verhext hatte. Sie und ihr Bruder, der Realschuldirektor, die beide gleich ungeduldig waren, sich auf Sophiehöj gütlich zu tun, ließen ihm keine Zeit, sich in seinen Kummer über den Verlust der Tochter zu versenken.

Aber das Unglück hatte sich nun einmal auf dem Gute eingenistet. Kaum ein halbes Jahr danach erkältete sich die junge Braut auf einem Weihnachtsball, bekam Lungenentzündung und starb.

Bei ihrem Begräbnis wurde gesagt, dass Engelstoft ihr wohl bald nachfolgen werde. Er war auf einmal ein alter Mann geworden. Von Jugend an hatte er den Keim zu einem Herzleiden in sich getragen, das jetzt aufflammte und seine Lebenskraft verzehrte.

»Es is so, wie ich dir sag, Per!«, sagte der eine von den zwei Bauern, die im Wartesaal saßen und aus ihren Pfeifen pafften. »Er hat höchstens noch acht Tage zu leben. Denn is es aus. Das hat der Doktor selbst gesagt.«

»Herrgott!«, sagte der andere, der ein älterer Mann mit einem in sich gekehrten Ausdruck war. »Dass es solch schnelles Ende mit ihm nehmen musst'!«

»Ja, es is sonderbar zu denken – das is sicher und gewiss. Denn das muss man ihm lassen – ein Staatskerl is Engelstoft sein Lebtag gewesen. Und gut gegen arme Leute – soweit das Weib es ihm erlaubte.«

»Herrgott!«, wiederholte der andere in Gedanken versunken. »Dass es auch solch Ende nehmen musst'!«

»Ja, wer hätt' das wohl gedacht! Denn Engelstoft is doch noch ein jüngerer Mann. Lass mal sehen – er kann wohl knapp an die Fünfzig sein. Aber die Jahre allein zählen nich' immer. Das muss man bedenken. Die Sorgen fressen an den Eingeweiden – das is ein altes Wort. Und Engelstoft, der hat nu, weiß Gott, seine Last zu ziehen gehabt. Gott in aller Welt, was hat der arme Mann nich' mit der Kröte durchzumachen gehabt, ehe er das Gespenst loswurd'. Hu! Hu! Die hat ihm mehr als einen Büschel Haar in seinem Schopf weiß gemacht!«

»Ja, sie war 'ne böse Hex'. Das muss man sagen.«

»Hu! Hu! – Und kann man sich wohl was Ärgerlicheres denken, als dass die Braut hingehn und sterben muss, gerad als er sie sicher hatt'. Das muss ihn doch gewaltig gebost haben.«

»Ja, ja, Mads, das war nu mal so Gottes Wille.«

»Das war es natürlich; das is ein wahres Wort, Per! – Aber so'n schönes Mädchen, wie sie doch war. Ich weiß noch – es is nu gerade ungefähr ein Jahr her –, ich kam von dem Limer Moor mit 'ner Fuhre Torf gefahren. Da begegnete ich ihnen im Ostwald. Sie kamen gerade auf mich zu geritten, auf ein paar roten Biestern. ›Tag auch, Mads Iversen!‹, sagt Engelshoft so recht freimütig und schlug mit seiner Reitpeitsch' in die Luft. Und die Braut, die schmunzelt so ein bisschen und ritt auf seine rechte Seite rum. Ihre Backen waren ein bisschen rot – denn sie hatten sich ja ziemlich nah gesessen. Es war ein schöner Anblick.«

»Ach ja … das kann wohl sein! Aber ...«

»Nie zu meinen Lebzeiten hab ich einen Menschen mit solchen lustigen Augen gesehen wie das Mä'chen. Und wie ihr die Glieder an' Leibe saßen! Das hätt' dazumals, weiß Gott, kein Mensch nich' denken soll'n, dass sie drei, vier Monat' später drei Ellen tief unter der Erd' liegen und sich langweilen müsst'!«

»Ja, das sollt' nu so sein, Mads!«

»Ja, da is wohl nichts zu zu sagen. Und was für ein Begräbnis sie gekriegt hat! Ich glaub wahrhaftig in Gott, Engelstoft selbst kriegt es nich' feiner.«

»'n Abend!«, ertönte es im selben Augenblick aus dem andern Ende des Wartesaals.

Es war der Bahnwärter. Er kam mit einer angezündeten Handlaterne aus dem Büro.

»'n Abend!«, antwortete der ältere von den Bauern nach einer Weile.

»'n Abend!«, sagte nun auch der andere, ein großer dicknackiger Mann mit einem rötlichen Bartwuchs, der sich bis ganz auf die Ohren fortsetzte. »Wir sitzen hier und schnacken über Engelstoft.«

Der Bahnwärter schraubte die Lampe unter der Decke in die Höhe – das Zeichen, dass der Zug zu erwarten war.

»Ja, es soll ja ganz dreckig mit ihm stehen, sagen sie.«

»Er hat höchstens noch acht Tage zu leben. Das soll der Doktor selbst gesagt haben.«

»Er muss doch 'ne tüchtige Portion für das Mä'chen übrig gehabt haben, dass er sich so davon unterkriegen lässt.«

»Ja, das sag' man noch mal. Das hat er auch gezeigt, damals, als er sich von der Kröte loskaufte, um sie zu kriegen. Agersögaard und ein halbes Hunderttausend in bar – das is 'ne runde Summe für 'ne Braut. Der junge Kresten Balle, der eben vom Seminar gekommen is', der hat neulich ausgerechnet, dass, wenn sie ihm nich' gestorben wär' und wenn sie man bloß so 'ne Jahre zwanzig verheiratet gewesen wären, denn wären es dreiundneunzig Kronen für jeden Tag gewesen, den Gott werden lässt – mit den Zinsen, versteht sich, 'n schöner Tagelohn!«

»Er – und was hat er nu dafür gekriegt!«, bemerkte der alte Bauersmann.

»Das sag' man noch mal, Per. Aber so ist es mit den Art Leuten. Wenn es sich um Frauenzimmer handelt, denn werfen sie es allens aus 'n Fenster raus!«

»Habt ihr übrigens gelesen, was heut in der Zeitung steht?«, fragte der Bahnwärter.

»Na, was steht da denn?«, riefen beide Bauern gleichzeitig aus und ließen die Pfeifenspitzen aus dem Munde gleiten.

»Engelstoft hat ja Sophiehöj verschenkt. Als Todesgabe, oder wie es sonst heißt.«

»An wen?«

»Es soll, wenn er tot is, zu 'ner Wohltätigkeitsstiftung gemacht werden. Für alleinstehende und schwächliche Frauenspersonen. Das steht da in der Zeitung.«

»Das kann doch nie in' Leben seine Richtigkeit haben«, bemerkte der alte Bauer mit einem ganz bedenklichen Tonfall.

»Ja, es wird sich doch wohl so verhalten!«, sagte der Rotbart und schlug sich beteuernd mit der Hand auf das Knie. »Das sieht Engelstoft gerade ganz ähnlich, 'n flotter Mann is er immer gewesen.«

»Ja – denn seht man«, erklärte der Bahnwärter weiter, »es is doch geradezu eine Eigentümlichkeit, dass sie – die Braut nämlich – gerade Sophie heißen musst'. Das passt zu Sophiehöj, versteht ihr. Dann wird ja auf die Weise das Ganze eine Art Andenken an sie.«

»Aber kann das nu auch von Rechts wegen zugehen?«, sagte der Alte. »Er hat ja doch seine Tochter.«

»Ach, Gott Vater in' Himmelreich! Das Kind kriegt ja Gottes Gaben genug!«, krähte sein Nachbar auf. »Agersögaard fällt ihr doch mal zu. Und einen mörderischen Haufen Geld kriegt sie von beiden Seiten. Die Kröte verklackert ihre Schillinge wahrhaftig nich'. Es soll ganz gewaltig sein, was sie da zusammenrackert. Sie sagen, sie hätt' schon über fünfzig Tonnen Heide umgepflügt. Ein Mordsfrauenzimmer!«

Draußen ertönten jetzt drei Schläge auf einer Signalglocke. Der Bahnwärter biss das Ende von einer Rolle Kautabak ab und schlenderte mit seiner Laterne auf den Bahnsteig hinaus.

Gleichzeitig wurde die Tür nach der Landstraße zu geöffnet. Und zugleich mit dem Sturm, der durch den Raum fegte und Sand und Papierfetzen von dem Fußboden aufwirbelte, erschien ein lebhafter, kleiner, hohlbeiniger Mann mit einem großen Wollwarenbündel auf dem Rücken und einem Stab in der Hand.

»Das is ja Wolle«, flüsterte der große Bauer dem andern zu. »Der kleine Schnurrer will mal wieder mit seinem Bündel auf die Wanderschaft.«

»Na – was sitzt ihr beiden da und salbadert?«, sagte der Mann, nachdem er das Bündel abgewälzt und neben den andern auf der Bank Platz genommen hatte.

»Wir haben von Engelstoft geredet.«

»Das konnt' ich mir wohl denken. Ja, der schrummt wohl bald ab, der arme Kerl. Habt ihr auch schon das Allerneuste gehört?«

»Meinst du das, was heut' in der Zeitung steht?«

»Ne, ich meine weiß Gott das, was da in' Reisestall steht.«

»Was is das denn?«

»Das ist Engelstoft sein neuer Landauer, den er vergangenes Jahr gekauft hat. Der is eben da reingefahren. Sie erwarten heut' Abend hohen Besuch auf Sophiehöj.«

»Denn is es am End' der Amtmann?«

»Ne, höher rauf, Mads Iversen!«

»Doch wohl nich' der neue Bischof?«, fragte der Alte ganz benommen.

»Ne – noch höher rauf!«

»Ach was, Unsinn! Du willst uns doch wohl nich' einbilden, dass es der König selbst is'?«

»Ne – noch höher rauf!«

»Hör' mal, Wolle, du willst uns wohl um Michaelis in' April schicken. Wer soll denn heut Abend kommen, wenn du es überhaupt weißt?«

»Den Teufel seine Großmutter in eigener Hoheit – wenn ihr mich nu verstanden habt.«

»Die Kröte!«, riefen beide Bauern wie aus einem Munde aus und hoben sich förmlich im Gesäß.

»Ja, so is es und nich' anders! Sie und die Tochter kommen nu mit dem Zug. Kutscher Jens hat es mir erzählt. Der Kaplan saß auch in' Wagen. Er soll sie in Empfang nehmen. Und er is ja auch der Nächste dazu, nach allem, was man sich erzählt.«

»Ja, ja – der Tod versöhnt«, sagte der alte Bauer nach kurzem Schweigen und nickte vor sich hin.

»Und das is auch man gut!«, fiel ihm der andere in die Rede. »Denn es war eigentlich schrecklich zu denken, dass er dahingehen sollt, ohne dass sie sich vertragen hätten. Aber ich hätt' der Kröte wirklich nich' so viel Herz zugetraut.«

Die Tür nach der Landstraße zu tat sich wieder auf. Der Wegeschmutz und die Papierfetzen führten abermals einen kleinen Rundtanz auf dem Fußboden auf und die Hängelampe steckte eine lange, schwarze Zunge nach der Decke hinauf aus. Einen Augenblick war es fast dunkel im Wartesaal.

Als die drei Männer auf der Bank sahen, dass es der Kaplan war, lüfteten sie ehrfurchtsvoll die Hüte und sagten Guten Abend. Der Kaplan nickte freundlich zu ihnen hinüber, sagte einige Worte über das Wetter und begann eine Wanderung auf und ab, die Hände hinter sich auf dem Rücken.

»Wir können den Zug wohl bald erwarten?«, fragte er nach einer Weile.

»Ja, gemeldet is er wenigstens«, antworteten die drei Männer im Chor – sie verfolgten ihn mit starren Augen auf seiner Wanderung durch den Raum, während die Lippen sich vor Fragelust unwillkürlich bewegten.

In Sophiehöj waren dem jungen Geistlichen, der erst neunundzwanzig Jahre alt war, die Türen bisher verschlossen gewesen. In ihrem Verhältnis zur Kirche hatten Engelstoft und seine Frau übereingestimmt, jedoch mit dem Unterschied, dass Frau Engelstoft ihren Bruch mit der Kirche offen bekannt hatte, während der Gutsbesitzer aus Rücksicht auf den alten Propst, der ihn konfirmiert hatte, und überhaupt um nicht Anstoß zu erregen, sich ein paarmal im Jahr in dem geschnitzten Kirchenstuhl blicken ließ, der ihm als Rittergutsbesitzer und Patron der Kirche vorbehalten war. Aber nach dem Tode seiner Braut und namentlich, nachdem er selbst krank geworden war und die Hoffnungslosigkeit seines Zustandes erkannt hatte, konnte er den Trost der Religion nicht mehr entbehren. Und gerade weil der Kaplan ein Fremder war, den er nur in seiner Eigenschaft als Geistlichen kannte, den er nie an einer wohlbesetzten Tafel oder als Vierten an einem Spieltisch gesehen hatte, ward es ihm leichter, ihm sein Inneres mit Vertrauen zu erschließen, als dem alten Propst, der eine auffällige Schwäche für die Güter dieser Welt hatte.

Der Kaplan hatte denn auch diese Abschiedsbegegnung zwischen dem Gutsbesitzer und seiner Frau zustandegebracht. Mit Engelstofts Einverständnis hatte er ihr einen Brief geschrieben und darin sie und die Tochter eindringlich gebeten zu kommen, »ehe der Tod die endgültige Scheidung – oder die ewige Vereinigung vollzogen habe«. Es war jedoch keine Antwort eingetroffen, jetzt aber um die Mittagszeit hatte sie ihre Ankunft in einem kurzgefassten Telegramm: »Komme heute mit dem Abendzug« gemeldet.

Auf der hölzernen Bank hatten die drei Landleute gesessen und leise geflüstert. Jetzt fasste der große Bauer Mut und sagte laut:

»Da kommt heut Abend wohl noch Besuch nach Sophiehöj.«

Der Kaplan hemmte seine Schritte, schloss die Augen und lächelte.

»Ja – es wird Besuch erwartet.«

»Es soll ja wohl Frau Engelstoft sein, die erwartet wird.«

»Ja, ja! Also das weiß man schon!«

»Ich hätt' der Frau wirklich nich' so viel Herz zugetraut.«

»Ach nein, wir wollen ja am liebsten immer das Schlechteste von unsern Mitmenschen glauben. Warum tun wir das? Christus hat uns ja doch etwas anderes gelehrt.«

Der dicke Bauer schlug beschämt die Augen nieder und schwieg, und um weiteren Fragen über Frau Engelstoft zu entgehen, begab sich der Kaplan bald darauf auf den Bahnsteig hinaus.

Das Gerücht von dem Kommen der »Kröte« hatte sich indessen vom Krug aus verbreitet und die Leute aus den zunächst liegenden Häusern und Höfen aus dem Abenddusel aufgejagt. Von allen Seiten kamen sie in klappernden Holzschuhen nach dem Stationsgebäude hinab, die Knechte mit ihren langen Pfeifen, die im Winde Feuer sprühten, die Mädchen mit Tüchern um den Kopf, grinsend und schwatzend. Als man den Zug endlich da draußen in der großen Finsternis sah und er nach einer Weile an der Station hielt, war der Bahnsteig voll Neugieriger, die sich drängten und einen langen Hals machten, um sie zu sehen.

Der Schaffner öffnete alle Wagentüren und rief den Namen der Station. Aus einem Abteil erster Klasse vorn im Zuge war eine Dame in grauem Pelzmantel bereits ausgestiegen.

»Das is sie!«, ertönte es aus dem Gedränge.

Wer sie von früher her kannte, sah sofort, wie sie gealtert war. Das lichte Kraushaar um die Stirn war ergraut und die Haut hing in Säcken unter den großen, hellen, stark ausgewölbten Augen. Aber sie trug den Kopf noch ebenso hoch wie in alten Zeiten und hatte dieselben hastigen, instinktiven Bewegungen.

Der Kaplan trat an sie heran und stellte sich vor. Sie beantwortete seinen Gruß, ohne ihm die Hand zu reichen, und als sie im selben Augenblick auf die zusammengeströmte Menschenmenge vor dem Wartesaal aufmerksam wurde, zog sie mit einer scheuen Bewegung den Schleier vor das Gesicht.

Der Kaplan hatte währenddessen in das Abteil hineingeguckt und es leer gefunden.

»Ist Fräulein Esther nicht mitgekommen?«, fragte er erschreckt.

»Nein«, antwortete Frau Engelstoft und wandte sich im selben Moment ab, um ihrer Kammerjungfer, die jetzt aus einem Abteil in einem der andern Wagen herzugekommen war, einen Befehl zu erteilen.

»Aber dann kommt Ihr Fräulein Tochter wohl mit einem späteren Zug, nicht wahr?«

Sie tat, als hörte sie die Frage nicht, raffte das Kleid zusammen und steuerte mit ihren kleinen, sicheren Schritten gerade auf die Tür des Wartesaals zu, wo der neugierige Menschenhaufen unwillkürlich vor ihr zur Seite wich. Einzelne von den Männern lüfteten sogar die Mütze ein wenig.

Der Kaplan folgte ihr mit einem eingeschüchterten Ausdruck in den großen Kinderaugen.

Draußen vor dem Bahnhofsgebäude hielt ein geschlossener Landauer. Auf dem Bock saß stramm und steif der dicke Kutscher Jens, der ängstlich zu seiner früheren Herrin herunterschielte, während er mit der Peitsche grüßte.

Frau Engelstoft, die noch nicht nach dem Befinden des Kranken gefragt hatte, setzte sich mitten auf den Vordersitz, offenbar um zu verhindern, dass der Kaplan neben ihr Platz nahm. Der Kammerjungfer, die zu dem Kutscher hinaufsteigen wollte, gab sie den Befehl, sich in den Wagen zu setzen – in der offenbaren Absicht, jede vertraulichere Unterhaltung unmöglich zu machen.

Während der ungefähr zweistündigen Fahrt wurden denn auch nicht viele Worte gewechselt. Der junge Geistliche saß zurückgelehnt in seiner Wagenecke und wusste nicht, was er glauben sollte. Mit Unruhe und Bekümmerung dachte er daran, wie entsetzlich die Enttäuschung für Engelstoft werden würde, wenn er erfuhr, dass die Tochter heute Abend nicht mitgekommen war. Er erinnerte sich des verklärten Ausdruckes von Dankbarkeit und Glück, mit dem der arme, todkranke Mann ihm gesagt hatte, dass sie kommen würde. Aus seinen vielen vertraulichen Unterredungen mit ihm wusste er außerdem, dass Engelstoft sich reichlich so viel bedrückt fühlte von dem Kummer und der Schande, die er über die Tochter gebracht hatte, wie von dem Unrecht der Mutter gegenüber.

Er selber hatte das junge Mädchen niemals gekannt. Er war ihr ein paarmal auf ihren Ritten zusammen mit dem Vater begegnet und von daher erinnerte er sich ihrer als einer blonden, nur erst halb ausgewachsenen kleinen Frauengestalt mit ein paar großen, luftblauen Augen. Aber ringsumher in der Gegend hatte er die Leute oft von dem reden hören, was sie ihre Misshandlung durch die Mutter nannten. Während der Vater sein Kind verstohlen verhätschelte, sollte ihr Frau Engelstoft eine sehr strenge Erziehung gegeben haben und durch allerlei Abhärtungskuren und ein übertriebenes Leben in freier Luft versucht haben, eine Amazone aus ihr zu machen.

Welche Absicht konnte nun diese unergründliche Frau damit haben, dass sie allein kam? Es war ihm, als läge in ihrem zugeknöpften Wesen ihm gegenüber etwas, das nichts Gutes verhieß.

Gutsbesitzer Engelstofts Schwager, der Realschuldirektor, saß zur selben Zeit im Bibliotheksaal auf Sophiehöj und ordnete einige Papiere. Jede zweite von den Kerzen in dem großen Glasprismenkronleuchter war angezündet und außerdem waren ringsumher auf den Tischen Lampen angebracht. Der wollhaarige und negerlippige Mann, der trotz seiner Hässlichkeit der verstorbenen Schwester glich oder doch auf alle Fälle durch sein südländisches Aussehen an sie erinnerte, hatte es verstanden, sich seinem kranken Schwager immer unentbehrlicher zu machen. Seit dieser das Bett nicht mehr verlassen konnte und nicht länger imstande war, mit Fremden zu sprechen, hatte er die Leitung des Gutes übernommen. Jeden Tag nach der Schulzeit ließ er sich in der besten Equipage dahinaus holen, und hier in der Bibliothek empfing er den Verwalter und den Rechnungsführer, ohne zu verhehlen, dass er jetzt Herr des Schlosses war und dass auch in Zukunft kein anderer Wille als der seine gelten würde.

Die Papiere, die er in diesem Augenblick so eifrig durchblätterte, waren eine Sammlung vergilbter Akten, die er aus dem uralten Archiv des Schlosses herausgesucht hatte. Der Realschuldirektor war ein Mann mit Universitätsbildung und mit einem keineswegs erloschenen wissenschaftlichen Ehrgeiz.

Mit einer besonderen Vorliebe hatte er es unternommen, dies staubige Archiv mit seinen jahrhundertealten Briefen, Kaufurkunden, Eingaben zu Rechtsstreitigkeiten und dergleichen Hinterlassenschaften zu ordnen. Er war Historiker von Fach und betrachtete sich in seinen großen Augenblicken als Verkannten, den Bosheit und Dummheit als gemeinen Büchsenspanner in die Provinz vertrieben hatten.

Er war gerade von Tische gekommen, angeregt von vielem Essen und gutem Wein. Eine ringförmige Wolke von Havannarauch schwebte gleich einem Glorienschein über seinem Kopf, und vor ihm stand eine Kaffeeanrichtung mit einer Auswahl von Likören.

Dass Besuch im Schloss erwartet wurde, wusste er nicht, geschweige denn, wer es war. Der Schwager hatte gerade, bevor er kam, einen bösen Anfall von Atemnot gehabt und hatte ihn deshalb nicht empfangen können. Und die wenigen anderen, die Bescheid wussten, hatten strengen Befehl, nichts zu sagen. Engelstoft wollte seinem Schwager selbst mitteilen, was bevorstand.

Es war auch ganz still ringsumher, keine ungewöhnliche Unruhe oder Geschäftigkeit, die seinen Verdacht erwecken konnten. Alle Viertelstunden ließ die große Rokokoschrankuhr draußen auf der Diele mit einem oder mehreren schnellen Schlägen, denen eine kleine Walzermelodie folgte, von sich hören. Und kurz darauf dröhnte ebenso regelmäßig die Jüngstegerichtsstimme der Turmuhr. Sonst war da nur das ewige, schwerfällige Sausen des Herbstwindes draußen in den halbnackten Bäumen des Parks.

Er hatte ein Band um das alte Dokumentenbündel gebunden, und nun lehnte er sich in den Armstuhl zurück, während seine fleischigen Lippen mit einem energischen kleinen Knall einen neuen Rauchstrahl emporsandten.

Er glaubte ja, dass er schon allerlei Funde von bedeutend wissenschaftlichem Interesse gemacht hatte. Wenn er Otium erhielt, das ganze Material zu ordnen und zu sichten, wollte er ein Buch darüber herausgeben, mit Bildern und Faksimiles flott ausgestattet. Ein nationales Prachtwerk, das zu bezahlen die künftige Stiftung hier auf Sophiehöj sich natürlich als Ehre anrechnen musste.

Seine kleinen, schwarzen Augen, leicht vergoldet vom Wein, wie sie waren, spielten mit lieblichen Bildern oben unter der hohen Stubendecke.

Was für ein Buch das werden würde! Die guten Professoren und Doktoren drinnen an der Universität sollten ihm diesmal nicht unter die Nase reiben, dass seine historischen Untersuchungen nicht neu und nicht auf Quellenstudien begründet waren. Sie sollten jetzt, zum Teufel auch, Quellenstudien bekommen, und zwar derartige, dass sie sich vor Neid die Zunge abbeißen würden! – Welche Galerie von tief interessanten Gestalten aus der Vergangenheit hatten nicht diese fahlen Dokumente für ihn ins Leben gerufen. Und welch ein Leben hatten sie nicht geführt, diese alten Schlossherren, die hier hinter wegelosen Wäldern lebten und gleich eigenmächtigen Königen über Leben und Gut des Nächsten verfügten. Kein Wunder, dass die Leute es in nächtlichen Stunden noch hier auf Sophiehöj spuken hörten! Dass sie blutige Gespenster durch die Zimmer spazieren sahen und Jammern und Schreien von unten her aus den Kellern vernahmen! Hier hatte ein Mann wie jener Ebbe Brok regiert, der einmal einem friedlichen Reisenden, dem reichen und angesehenen Bürger Nils Paaske aus Randers, mit höchst eigener Hand den Leib aufschlitzte, und der ein anderes Mal, als er in Veranlassung eines Streites über die Fischgerechtsame in dem Bach vor das Hardesthing geladen war, den Vogt ergreifen und in die Estruper Mühle schleppen ließ und ihn hier, mit dem Schwert in der Hand, zwang, seine Forderungen zu besiegeln. Ein anderer Besitzer hatte in einer einzigen Nacht in Trunkenheit seine beiden Güter verspielt, und in diesem Saal – vielleicht in demselben goldledernen Armstuhl, in dem er jetzt saß hatte vor anderthalb Jahrhunderten die böse Frau Elsebe gesessen, sie, die aus Rachgier gegen einen Oheim, der, wie sie glaubte, ihre Familie bei der Erbschaftsabrechnung betrogen hatte, seine Gebeine ausgraben und den Hunden vorwerfen ließ.

Er war so tief in seine historischen Träumereien versunken, dass er ein vorsichtiges Pochen an die Tür nach der Diele hinaus überhört hatte. Jetzt tat sich die Tür auf; es war die alte Mamsell Andersen, die kam, um zu fragen, ob angespannt werden solle.

Sie und die andern Eingeweihten auf dem Schloss waren ängstlich gewesen, weil sein Besuch sich so in die Länge zog.

Sie hielten es für ganz notwendig, zu verhindern, dass er und Frau Engelstoft schon heute Abend hier zusammenstießen.

»Ist es schon so spät?«, sagte er und sah nach seinem großen goldenen Chronometer – einem Geburtstagsgeschenk des Schwagers. »Ja, ja – aber dann lassen Sie den Landauer anspannen. Es ist heute Abend so schlechtes Wetter.«

Die alte Dienerin fingerte unruhig an ihrer Taille auf und nieder.

»Der Landauer ist nicht da, Herr Direktor.«

»Was soll das heißen? Wo ist er denn?«

»Jens ist vorhin damit weggefahren. Ich denke mir, er holt den Doktor.«

»Aber der Doktor wird doch sonst immer in dem alten Landauer geholt. Er war ja auch heute Mittag hier.«

»Der Herr hat aber heute Nachmittag einen so schlimmen Anfall gehabt, da –«

Die Alte schwieg. Es wurde ihr so schwer, zu lügen, verlegen sah sie zur Seite.

»Nun ja – dann geben Sie mir die Kalesche«, erwiderte der Schuldirektor, ohne Unrat zu ahnen. »Wollen Sie Schwester Bodil fragen, ob der Gutsbesitzer zu sprechen ist?«

»Ja, die Krankenpflegerin hat mich beauftragt zu sagen, dass der Herr den Direktor erwartet.«

»Gut.«

Er nahm einen Bronzehund von einigen zusammengehefteten Bogen herunter und begann mit seinen weißfetten, wurstrunden Fingern darin zu blättern. Es war ein großes Dokument in korngelbem Umschlag.

Es war das Testament selbst, das die Zeitungen erwähnt hatten, eine Schenkungsurkunde, kraft der Engelstoft das Schloss Sophiehöj und das Gut mit der Bestimmung verschenkte, dass dort ein Ruheheim für Frauen errichtet werden sollte. Seine Augen liefen über die prächtig kalligrafisch geschriebenen Seiten hinunter, über die hundertundvierzehn Paragrafen mit den dazugehörigen Unterparagrafen, die er zum Teil selbst ausgearbeitet hatte. In Wirklichkeit hatte auch er Engelstoft ursprünglich den Gedanken zu diesem großen Wohltätigkeitswerk eingegeben, wenn er auch zu seinem Ärger zu der Hilfe des Kaplans seine Zuflucht hatte nehmen müssen, um den Schwager dazu zu bringen, eine große Anschauung von sich selbst und den Verpflichtungen des Reichtums zu gewinnen.

Glücklicherweise war es ihm jedoch bei der weiteren Ausführung des Planes gelungen, diesen Einfaltspinsel außerhalb der Sache zu halten, während er selbst und Rechtsanwalt Sandberg zu lebenslänglichen Mitgliedern der Direktion des Frauenheims eingesetzt waren. Dieses Amt sollte ja zwar ein Ehrenamt und folglich ungelohnt sein, aber ringsumher in der Unendlichkeit von Paragrafen der Schenkungsurkunde waren eine Menge kleiner Bestimmungen schlau versteckt, die zusammengerechnet eine ansehnliche jährliche Leistung an Naturalien und andere Begünstigungen ausmachten. Außerdem war er im Verein mit Rechtsanwalt Sandberg zum Testamentsvollstrecker des gesamten Nachlasses ausersehen, was ebenfalls ein Erkleckliches abwerfen würde. Alles in allem betrachtete er jetzt seine Zukunft als gesichert und beabsichtigte, nach des Schwagers Tode seine Schulwirksamkeit aufzugeben, um sich ganz der historischen Forschung widmen zu können.

Er legte die Zigarre hin und stand auf. Das Testament in der Hand, ging er nach der Tür, die in das Krankenzimmer führte, und klopfte an.

Der Kranke saß halb aufgerichtet in dem schweren Mahagonibett, auf Kissen gestützt, die so hoch um ihn her aufgestapelt waren, dass auch der Kopf ein wenig Ruhe finden konnte. Das Bett stand von der Wand ins Zimmer hinein, im Schatten eines hohen, dunkelgrünen Bettschirms, der an der einen Seite entlang aufgestellt war und von dem Lichte einer dahinterstehenden Lampe durchschimmert wurde. Mit Ausnahme der hierdurch abgeschnittenen Ecke der Stube, in der ein Kachelofen stand, lag der ganze große, hohe Raum im Halbdunkel da.

In einer andern Ecke stand eine Tür nach einem Nebenzimmer offen, wo die Krankenpflegerin an einem Tisch saß und Patience legte.

Der Schuldirektor näherte sich auf den Zehenspitzen. Der Kranke lag mit geschlossenen Augen da, als schliefe er.

»Nun, lieber Freund! Wie geht es denn?«

»Schlecht! Hör nur, wie es in der Brust pfeift!«

»Sei doch nicht so mutlos. Du siehst heute wirklich ganz munter aus, finde ich. Hast du nicht auch geschlafen?«

Der Kranke wandte den Kopf ab und antwortete nicht.

»Was hast du da?«, fragte er nach einer Weile bei dem Geräusch von den Papieren, die der Schwager in der Hand hielt.

»Ja, das ist also das Testament. Es ist jetzt in vorschriftsmäßiger Ordnung, mit Unterschriften, Stempel usw. Ich möchte jetzt nur gern wissen, wo du es aufzubewahren gedenkst. Würde es nicht eigentlich am richtigsten sein, es bei Sandberg zu deponieren?«

»Es soll im Schrank liegen zusammen mit den andern Papieren. Du weißt ja … das mittlere Bord. Die Schlüssel liegen hier auf dem Nachttisch.«

»Ja, ja, ganz wie du willst.«

Er öffnete zwei kleine eiserne Türen in der Wand. Sie führten zu einem eingemauerten Schrank.

Als er wieder am Bett stand und das Schlüsselbund auf seinen Platz gelegt hatte, fragte er teilnehmend:

»Bist du sehr müde?«

»Ja – wie viel Uhr ist es?«

»Wie viel Uhr? Die Uhr ist bald acht. Das ist wahr, du erwartest den Doktor?«

»Den Doktor?«

Engelstoft schlug plötzlich seine todesmatten Augen auf und sah den Schwager mit großer Unruhe an. Er hatte vergessen, dass dieser noch nichts wusste.

»Setz dich ein wenig«, sagte er und zeigte auf einen Stuhl, der neben dem Bett stand.

Als er aber schließlich erzählen sollte, was geschehen war, reichten weder der Mut noch die Kräfte aus. Er wusste, dass der Schwager sich im Geist seiner Schwester gekränkt fühlen würde, und er war auch zu sehr benommen von der Spannung und Erwartung, um sich zu einer Auseinandersetzung sammeln zu können.

Nun kam auch die Krankenpflegerin herein und meldete, dass der Wagen des Schuldirektors vorgefahren sei.

»Ja, ja«, sagte Herr Brandt, »es ist vielleicht auch am richtigsten, unsern lieben Patienten nicht länger zu ermüden. Auf Wiedersehen morgen! Und weitere gute Besserung, lieber Freund!«

»Wollen Herr Engelstoft nicht versuchen, ein wenig zu schlafen?«, fragte die Krankenpflegerin, als er gegangen war. »Herr Engelstoft sehen ein wenig angegriffen aus. Und nun können wir ja bald die gnädige Frau und das gnädige Fräulein erwarten.«

»Ja. Wie viel Uhr ist es jetzt?«

»Es hat eben acht geschlagen.«

»Dann fahren sie vom Bahnhof ab. Jens hat doch wohl die Hendriksholmer vorgespannt? Nun – das ist wahr – davon verstehen Sie ja nichts. – Was ist das doch für ein sonderbarer Geruch? Ach ja, das ist sein Tabak. – Sagen Sie doch, Schwester Bodil, haben Sie nachgesehen, ob in den Zimmern meiner Fr... – in den Zimmern der gnädigen Frau – eingeheizt ist? Es darf nicht zu warm sein, nur überschlagen. Und dann sind da ein Paar blauseidene Pantoffeln, die meine Tochter damals vergessen hat. Die sollen vor ihrem Bett stehen. Alles soll in ihrem Zimmer genau so stehen wie an dem Abend. Wollen Sie Mamsell Andersen das von mir sagen?«

»Es soll besorgt werden.«

»Sonderbar, dass der Geruch mir so unangenehm sein kann. Und ich war doch selbst ein Raucher. Aber so ist es mit allem, wenn es zu Ende geht!«

»Herr Engelstoft sollten nicht so viel sprechen. Soll ich die Kissen nicht wegnehmen? Dann ruhen Sie besser.«

»Ja, nehmen Sie sie fort. – Aber warum haben Sie mir meine Medizin nicht gegeben, Schwester Bodil?«

»Der Doktor meinte, Sie sollten sie lieber nicht des Abends nehmen!«

»Ja, der Doktor! Der sagt so viel. Er sollte mir lieber ein wenig helfen! – Wenn die Leute wüssten, wie schwer es ist, zu sterben, könnten sie nicht so vergnügt sein.«

Als die Krankenpflegerin sich ein wenig mit ihm beschäftigt und ihm etwas warme Milch gegeben hatte, wollte sie gehen, damit er zur Ruhe kommen sollte. Aber ehe sie noch zu ihren Karten gelangt war, rief er sie zurück.

»Setzen Sie sich ein wenig hier zu mir her, Schwester Bodil«, bat er mit Angst in der Stimme. »Ich kann doch nicht schlafen, obwohl ich so müde bin. – Das ist wahr! Wenn der Kaplan mit heraufkommt, wollen Sie ihm dann sagen, dass ich ihn heute Abend nicht empfangen kann. Aber das habe ich übrigens wohl schon gesagt. Man verliert auch das Gedächtnis! Ich bin ganz wirr im Kopf. – Ein wenig Wasser, Schwester Bodil!«

Kaum aber hatte er getrunken, als seine müden Augenlider zufielen. Nach einer Weile versank er wieder in seinen Morphiumdusel.

Er schlief noch, als eine Stunde später plötzlich Unruhe im Hause entstand, weil der Wagen gekommen war. Schwester Bodil konnte es jedoch nicht übers Herz bringen, ihn zu wecken. Sie dachte, es sei noch Zeit genug, und wollte ihm gern unnötige Spannung ersparen. Da erschreckte sie das Geräusch von Stimmen nebenan in der Bibliothek. Die Tür wurde leise geöffnet und die alte Mamsell Andersen erschien mit einem brennenden Armleuchter in der Hand.

Die Alte trat einen Schritt zur Seite und hielt mit verlegener Miene die Tür für Frau Engelstoft offen, die in Reisekleidung, mit Hut und Handschuhen, eintrat.

In der Tür bedeutete sie der Mamsell mit einer Handbewegung, dass sie gehen solle. Ein scheuer Blick glitt dann zum Bett hinüber, und beim Anblick des bleichen Kopfes dort in den Kissen zuckte sie heftig zusammen.

»Herr Engelstoft schläft!«, sagte Schwester Bodil und errötete vor Verwirrung.

Frau Engelstoft nickte. Und als Schwester Bodil sich nun von selbst zurückzog, blieb sie stehen, um sich zu überzeugen, dass die Tür auch richtig geschlossen sei.

Sie hatte bisher nur flüchtig über den Zustand nachgedacht, in dem sie ihren ehemaligen Gatten antreffen würde. Ganz andere Gedanken hatten sie sowohl während des nächtlichen Aufbruchs von Agersögaard wie auch auf der tagelangen Reise hierher erfüllt. Erst als sie wieder in ihrem alten Heim stand und die blassen Gesichter der Dienstboten sah, ergriff die Todesstimmung sie. Mit wild pochendem Herzen war sie in das stille Krankenzimmer eingetreten, das in ihrer Erinnerung in dem Dunkel zauberischen Lichtflimmers des Märchens gelebt hatte, weil es ihre Brautkammer gewesen war.

Dann näherte sie sich dem Bett; am Fußende blieb sie aber wieder stehen und schloss die Augen.

War er das wirklich? Dies knochengelbe Gesicht! Dieser arme eingeschrumpfte Körper – war das alles, was jetzt von dem Mann übrig geblieben war, den man den schönsten Gutsbesitzer des Landes genannt und ihr deswegen missgönnt hatte? Wahrlich! Die ewige Gerechtigkeit hatte die Rache in ihre allmächtige Hand genommen!

Sie öffnete die Augen wieder und sah die traurigen Überreste von dem goldenen Bart, der so weich und lockig gewesen war wie das Fell eines neugeborenen Lammes. Und es schauderte sie von Neuem bei dem Anblick der bläulichen Häute um die lange Reihe leichenartig vorstehender Zähne! Waren das wirklich dieselben Lippen, deren Küsse sie einstmals des Verstandes beraubt hatten?

Der Kranke schlug die Augen auf. Eine Weile starrte er sie ohne Bewusstsein an, sah sich dann suchend um und wurde schließlich ganz wach. Als es ihm aber klar ward, wer sie war, senkten sich die schweren

Augenlider wieder, und er blieb liegen, ohne sich zu rühren. Er musste Mut sammeln, um die Augen zu ihr zu erheben, die er so tief gekränkt hatte.

»So bist du denn gekommen, Thora!«, sagte er endlich und reichte ihr seine lange, knöcherige Hand. »Hab Dank!«

Es währte eine Weile, bis sie sich überwinden konnte, die ausgestreckte Hand zu nehmen. Nicht so hatte sie sich das Wiedersehen mit ihm gedacht. Aber die Erinnerungen an ihre glücklichen Stunden in diesem stillen Raum strömten auf sie ein und machten sie schwach. Mit abgewendetem Gesicht glitt sie auf einen Stuhl nieder, der neben dem Bett stand, und ließ ihn sogar ihre Hand behalten.

»Wo ist Esther? Lass sie doch hereinkommen.«

Sie schwieg und war in diesem Augenblick nahe daran zu wünschen, dass sie die Tochter mitgenommen hätte. Um ihm den unvermeidlichen Kampf wenigstens bis zum nächsten Tage zu ersparen, dachte sie daran, zu sagen, dass Esther später nachkommen werde. Da aber fiel ihr ein, dass ein Hinausschieben eine Gefahr bedeuten könne. Es konnte ja sein, dass er die Nacht nicht überlebte.

Entschlossen zog sie ihre Hand zurück und sagte:

»Esther? Die ist zu Hause!«

»Zu Hause?«

Der Kranke richtete sich plötzlich durch eigene Hilfe auf die Ellbogen auf und starrte sie an, vor bösen Ahnungen zitternd.

»Zu Hause – sagst du!«

»Ja. Wo sollte sie sonst sein?«

»Warum bist du selbst denn gekommen, Thora?«

»Du hast mich ja darum gebeten. Du schicktest mir auf alle Fälle Bescheid durch einen deiner Augendiener. Du selbst hast also diese Begegnung gewünscht. Was willst du von mir?«

Engelstoft sank wieder ins Bett zurück. Er hob die Arme und ließ sie, alles aufgebend, auf die Bettdecke fallen.

»Ich glaube, du fängst wieder da an, wo du aufgehört hast!«

»Hast du gedacht, dass ich mich verändert hätte? Was für einen Grund hätte ich wohl dazu haben sollen?«

»Dass du es übers Herz bringen kannst, einen sterbenden Menschen zu quälen, Thora! Was willst du denn von mir?«

»Du musst doch wohl verstehen können, Niels, dass ich nicht um meiner selbst willen diese Reise nach einem Ort gemacht habe, wo ich siebzehn Jahre lang doch eine Art Heim hatte. Du und ich gehen einander ja nichts mehr an. So hast du selbst es gewünscht. Dass ich mich damals fügte, das habe ich Esthers wegen oft bereut.«

»Dann sage mir, warum du gekommen bist. Um deinet- und meinetwillen ist es also nicht geschehen.«

»Ach ja. Auch um deinetwillen, Niels.«

Sie schwieg einen Augenblick, glättete ihr Kleid über dem Knie und fuhr fort:

»Ich las gestern Abend etwas von einer Schenkungsurkunde, die du gemacht haben sollst. Das verhält sich wohl so? … Du begreifst wohl, dass ich nicht aus Neugier frage. Mich persönlich geht die Sache ja nichts an. Als Esthers Mutter muss ich Bescheid wissen.«

»Du sollst Gelegenheit haben, mein ganzes Testament zu lesen. Dann wirst du sehen, dass ich Esthers Zukunft auf alle Weise gesichert habe, auch mit einem jährlichen Zuschuss hier von Sophiehöj, solange sie lebt.«

»Aber also … Sophiehöj selbst soll deiner Bestimmung nach in fremde Hände übergehen … soll zu einer Wohlfahrtsstiftung werden, nicht wahr?«

»Ja, Thora. Ich habe bisher nicht hinreichend auf das Wort geachtet, dass man den Zehnten von seinem Gut hingeben soll. Nun habe ich vor meinem Tode meine zu lange versäumte Christenpflicht erfüllen wollen. – Aber ich kann das viele Sprechen nicht aushalten, Thora. Lies selbst! Du kennst ja den Schrank dahinten. Die Schlüssel liegen hier auf dem Tisch. – Du wirst die Schenkungsurkunde auf dem mittleren Bord finden«, erklärte er, als sie geöffnet hatte. »In einem gelben Umschlag.«

Frau Engelstoft ging mit den Papieren an die Lampe hinter dem Bettschirm. Während sie sie eiligst durchflog, stieg und sank ihre Brust in schnellem Wechsel, und die Wangen glühten. Schließlich stimmte sie ein höhnisches Gelächter an.

»Hab ich mir's nicht gedacht! Auf dies alles bist du ja selbst gar nicht verfallen, Niels! Und ein Blinder kann doch sehen, wer der Meister dafür gewesen ist. ›Es wird Herrn Schuldirektor Brandt die Befugnis erteilt –‹. ›Herr Schuldirektor Brandt im Verein mit Herrn

Rechtsanwalt Sandberg haben deswegen allein darüber zu bestimmen, ob –‹. Aber das hab ich ja gewusst! – Es wundert mich nur, dass ich nicht auch den Namen des Kaplans finde.«

Der Kranke hatte abermals den Oberkörper ein wenig aufgerichtet.

»Du hast dich wirklich nicht verändert, Thora! Gleich misstrauisch allen gegenüber! Gleich gehässig! Aber jetzt will ich dir ein Wort sagen, bevor ich sterbe. Und nun kannst du mich wohl nicht länger im Verdacht haben, verborgene Absichten mit dem zu haben, was ich sage. Du bist krank, Thora! Dein Gemüt ist krank. Du hast immer allein mit dir selbst und mit deinen eigenen Gedanken gelebt. Daher bist du so bitter und so bissig gegen alle. Möchtest du doch ein wenig mehr mit Leuten zusammenkommen. Dann würdest du sie anders ansehen. Und das Leben würde glücklicher für dich wie auch für Esther werden.«

Er konnte es nicht vertragen, mehr zu sprechen. Atemlos und schweißbedeckt sank er mit geschlossenen Augen in die Kissen zurück.

Während seiner Rede war Frau Engelstoft hinter dem Bettschirm hervorgetreten. Sie stand am Fußende des Bettes, die Papiere in der Hand. Und sie war wieder beherrscht und ihre Antwort war ohne Bitterkeit.

»Weißt du noch, Niels, den Morgen, als du mir sagtest, dass du eine andere lieb gewonnen hättest, und mich um deine Freiheit batest? Ich konnte es dir ansehen, dass du dich darüber wundertest, wie ruhig ich es aufnahm. Jetzt will ich dir den Grund erzählen. Ich war darauf vorbereitet. Gleich von unserer Hochzeitsreise an, dass heißt von der Zeit an, wo ich dich und mich selbst wirklich kennenlernte, hatte ich gewusst, dass, wenn die Versuchung einmal an dich herantrat, du unterliegen würdest. Du sollst mir nicht widersprechen. Es verhält sich so. Du warst schön, reich, leichtsinnig, und die Frauen verhätschelten dich. Und was war ich? Eine arme Erzieherin, die du in einer Liebeslaune auf den Thron gesetzt hattest. Du weißt selbst, dass ich dich trotzdem nicht mit Eifersucht gequält habe. Aber eins habe ich getan. Ich strebte, soweit ich konnte, danach, Esthers und meine eigene Zukunft zu sichern. Ich wollte nicht zum zweiten Mal als verachtete Bettlerin auf die Landstraße geworfen werden und das Schicksal meiner Mutter erleiden.«

»Das zu befürchten, hatte ich dir doch auf alle Fälle keinen Grund gegeben, Thora.«

»Das weißt du nicht. Du hast dich nie selbst gekannt. Du hattest immer im Überfluss gelebt – daher ist viel von unserm Unglück gekommen. Du hattest dich daran gewöhnt, mit Geld zu spielen wie mit so vielem andern. Du wolltest meine ›Gespensterfurcht‹ vor der Armut, wie du es nanntest, nicht verstehen. Aber ist man einmal in den Kot getreten worden und hat man sich um des trockenen Brotes willen demütigen müssen, so lernt man es, auch die Brosamen zu beachten. Hast du vergessen, wie es meinem Bruder drüben in Amerika ergangen ist? Der arme Junge ist Hungers gestorben. – Misstrauisch nennst du mich. Ach ja! Das zu sein, hat mich das Leben wohl gelehrt. Du hast um deiner Bequemlichkeit willen vorgezogen, dich nicht belehren zu lassen. Das ist der ganze Unterschied zwischen uns beiden.«

»Jetzt kann ich nicht mehr, Thora. Du musst mich in Frieden lassen.«

Aber sie war nun ganz in ihre eigenen Angelegenheiten versunken und hörte ihn nicht.

»Nur einmal vergaß ich mein Misstrauen. Das war an dem Johannisabend, Niels, als wir beide uns verlobten. Das Vergessen habe ich teuer genug bezahlen müssen.«

»Ach, Thora! Dass du fortfahren kannst! Bist du denn gekommen, um mich zu töten? – Hatte ich vielleicht allein die Schuld, dass es so ging, wie es ging? Nein. Du weißt selbst, dass ich stets derjenige war, der nachgab. Ich suchte immer Versöhnung. Aber du wolltest Unfrieden und Streit. – Höre jetzt, was ich sage. Es ist die Bitte eines Sterbenden, Thora! Versprich mir, dass du dich nicht weiter da oben in die Einsamkeit und die Ungemütlichkeit auf Agersögaard vergraben willst. Denke doch an Esther. Sie ist erst siebzehn Jahre alt. Lass deine bitteren Gedanken dein und ihr Leben nicht länger vergiften. Sie haben Unglück genug angerichtet!«

»Willst du mir sagen, Niels – hättest du wirklich den Mut gehabt, Esther selbst zu erzählen, dass du nun auch sie erblos gemacht hast?«

»Ich habe dir zugesagt, dass Esthers Zukunft vollkommen gesichert ist. Sie bekommt nicht nur alles, worauf sie dem Gesetze nach Anspruch hat, sondern noch viel mehr.«

»Das brauchtest du mir nicht zu erzählen. Dass du das Gesetz auf deiner Seite hättest, konnte ich mir selber sagen. Das pflegt man zu haben, wenn man eine Niederträchtigkeit begeht. Das hattest du auch damals, als du mich mit Schimpf aus deinem Hause jagtest und mein

Kind vaterlos machtest. Aber es gibt ein anderes Gesetz, Niels! Und ich sage dir, du hast kein Recht zu dem, was du hier tun willst. Esthers Zukunft ist hinreichend gesichert, sagst du. Woher weißt du das? Sicher ist nichts. Wohin ging das Geld meiner Mutter? Wir lebten sorglos in dem Glauben, dass wir reich genug seien für Zeit und Ewigkeit, und die Leute sahen zu uns auf wie zu höheren Wesen. Und eines schönen Tages stand Mutter wie eine Bettlerin mit Jean und mir vor dem Tor ihres eigenen Heims. Gesichert! Ja, das weiß Gott! In einer Welt voll von Schurken und Gesindel. – Aber gleichviel! Wenn dem auch so wäre. Sophiehöj ist Esthers Kindheitsheim. Hier hat sie ihre ersten sechzehn Jahre verlebt. Hier in diesem Zimmer, Niels, wurde das arme Kind geboren! Und ich selbst? – Ja, ich weiß es wohl. Damals, als wir zuletzt miteinander sprachen und du deinen Rechtsanwalt zum Beistand herbeigerufen hattest, da zwanget ihr mich, das lumpige Papier zu unterschreiben. Es sei der Befehl des Gesetzes, sagtet ihr. Aber jetzt sind wir allein, Niels. Sie, die uns damals trennte, ist nicht mehr. – Ach, Niels!«

Sie legte sich plötzlich auf die Knie neben dem Bett, warf das Testament hin und ergriff seine Hand.

»Niels! Tue es nicht! Schwöre mir, dass du es nicht tun willst! Du hast mich doch einmal lieb gehabt, Niels. Erinnerst du dich noch unseres Hochzeitstages? Erinnerst du dich, was du mir feierlich versprachest, damals, als wir allein hier in diesem Zimmer blieben?«

»Thora! So steh doch auf! Es könnte jemand kommen!«

»Denke daran, Niels, wie viel Herrliches wir miteinander gemeinsam gehabt haben. Du kannst gern sagen, dass ich dir eine schlechte Frau gewesen bin. Ich will gern alle Schuld auf mich nehmen, wenn du nur nicht neue Schuld über mich und Esther bringen willst. In allem andern wollen wir uns nach dir richten. Nur das eine verlangen wir … nein, wir bitten dich darum, Niels –«

»Halte ein! Halte ein! Du tötest mich! … Meine Medizin! Rufe Schwester Bodil!«

Sie richtete sich auf und erhob sich. Sie war leichenblass geworden in ihrer Erregung, und es zitterte um ihren Mund.

»Verbrenne das schmutzige Papier!«, sagte sie und stieß mit steigender Wildheit gegen das zierlich kalligrafierte Dokument des Schuldirektors, das auf den Fußboden geglitten war. »Wirf es in den Ofen! Verstehst du denn nicht, wie es uns verhöhnt? Dass deine Tochter vor Scham über dich erröten muss! Was glaubst du, dass sie von einem Vater denken wird, der sie bestiehlt, um ein Ehrendenkmal für die – die Dame zu errichten, um deretwillen ihre Mutter verstoßen wurde? Du hast ihr einen jährlichen Unterhalt aus Sophiehöj zugesichert. Wie hübsch! Und du kannst glauben, dass Esther das annehmen wird? Dass sie sich als Almosen bieten lassen wird, was ihr nach dem Recht der Geburt zukommt? Aber das sieht dir ähnlich. Bei all deiner Vornehmheit und Adelsehre – Stolz des Herzens hast du niemals gekannt!«

Der Kranke hatte sie unterbrechen wollen, aber es war nur zu einem heisern Stöhnen geworden. Jetzt begann er mit den Armen zu fechten, unter vergeblichen Versuchen, sich aufzurichten. Aus der Kehle drang ein tief röchelnder Laut.

Als Frau Engelstoft endlich auf sein verändertes Aussehen aufmerksam wurde, ward sie bange und beeilte sich, die Krankenpflegerin zu rufen. Schwester Bodil nahm gleich eine kleine Flasche, die auf dem Nachttisch stand, und zählte einige grüne Tropfen in einen Löffel hinein. Der Schweiß brach in klaren Blasen aus seiner sich blau färbenden Stirn hervor. Die Finger krümmten sich und erstarrten.

»Schnell! Schnell!«, rief Frau Engelstoft. Der Anblick seiner Leiden hatte sie auf einmal verwandelt.

Schwester Bodil führte den Löffel an seinen Mund, aber es war zu spät. Die Lippen waren krampfhaft zusammengeklemmt. Aus dem einen Mundwinkel quoll ein wenig Schaum.

Nach einem Kampf von einigen Minuten sank sein Körper in ihren Armen zusammen und der Kopf fiel auf ihre Schulter herab.

Frau Engelstoft hatte sich scheu hinter das Fußende des Bettes zurückgezogen. Hier stand sie während des Todeskampfes, die Hand gegen die Augen gepresst. Sie hatte es nie ertragen können, Menschen und Tiere leiden zu sehen. Noch eine Weile, nachdem der Kampf beendet und er unwiderruflich ihrer Liebe und ihrem Hass entrückt war, blieb sie still und verzagt stehen, ohne Mut, dem Anblick des Toten zu begegnen. Während Schwester Bodil hinausstürzte, um Leute herbeizurufen, begleitete ihre schwärmerische Seele ihn hinein in das große Dunkel. Bis der Gedanke von einem Schwindel erfasst wurde und ihn loslassen musste.

Da nahm sie sich zusammen und betrachtete die Leiche, die noch mit halbgeöffnetem Munde und weit offenen Augen auf der Seite lag. Schnell näherte sie sich, um dem einstmals Geliebten das letzte Lebewohl zu sagen und ihm die Augen zuzudrücken, so wie sie es ihm einstmals in ihrer glücklichen Zeit gelobt hatte. Da entdeckte sie das Dokument, das unter dem Nachttisch lag, und dieser Anblick hielt sie zurück. Durchzuckt von einer dämonischen Eingebung, die im Nu zum Entschluss aufflammte, riss sie das Papier an sich und barg es in einer Tasche unter dem Kleiderrock.

Sie hatte eben ihre Kleider wieder in Ordnung gebracht, als die Krankenpflegerin mit der bestürzten Mamsell Andersen zurückkehrte. Einen Augenblick später kamen auch der Gutsverwalter und der Inspektor und nach und nach noch andere von den Leuten des Gutes. Die ganze Nacht hindurch umstanden weinende Menschen das Sterbebett, bis sich gegen Morgen die Diener des Gerichts einfanden und Siegel auf die Behälter des Verstorbenen setzten.

Einige Tage später wurde Gutsbesitzer Engelstoft von dem Gotteshause der Gemeinde aus unter großem Zulauf von Neugierigen aus Stadt und Land begraben. Obwohl in der Bekanntmachung des Todesfalles ausdrücklich gestanden hatte, dass die Beerdigung »in aller Stille« vor sich gehen solle, waren um die Mittagszeit alle Wege in der Nähe der Kirche oben vom Turm aus, wo der Küster saß und Ausguck hielt, wie Ameisensteige zu sehen. Fuhrwerke und Fußgänger wimmelten in dem herbstlichen Sonnenschein gleichsam aus der Erde auf. Alle Hofplätze unten im Dorf waren schließlich vollgepackt von allerlei Wagen. Die flotten Landauer der Honoratioren aus dem Städtchen standen hier Seite an Seite mit den ungemalten Häuslerkarren; und draußen auf den noch grünen Wiesen liefen die fremden Pferde angepflockt an ihren Leinen herum und wieherten einander zu wie auf einem Tierschauplatz.

Es hatte überall eine große Erregung hervorgerufen, dass »die Kröte« an das Sterbelager des Gutsbesitzers gerufen worden war. Und die Überraschung über ihr Kommen war zur Verblüffung geworden, als Frau Engelstoft nach dem Tode des Gutsbesitzers ruhig auf Sophiehöj wohnen blieb und die Leitung ergriff wie diejenige, die dort wieder Macht und Gewalt besaß. Gleich am Morgen nach dem Todesfall hatte sie den Gutsverwalter, den Inspektor und den Vogt zu sich beschieden und ganz wie in alten Tagen Befehle erteilt und Abrechnung von ihnen gefordert. Gleichzeitig verlautete es im Schloss, dass es zu einer Versöhnung zwischen den geschiedenen Eheleuten gekommen sei und dass der Gutsbesitzer schließlich die Schenkungsurkunde vernichtet habe, so dass Frau Engelstoft jetzt im Namen der Tochter wirklich rechtmäßig über all seinen hinterlassenen Besitz verfügte.

Die Geschichte klang glaubwürdig genug. Es war kein Geheimnis, dass der Gutsbesitzer ein Ja-Bruder gewesen war. Und »die Kröte« hatte ja früher gezeigt, dass sie es verstand, Nutzen aus seiner Schwäche zu ziehen. Das böse Teufelsweib! All die Furcht und der Abscheu, die sie in vergangenen Jahren den Leuten in der Gegend eingeflößt hatte, quoll wieder in den Gemütern auf. Namentlich auf Sophiehöj selbst war die Erregung groß, hatte man doch den Versuch gemacht, sie mit Gewalt zu vertreiben. Am selben Abend, als die Leiche des Gutsbesitzers, begleitet von reitenden Knechten mit brennenden Fackeln, zur Kirche gebracht war, wurden ein paar faustgroße Steine durch die Fensterscheiben in dem Flügel, in dem sie sich aufhielt, hineingeworfen. Und am Abend darauf hatten Scharen von den Leuten auf dem Gut, Knechte wie Mägde, sich unter ihren Fenstern aufgestellt und geheult und geschrien.

Jetzt saß sie da oben im Chor der Kirche neben dem Blumenhügel, der den Sarg verdeckte, in herkömmliche Witwentracht gekleidet, mit einem langen, dichten Schleier vor dem Gesicht. An ihrer Seite saß die Tochter, das blasse kleine Fräulein Esther, mit vom Weinen geschwollenen Augen. Der menschenfreundliche Küster hatte ihre hochlehnigen Stühle so weit nach vorne zu angebracht, dass der Anwesenden so viele wie nur möglich sie in ihrer Trauer beschauen konnten. Auf gewöhnlichen Rohrstühlen hinter ihnen saßen einige von den entfernten Verwandten des Verstorbenen, und drüben auf der andern Seite des Sarges war ebenfalls eine Reihe von Stühlen aufgestellt, für die Honoratioren der Gegend und für die nächsten Freunde des Hauses bestimmt.

Frau Engelstoft saß unbeweglich mit hochgetragenem Kopf und geradem Rücken. Ihre Hände ruhten wie gefesselt im Schoß. Es lag etwas Versteinertes über ihr. Aber hinter ihrem langen Witwenschleier war sie lauter Aufmerksamkeit. Wie durch ein Helmgitter starrte sie dadurch hinaus und betrachtete aufmerksam die langen Reihen Gesichter da unten in dem Halbdunkel der Kirche, die Hunderte von Augen, die alle auf sie gerichtet waren. Da war auch nicht einer, der sich räusperte, ohne dass sie aufmerksam wurde, nicht zwei, die zusammen flüsterten, ohne dass sie sie misstrauisch beobachtete. So tief sie auch diese Menge verachtete, unterschätzte sie ihre Macht doch nicht. Sie kannte ihre Bosheit, ihre Schadenfreude und ihr unbezwingbares Zusammenhalten, in denen die Kraft der Gemeinheit besteht.

Allmählich, als sich die Kirche füllte und die Honoratioren sich einfanden – die Beamten in Uniform und mit weißen Handschuhen –, musste sie an das Begräbnis ihres Vaters vor bald dreißig Jahren denken. Es waren dieselben offiziellen Ehrenbezeigungen. Es war eine ähnliche Horde von übersättigten Herren mit oder ohne Uniform, wie sie damals als Ehrenwache um den Sarg saßen, die »Freunde« ihres Vaters, die gute Miene zu seiner närrischen und verbrecherischen Selbstvergötterung gemacht hatten, solange nur Hoffnung auf noch ein üppiges Mittagessen auf seine Kosten war. Drei Wochen später, als das Heim bis auf die kahlen Wände geplündert wurde, hatte die ganze Bande den Rücken gekehrt. Nicht einer von diesen Schmarotzern hatte auch nur einen Finger gerührt, um das Unglück abzuwenden. Sie war selbst zugegen gewesen, als die Diener des Gerichts kamen und die Mutter ihnen ihr Schlüsselbund übergeben musste. Sie war damals zwölf Jahre alt, aber bis an ihren Tod würde sie sich des Auftritts erinnern. Ohne recht zu verstehen, was hier vor sich ging, hatte sie sich mit einem Schrei dem Hardesvogtassistenten in den Weg gestellt, als er die Schatulle der Mutter, das Heiligtum des Hauses, öffnen wollte. In ihrer kindlichen Einfalt hatte sie ihm mit der Polizei gedroht.

Jetzt schwieg die Kirchenglocke. Es wurde ein kirchliches Lied gesungen, und der alte Propst stellte sich zu Häupten des Sarges auf.

Mit den gefalteten, auf seinem vorspringenden Bauch wie auf einem Betpult ruhenden Händen starrte er hinaus über die Versammlung, die da unten in der Kirche jeden Platz bis zu den Armenbänken an der Eingangstür füllte. Ja, auch draußen vor der Tür drängten sich die Leute Kopf an Kopf bis weit hinaus auf dem sonnenbeschienenen Kirchhof, wo ein Verein mit seinem Banner und vier Messingbläsern, die einen Choral über das Grab blasen sollten, aufgestellt war.

Der Propst hatte noch nicht lange gesprochen, als es schon allen klar war, dass das, was das Gerücht von der Schenkungsurkunde des Verstorbenen berichtet hatte, wirklich eine Tatsache war. Seine einfältige Rede formte sich zu einer feierlichen Wiedereinsetzung von Frau Engelstoft in alle ihre ehemaligen Würden. Freilich erkühnte er sich nicht, seine gewöhnliche Begräbniswendung, »die untröstliche Gattin des Entschlafenen«, anzubringen, umso fleißiger aber benutzte er Ausdrücke wie »die lieben, ehrwürdigen und tiefbetrübten Hinterbliebenen« und machte dabei eine alleruntertänigste Verbeugung nach Frau Engelstoft hinüber.

Unten in der Kirche wurde aus dieser Veranlassung ein wenig getuschelt. Aber der Propst war ein schuldenbelasteter Mann, seine Pfarre war nicht groß. Das Feiertagsopfer aus Sophiehöj durfte nicht verscherzt werden.

Nach seiner Rede wurde wieder ein Kirchenlied gesungen. Und dann trat der Kaplan vor, um die Feierlichkeit zu beschließen. Sein blondlockiger Knabenkopf nahm sich sonderbar aus über dem langen, schwarzen Talar mit dem mittelalterlichen Tollenkragen.

Kaplan Bjerring gehörte der »Jugendmission« an, einem dieser Wirbelwinde, die sich mit jeder neuen Generation in dem geschlossenen Hause der Kirche durch Druck von außen her erheben, den Staub da drinnen ein wenig umherbewegen und für eine kurze Weile die schläfrigen Altarkerzen aufflammen oder schwelen machen. Sein Wort hatte namentlich den Weg zu der Jugend gefunden und zu denen von den Älteren, die nicht so alt waren, dass sie sich noch erinnern konnten, wie auch der Propst seinerzeit als ein solch froher und hoffnungsvoller Bote dort erschienen war, mit Glauben an die glückliche Wiederbelebung des Gemeindelebens. Dass der religiöse Eifer und der Glaubensmut des Kaplans nicht leere Worte waren, dafür hatte er übrigens kürzlich einen Beweis geliefert, indem er sich erboten hatte, einen gefahrvollen Missionsposten im östlichen Asien zu übernehmen, von wo noch kein Missionar lebend zurückgekehrt war. Zu seinem großen Kummer hatte der Plan aufgegeben werden müssen, weil es der Missionsgesellschaft an Geld fehlte.

Seine Gedanken waren recht gewöhnliche Sonntagsgedanken, aber er entwickelte sie in einer frischen und lebenden Sprache, und es herrschte Totenstille in der Kirche, während er sprach. Selbst das junge

Fräulein Esther wurde aufmerksam und hielt inne mit ihrem heftigen Weinen, um zu lauschen.

Frau Engelstoft hingegen hörte und sah nichts. Sie hatte ihre ganze Aufmerksamkeit auf zwei Männer gerichtet, die im letzten Augenblick auf der äußersten Stuhlreihe drüben auf der andern Seite des Sarges Platz genommen hatten. Den einen kannte sie nur zu gut aus früheren Zeiten. Es war Rechtsanwalt Sandberg. Und sie erriet, dass der andere mit der Negerfratze Schuldirektor Brandt war. Die ganze Zeit während der Rede des Propstes hatten sie dagesessen und miteinander geflüstert und sie dabei ununterbrochen beobachtet. Jedes Mal, wenn sie dahin sah, leuchteten diese beiden verschlagenen Augenpaare ihr entgegen wie die Mündungen von blanken Büchsenläufen, die aus einem Hinterhalt auf sie zielten.

Nach der Feierlichkeit in der Kirche fand die Bestattung draußen unter ein paar hohen Hängeeschen statt, wo sich die Familiengrabstätte befand. Dem Wunsch des Verstorbenen gemäß verrichtete der Kaplan das Erdaufwerfen. Und kaum hatte er mit seiner starken Stimme die Worte »Aus der Erde sollst du wieder auferstehen« gesprochen, als auch schon die vier Messingbläser des Wählervereins mit einem Choral einfielen, der die Hunde unten im Dorfe heulen machte.

Durch eine Allee von verlegen grüßenden Menschen gingen Frau Engelstoft und ihre Tochter zu dem wartenden Wagen mit den florumhüllten Laternen hinaus. Auch draußen vor der Kirchhofspforte wimmelte es von Neugierigen, die sich auf beiden Seiten aufgestellt hatten, um sie zu sehen. Sobald sie Platz genommen hatte und die Wagentür geschlossen worden war, zog sie daher die Gardinen vor die Fenster.

Während der Heimfahrt nach Sophiehöj war sie sehr unruhig. Rechtsanwalt Sandbergs und Schuldirektor Brandts lauernde Augen verfolgten sie unaufhörlich. Sie hatte wieder einen Schimmer von den beiden Schurken erhascht, als sie den Kirchhof verließ; und wenn sie sich nicht irrte, hatte der Vogt von Sophiehöj selber mit ihnen zusammengestanden und boshaft in seinen roten Bart gelächelt. War es ein Komplott? Und was führten sie im Schilde?

Sie war ärgerlich über sich selbst, weil sie sich von einer so törichten Verschwörung beunruhigen ließ. Was hatte sie zu fürchten? Solange die Toten nicht zum Reden gebracht werden konnten, sollten weder List noch Gewalt ihr irgendein Geständnis entlocken. In Bezug auf ihr

Gewissen war sie sicher. Das hatte sie freigesprochen. Sie hatte nur getan, was die Mutterpflicht ihr befahl, wenn sie Betrug mit Betrug vergalt, um das heilige Geburtsrecht ihres Kindes zu schirmen. Im Übrigen war sie davon überzeugt, dass Niels schließlich sein Unrecht eingesehen und es wiedergutgemacht haben würde, falls er gelebt hätte. Sie hatte also in Wirklichkeit nur getan, was selbst auszuführen ein unglücklicher Zufall ihn gehindert hatte.

Bei einer Biegung des Weges ward plötzlich Sophiehöj über den rostbraunen Wäldern sichtbar. Sie schob die Gardine zurück. Die untergehende Sonne schien auf den kleinen weißgetünchten Turm mit der blauen Uhrscheibe und den vergoldeten römischen Ziffern.

Und sie erinnerte sich jenes Herbsttages vor zwanzig Jahren, als sie denselben Weg von der Kirche nach dem Schloss fuhr, als glückliche Braut. Auch damals hatten die Glocken der Kirche geläutet, und die Leute hatten sich um den Wagen gedrängt, um sie zu sehen. Und in ihrer Einfalt hatte sie an ihr Lächeln und ihre Glückwünsche, an den Schwulst der Festreden und die Treuegelöbnisse ihres schönen Bräutigams geglaubt. Sie wusste damals noch nicht, dass das Wort eines Menschen, selbst das feierlichste, eine Redensart war und dass Ja und Nein in Wirklichkeit dasselbe bedeuteten.

Das aber hatte sie in diesen achtzehn Jahren gelernt, dass das Leben in der Lüge und in dem Betrug seine schönsten Triumphe feierte. Die Welt wollte ihre eigene Schande. Wie der Mensch schon im ungeborenen Zustande seinen naturbestimmten Platz zwischen dem Kot hatte, so gedieh der größte Teil von ihnen auch später am besten in Schmutz und Fäulnis. Wenn sie an die vereinzelten Menschen dachte, die sie um ihrer Güte und Treue willen geliebt hatte, an ihre Mutter, an ihren armen Bruder Jean, an ein paar Spielgefährten – was war aus ihnen geworden? Niedergetreten, zermalmt! Während alle diejenigen, die sie verabscheut und verachtet hatte – Meineider und Frauenschänder, Falschspieler und offenbare Verbrecher sich jetzt als leitende Männer der Nation ringsumher im Lande an der Festtafel breit machten, betitelt und bekränzt. Der Ruhm des Volkes und des Landes! –

Der Wagen bog in die lange Allee ein, die zum Schloss hinaufführte. Esther, die während der ganzen Fahrt, das Taschentuch vor den Augen, dagesessen und geschluchzt hatte, warf sich mit einem Ausbruch von

Angst und Verzweiflung vor der Leere, zu der sie zurückkehrte, an die Brust der Mutter.

Frau Engelstoft zog sie an sich, machte aber keinen Versuch, sie zu trösten. Sie strich ihr über die Wangen und sagte:

»Du bist glücklich, Kind! Du kannst noch weinen!«

Es war eine Woche seit dem Begräbnis vergangen, und Frau Engelstoft hielt sich noch immer auf Sophiehöj auf. So sehr sie sich auch nach der Einsamkeit in Agersögaard sehnte, dachte sie vorläufig nicht daran, zu reisen. Sie musste hier bleiben, um Ordnung in die vernachlässigte Leitung des Gutes zu bringen. Sie wollte persönlich alles in Gang setzen, wollte wieder Sparsamkeit im Betrieb, Pünktlichkeit der Rechnungsführung einführen, ja, sie dachte auch daran, einen alten Prozess mit der Wegebaubehörde wieder aufzunehmen, den Niels nach der Scheidung auf sich hatte beruhen lassen.

Bei alledem vermied sie jedoch jegliche unnötige Herausforderung der Volksstimmung. Sie wollte ihren Feinden Zeit lassen, sich zu beruhigen nach der großen Enttäuschung, die sie ihrer Raubgier verursacht hatte. Gegen ihre Gewohnheit ließ sie sich weder im Stall noch in der Meierei blicken, sondern blieb in ihren Stuben. Sie hatte den Gartensaal zu ihrem Arbeitszimmer eingerichtet und leitete den Betrieb hauptsächlich durch schriftliche Befehle. Es herrschte noch viel Unruhe unter den Leuten. Jeden Abend versammelten sich johlende Knechte und Mägde vor ihren Fenstern, und fast täglich erhielt sie anonyme Drohbriefe, in denen geradeheraus gesagt wurde, dass sie die Schenkungsurkunde gestohlen habe, nachdem sie Niels durch Ersticken umgebracht hatte.

An einem Nachmittag stand sie in Gedanken versunken an einem der hohen Fenster in ihrem Arbeitszimmer, als sie unten im Garten Esther und den Kaplan entdeckte. Der letztere war auf eine Leiter in einen Apfelbaum geklettert, Esther stand unten mit einem Korb und zeigte ihm, wo die Äpfel saßen.

Der junge Pfarrer war der einzige von den Leuten aus der Gegend, der noch auf Sophiehöj verkehrte, da Frau Engelstoft eingesehen hatte, dass seine Freundschaft für den Verstorbenen ganz uneigennützig gewesen war. Auch benutzte sie ihn ohne sein Wissen als eine Art Späher. Jugendlich offenmündig, wie er war, und ganz ohne Misstrauen, erzählte er ihr kopfschüttelnd alles, was er ringsumher in der Gegend hörte. So wurde sie beständig genau davon unterrichtet, was man gegen sie plante.

Diesen Augenblick war sie jedoch nahe daran zu bereuen, dass sie ihm freien Eintritt zum Hause gewährt hatte. Wie sie Esther dort am Fuße der Leiter stehen und die Äpfel auffangen sah, die der Kaplan ihr hinabwarf, ward sie von einer großen Unruhe ergriffen. Sie konnte sich kein größeres Unglück denken, als wenn sich Esther, das unentwickelte Kind, das sie war, schon jetzt in die Arme eines Mannes warf.

Sie gelobte sich selbst, auf ihrem Posten zu sein. Freilich wurde es ihr schwer, sich vorzustellen, dass der Kaplan einer Frau gefährlich sein könne, am allerwenigsten Esther, die in ihren Träumen beständig in von Königssöhnen und Prinzessinnen bevölkerten Wolkenschlössern lebte. Ein dünnbeiniger Theologe, dessen einzige Schönheit das blonde, lockige Haar war! Und doch! Vielleicht war er eine gefährlichere, berechnendere Person, als sie geglaubt hatte. War er nicht schön, so hatte er dafür ein lebhaftes, draufgängerisches Wesen, das einen unbefestigten Sinn wohl verwirren konnte. – Es war ja das Verzweifelte mit Esther, dass sie nie wirklich erwachsen werden konnte. Es war, als wenn der Kummer und die Schande über die Treulosigkeit des Vaters sie sowohl körperlich als auch geistig im Wachstum gehemmt hätten. Fast den ganzen Tag hielt sie sich draußen im Garten auf, und man konnte es ihr anmerken, dass sie wieder in ihre kindischen Schwärmereien zurückgefallen war, draußen auf den alten Spielplätzen, wo die Blumen und die Vögel ihre Kameraden gewesen waren. Obwohl sie jetzt neunzehn Jahre zählte, kam es ihr niemals in den Sinn, aus eigenem Antrieb etwas Nützliches vorzunehmen.

Frau Engelstoft wandte sich plötzlich nach dem Zimmer um und lauschte. Sie hatte einen Wagen in den inneren Schlosshof fahren hören.

Nach einer Weile kam die Mamsell herein und meldete, dass der Hardesvogt gekommen sei und bitte, mit der gnädigen Frau sprechen zu dürfen.

Der Hardesvogt? – Einen Moment wurde es ihr schwarz vor den Augen. – Was wollte der hier?

»Bitten Sie ihn, hereinzukommen!«, sagte sie und ging mit ihren kleinen, schnellen Schritten an den Arbeitstisch, von dem sie sich jedoch erhob, als der Hardesvogt in der Tür erschien.

Er war ein langer, schlotteriger Mann Ende der Vierziger, sehr elegant und mit einem kavaliermäßigen Wesen, aber nach einer Mode gekleidet, die zehn Jahre alt war und schon abstechend wirkte. Er selbst war außerdem auffallend durch seine Hässlichkeit. Er hatte ein affenartiges, blaurotes und gleichsam hautloses Gesicht, dessen flache Züge er durch einen aristokratischen Backenbart zu verbessern gesucht hatte.

Übrigens war er ein Kindheitsbekannter und Jugendanbeter von Frau Engelstoft. Das Gut ihrer Eltern lag in demselben Kirchspiel, in dem sein Vater Pfarrer gewesen war. Er war denn auch der einzige hier gewesen, der ihr während der Scheidung Teilnahme erwiesen hatte; und dann musste gerade er durch einen sonderbaren Zufall diese Scheidung während der Abwesenheit des Amtmannes vollziehen.

Bei all seiner äußeren Narrenhaftigkeit war er eine ritterliche Persönlichkeit und gewissermaßen ein Charakter; freilich nur ein mäßiger Polizeibeamter, aber ein redlicher und warm fühlender Mensch, der sich noch über ein Verbrechen empören konnte. Unter seinen Standesgenossen und andern Gleichgesinnten wurde er deswegen als komische Figur betrachtet, und die roten Äderchen in seinen Augen und auf seinen Wangen verrieten denn auch, dass er geneigt war, den Trost zu suchen, dem redliche und rechtlich denkende Männer in ihrer tiefen Einsamkeit so leicht verfallen.

»Womit kann ich Ihnen dienen, Herr Hardesvogt?«, fragte Frau Engelstoft, nachdem sie ihm Platz geboten hatte.

Ein etwas verlegenes Lächeln entblößte sein falsches Raubtiergebiss.

»Verzeihen Sie, liebe gnädige Frau! Ich wollte mir gerade erlauben, dieselbe Frage an Sie zu richten.«

»An mich? Wie meinen Sie?«

»Gestatten Sie, dass ich mein Anliegen ganz ohne Umschweife vortrage?«

»Ja, das ist mir gerade das Liebste.«

»Also – in meiner Eigenschaft als örtliche Polizeiobrigkeit und Handhaber der Ordnung habe ich um diese Unterredung gebeten. Es ist uns nämlich Nachricht über gewisse Demonstrationen und förmliche Unruhen zugekommen, die hier auf dem Gut stattgefunden haben sollen. Ich bitte Sie, überzeugt zu sein, meine gnädige Frau, dass es der Polizeiobrigkeit – und speziell mir persönlich – eine Ehrensache sein wird, Ihnen und Ihrem Hause allen Schutz gegen die Belästigung des Publikums zu gewähren.«

»Worauf will er nur hinaus?«, dachte Frau Engelstoft.

»Ich danke Ihnen«, erwiderte sie kühl.

»Am liebsten wäre ich schon längst gegen die Tumultanten eingeschritten. Aber – ehrlich gestanden, Frau Engelstoft – habe ich auf eine Anzeige von Ihnen selbst gewartet. Ohne eine solche können wir schwerlich eingreifen. Da ich mich nun heute in andern Geschäften hier in der Gegend aufhielt, fand ich es am richtigsten, die Gelegenheit zu benutzen, um mit Ihnen über die Angelegenheit zu reden und Ihre Erlaubnis einzuholen, die Sache in die Hand zu nehmen. Ich gehe nämlich von der Annahme aus, dass auch Sie am allerwenigsten – Sie, meine gnädige Frau – es billigen können, dass solche Pöbelhaftigkeiten ungerügt hingehen.«

»Sie haben mein Schweigen gänzlich missverstanden, Herr Hardesvogt. Wenn ich mich nicht beklagt habe, so geschieht es, weil ich keine Veranlassung sehe, die Polizei solcher Bagatellen wegen zu bemühen.«

»Bagatellen, gnädige Frau? … Steinwürfe! Eine Menge zertrümmerte Fensterscheiben!«

»Nun ja! Solange man Sophiehöj nicht gerade mit Kanonen beschießt, gönne ich meinen Leuten gern das Vergnügen.«

»Wie soll ich eigentlich diese … diese wirklich überraschende Äußerung verstehen?«

»Ganz buchstäblich, Herr Hardesvogt! Vielleicht finden Sie es undankbar von mir, dass ich die Fürsorge der Polizei für meine armen Fensterscheiben nicht besser zu schätzen weiß. Aber ich habe von Kindheit an eine Angst vor dem Gericht und seinen Handhabern gehabt. Auch wenn es Schutz anbot.«

»Bedaure das sehr! Bedaure das aus innerstem Herzen! … Gestatten Sie mir trotzdem, Ihnen zu sagen, dass eine fortgesetzte Nachgiebigkeit den Tumultanten gegenüber meiner Ansicht nach höchst verkehrt sein würde. Sie kann so leicht gewisse … gewisse … hm, es klingt ja ganz beleidigend …«

»Genieren Sie sich bitte nicht! Reden Sie nur ganz offen heraus!«

»Sie werden sicher von diesen törichten Gerüchten gehört haben, die im Umlauf sind. Es ist meine Überzeugung, dass die Bewegung einen solchen Umfang angenommen hat, dass sie nicht länger ignoriert werden kann. Namentlich nicht, nachdem die gemeinen Beschuldigungen – wie Sie vielleicht gesehen haben – auch den Weg in eine der Zeitungen der Umgegend gefunden haben.«

»Was schreibt man denn?«, fragte sie, indem ihr das Blut in die Ohren stieg.

»Nichts Direktes – natürlich –, aber umso mehr zwischen den Zeilen – so wie das in unsern Schmutzblättern Gebrauch ist. Diese Blattschmierer werden ja zu blutdürstigen wilden Tieren, sobald sie die geringste Möglichkeit wittern, Sensation und Skandal zu schaffen.«

»Was wollen Sie mir denn raten zu tun?«

»Ich halte es für notwendig, unverzüglich zur Handlung zu schreiten. Ich bin überzeugt, dass Ihre Passivität – gerade weil sie nicht erwartet war – zu Ihren Ungunsten ausgelegt worden ist. Und ich brauche wohl nicht zu sagen, wen Sie in dieser Sache gegen sich haben. Es gibt ja gewisse Personen, denen Ihre Rückkehr nach Sophiehöj höchst ungelegen gekommen ist. In Anbetracht des Charakters dieser Personen liegt Grund zu der Befürchtung vor, dass das Unwesen um sich greifen wird, falls man ihm nicht rechtzeitig Einhalt gebietet.«

»Ja, freilich! Ich glaube, Sie haben recht! Verhaften Sie die Leute! Und schaffen Sie mir Frieden!«

»Darf ich mir nun noch gestatten, Ihnen zu sagen, Frau Engelstoft, dass es mir wirklich eine Freude sein würde, wenn es mir gelingen sollte, den ungünstigen Eindruck von unserer Gerichtsordnung auszulöschen, den Sie – das gebe ich zu – bei unserm letzten Zusammentreffen zu bekommen einigen Grund hatten. Es gehört zu den schwersten Erinnerungen meines Lebens, dass es mir beschieden sein musste, bei dieser Gelegenheit Henkerdienste zu verrichten.«

Frau Engelstoft schlug die Augen nieder und wurde still.

»Ich will glauben, dass es nicht mit Ihrem guten Willen geschah. Ich danke Ihnen auch, dass Sie gekommen sind und mir Rat erteilen wollen.«

Der Hardesvogt beantwortete diese Worte mit einer ehrerbietigen Neigung des Kopfes.

»Sie wissen wohl, gnädige Frau, dass ich eine alte Schuld im Namen meiner Eltern an Sie abzubezahlen habe. Sowohl mein lieber Vater als auch meine liebe Mutter waren so entzückt von Ihnen, jedes Mal, wenn Sie als Kind in unserm Hause gewesen waren.

Es war den beiden Alten ein wirklicher Herzenskummer, als Ihre Frau Mutter aus der Gegend verzog. Vielleicht entsinnen Sie sich noch, dass man von dem Wohnzimmer im Pfarrhaus eine schöne Aussicht über den Schmiedeteich hatte, auf dem wir im Winter Schlittschuh liefen. Meine Eltern pflegten am Fenster zu sitzen und dem Schlittschuhlaufen zuzusehen, und ich glaube wohl, dass dies hauptsächlich geschah, um einen Schimmer von Ihnen und Ihrem Bruder zu erhaschen. Das Gesicht meines seligen Vaters strahlte, wenn er Sie über die Schneefelder daherkommen sah, mit Ihrer roten Kappe, Ihren kleinen Bruder treulich an der Hand haltend. Er nannte Sie immer Rotkäppchen. Bis an seinen Tod nannte er Sie nie anders.«

Frau Engelstoft unterbrach ihn. Sie liebte es nicht, an ihre Kindheit erinnert zu werden. Und die gemeinsamen Erinnerungen verliehen der Rede des Hardesvogtes eine Vertraulichkeit, die ihr peinlich war.

»Um auf das zurückzukommen, worüber wir sprachen: Sie meinen also, dass ich eine Klage einreichen soll.«

»Ja, ich halte es für notwendig. Eine Polizeiuntersuchung ist und bleibt das einzige wirksame Mittel, um den pöbelhaften Klatsch niederzuschlagen. Im Gerichtssaal – vor der Schranke – verstummt die Verleumdung. Die Vereidigung ist eine mächtige Waffe in der Hand eines Richters. So mit seiner ewigen Seligkeit für jedes Wort einstehen zu sollen, das man sagt, das veranlasst in den meisten Fällen die Leute, vorsichtig mit der Wahrheit umzugehen. Ich bedaure nur, dass ich schwerlich werde vermeiden können, Sie, gnädige Frau, persönlich in die Sache hineinzuziehen. Hoffentlich brauche ich Sie aber nicht zu versichern, dass es mit Schonung und mit der Rücksicht auf Ihre Gefühle geschehen wird, auf die Sie in so hohem Grade Anspruch machen können.«

Frau Engelstoft wandte das Gesicht ab und lächelte, um ihre Unruhe zu verbergen.

»Offen gestanden, ich finde, es ist ein zu unsinnig großer Apparat, um dieser Sache wegen in Bewegung gesetzt zu werden. Und voraussichtlich ohne den geringsten Nutzen.«

»Gnädige Frau! Jetzt spricht wieder Ihr Misstrauen zu der Handhabung des Gesetzes hierzulande.«

»Nun ja! Geschieht das vielleicht ohne Grund? Damals, als wir zuletzt miteinander sprachen, Herr Hardesvogt, stellte ich mich unter Ihren

Schutz. Da aber galt kein Recht für mich und mein Kind. Und damals handelte es sich doch um etwas mehr als um ein paar eingeworfene Fensterscheiben!«

»Ich sagte Ihnen bereits vorhin – und ich bitte Sie, mir zu glauben –, dass ich mit schwerem Herzen die Handlung vornahm, auf die Sie anspielen.«

»Aber Sie taten es trotzdem im Namen des Gesetzes und des Königs!«

»Meine traurige Amtspflicht!«

»Ja. Und wenn Sie nun meinen, dass ich meine bürgerliche Ehre verteidigen soll, darf ich Sie dann daran erinnern, dass der Mann, der das Haar meiner Mutter weiß machte, ehe sie vierzig Jahre alt war, und der den letzten Rest ihres Vermögens mit einer Dirne durchbrachte, dass dieser Mann nichtsdestoweniger die volle Achtung seiner Mitbürger genoss. Er war bis zu seinem Tode hochangesehen in der besten Gesellschaft, vom König selbst mit einem Titel und einem Orden geehrt, während Jean, der arme Junge, nach Amerika reisen und vor Hunger und Scham sterben musste, weil er zwei armselige Kronen aus der Kasse seines Prinzipals genommen hatte. Misstrauen zu der Gerechtigkeit in diesem Lande! Ja – Gott sei Dank – das habe ich! Mögen die Leute mich des einen oder des andern beschuldigen. Mögen Sie mich Diebin und Betrügerin, Mörderin und Giftmischerin nennen. Es rührt mich nicht.«

»Das verstehe ich nur zu gut, Frau Engelstoft. Aber Sie wünschen trotzdem in Frieden zu leben, nicht wahr, und daher müssen Sie mir gestatten, die Ehrabschneider zum Schweigen zu bringen. Es verhält sich mit dergleichen Angelegenheiten wie mit der Lawinenbildung. Ein ursprünglich ganz unschädlicher Schneeball, der ins Rollen gerät, kann unglaublichen Schaden anrichten, wenn er nicht rechtzeitig angehalten wird. – Aber ich ermüde Sie. Ich habe Sie schon zu lange mit dieser elenden Sache gequält.«

Er erhob sich und nahm zeremoniell Abschied. Frau Engelstoft reichte ihm die Hand. Mit ein paar gemurmelten Worten dankte sie ihm auch für seine Teilnahme, und dieser Dank rührte den alten Anbeter, so dass er sich erkühnte, einen ehrerbietigen Kuss auf ihre weiße, noch formschöne Hand zu drücken.

Lange nachdem sein Wagen aus dem Schlosshof gerollt war, saß Frau Engelstoft auf ihrem Stuhl am Schreibtisch und sah mit einem grübelnden Ausdruck vor sich hin. Es dunkelte bereits ringsumher in den Ecken des Zimmers. Die Fensterscheiben hatten große Tauflecke, die einen rötlichen Schimmer von der untergehenden Sonne erhielten und einen Witterungsumschlag verhießen.

Sie bereute jetzt, dass sie ihn empfangen hatte. Es war eine Unvorsichtigkeit. Sie hätte von vornherein jede fremde Einmischung zurückweisen sollen. Um sein Misstrauen nicht wachzurufen, war sie gezwungen gewesen, auf seinen törichten Vorschlag einzugehen, und nun musste die Sache ihren Gang gehen. Verhör – hatte er gesagt. Und Eidesleistung. – Nun ja, dann musste sie auch durch *das* Feuer hindurch! Sie hatte ja auch nicht erwartet, dass ihr irgendetwas erspart bleiben würde!

Sie nahm sich zusammen, als sie Esthers und des Kaplans Stimmen draußen auf der Diele hörte. Mit einer gewaltigen Willensanspannung schüttelte sie die schweren Gedanken ab und empfing die beiden jungen Leute mit einem festen und aufmerksamen Blick.

Es wollte ihr scheinen, als liege ein Schimmer von verstohlenem Glück über der Tochter. Ihr Wesen war wie immer still, aber die Wangen hatten Farbe, die Augen Glanz erhalten. Auch der Kaplan erschien ihr verdächtig aufgeräumt, und sie gelobte sich selbst, dass die geistlichen Besuche ein Ende haben sollten.

Sie war in diesem Augenblick fast überzeugt davon, dass er mit all seinem Diensteifer ein gefährlicher Mensch war, ein falscher Freund, der seine Angel nach dem unerfahrenen Kind ausgeworfen hatte. Wie hatte sie doch nur so töricht sein können, diesen Wolf in Schafskleidern frei im Hause ein und aus gehen zu lassen! Sie musste sich zusammennehmen. In der kommenden Zeit würde selbst die geringste Schwäche verhängnisvoll werden können. Nicht eine Fiber in ihrem Herzen durfte jetzt zittern, wo die Hundekoppel ihrer Feinde mit den blutdürstigen Zungen bereitstand, sich über sie zu stürzen.

»Hier ist ja Besuch gewesen, Mutter!«, sagte Esther mit ihrer kleinen Stimme, die selbst in Freude schwermütig klang wie abendliches Vogelgezwitscher. »Ist es wahr, dass es der Hardesvogt gewesen ist?«

»Ja, er war in einer Erbschaftsangelegenheit hier.«

»Dann hoffe ich in Ihrem Interesse, Frau Engelstoft, dass er einen seiner klaren Tage gehabt hat«, sagte der Kaplan. »Man sagt, dass er etwas reichlich pichelt.«

»Man sagt so viel. Es ist am besten, so wenig wie möglich davon zu glauben. – Wo bist du gewesen, Esther?«

»Ich war draußen und habe Äpfel abgenommen. Das weißt du ja, liebe Mutter! Pastor Bjerring ist so liebenswürdig gewesen, mir zu helfen.«

»Nun, mit meiner Hilfe war es gerade nicht weit her. Aber das gnädige Fräulein hat mich über mancherlei Dinge belehrt. Ich sehe jetzt ein, dass ich bisher als Pomologe unkundiger gewesen bin, als es selbst ein Kopenhagener sein darf. Aber nun kenne ich ein Dutzend verschiedener Apfel- und Birnensorten am Geschmack. Das ist wirklich ein Studium. Und denken Sie nur, jeder Baum hier im Garten trägt den Namen eines Heiligen – frisch aus dem Kalender geholt – das habe ich wahrlich auch nicht gewusst.«

Esthers Wangen glühten. Sie sah scheu zu der Mutter hinüber, deren Blick beständig misstrauisch zwischen ihnen hin und her wanderte. Aber diese war von ihren eigenen Gedanken in Anspruch genommen und fasste nur wenig von dem auf, was gesagt wurde.

»Was sagen Sie da?«, erwiderte sie. »Sie sind Kopenhagener?«

»Ich bin zwanzig Schritt vom Kongens Nytorv geboren. Kann mich also mit unbestrittenem Recht Kopenhagener mit K[1] nennen.«

»Und Sie sollten eigentlich Jurist werden. Davon haben Sie doch schon einmal gesprochen?«

»Ja, es war der höchste Wunsch meiner Eltern, mich in einer goldgestickten Uniform zu sehen. Aber in dem Punkt war es mir unmöglich, mich ihnen zu fügen.«

»Darin taten Sie recht. So eine Uniform hätte Sie gewiss nicht recht gekleidet. – Aber warum wurden Sie eigentlich Geistlicher?«

»Die Frage haben Sie mir schon einmal gestellt, Frau Engelstoft. Und ich antworte Ihnen jetzt wie damals: Weil ich mich zu diesem Amt berufen fühlte.«

Frau Engelstoft zuckte die Achseln.

1 K bedeutet Zentrum von Kopenhagen.

»Berufen? Eine Redensart! Von oben erhalten wir keine Berufung. In Gutem wie in Bösem werden wir, wozu uns der Zufall des Lebens macht.«

»Sie wissen, dass ich auch hierin ganz und gar uneinig mit Ihnen bin. In alledem, was ein launenhaftes und zweckloses Spiel des Zufalls zu sein scheint, herrscht eines allwaltenden Gottes Wille.«

»Nun, und es war also Gottes Wille in Bezug auf Sie, dass Sie Geistlicher werden sollten?«

»Das glaube ich. Darauf fuße ich. Seit ich zum Einsegnungsunterricht ging, ist es mein einziger Wunsch gewesen, teilzunehmen an der Arbeit für den Fortschritt des Reiches Gottes.«

Frau Engelstoft hatte den jungen, selbstbewussten Geistlichen mit einem unwilligen Blick angesehen. Jetzt erhob sie sich und trat an eines der hohen Fenster, wo sie stehen blieb, als betrachtete sie den Sonnenuntergang über dem herbstlichen Garten.

»Das Reich Gottes«, sagte sie. »Das ist wieder eine von diesen leeren Redensarten. Das Reich existiert ja nicht. Die Menschen haben es abgeschafft. Wir haben es durch das Räubernest ersetzt, das man den zivilisierten Rechtsstaat nennt. Wer jetzt Gottes Gesetz folgen will, würde im selben Augenblick ein Landflüchtiger hier auf Erden werden.«

»Was verstehen Sie unter Gottes Gesetz, Frau Engelstoft?«

Sie wandte sich um und begegnete herausfordernd dem bekümmerten Blick des Kaplans.

»Es steht ein Gesetz in unserm eigenen Innern geschrieben, Herr Pastor *junior*! Wussten Sie das nicht?«

»Ich habe davon gehört. Weiß natürlich auch aus mir selber, dass es sich richtig verhält. Aber, offen gestanden, ich glaube, dass das Gesetz in vielen Fällen ebenso schwer zu deuten ist wie der Entwurf zu einem neuen Wechselgesetz, von dem ich neulich in einer Zeitung las. Da stand, es sei so verwickelt, dass niemand daraus klug werden könne, ohne den Verstand zu verlieren. Ich will gestehen, dass ich zu der ›inneren Stimme‹, auf die der Unglaube immer hinweist, als auf einen unwandelbaren Kompass nur ein stark bedingtes Vertrauen habe. Wer sagt uns, dass nicht unsere fromm maskierte Eigenliebe, Eitelkeit oder Begierde den Beichtvater für uns spielt? Die Stimme des Gewissens ist auf alle Fälle so vielzüngig. Sie spricht zu einem Menschen in einem ganz verschiedenen Ton, je nachdem die Sonne scheint und er Geld in der Tasche hat oder der Himmel grau ist und Schmalhans oder Krankheit im Hause regieren. In seinem herrlichen Buch vom Sündenfall hat Propst Magnussen auf seine bestimmte Weise ausgesprochen, dass das Gewissen der ewigen Weisheit gegenübergestellt werden muss, ehe wir sicher sein können, dass es nicht eine falsche Gottesstimme, ja selbst die Lockstimme des Teufels ist, der uns hinterlistig zu Sünde verleiten will.«

Frau Engelstoft, die fürchtete, dass eine Anspielung in diesen Worten liegen sollte, zuckte die Achseln.

»Wie jung Sie sind!«, sagte sie und ging an ihren Arbeitstisch zurück. Hier begann sie in einigen Abrechnungen zu blättern, und indem sie ihm über den Rand der Papiere einen bösen Blick zusandte, fügte sie in gleichgültigem Tone hinzu:

»Lassen Sie mich doch hören! Wo suchen *Sie* denn das Gesetz Gottes?«

»In seinen Worten. In seinen klaren, offenbarten Worten, die niemals zweideutig sind, niemals Platz für Missverständnis oder Juristerei übriglassen. In der Heiligen Schrift stehen seine Gebote mit einer Deutlichkeit geschrieben, dass selbst der Einfältigste sie begreift. Du sollst nicht stehlen, du sollst nicht töten, du sollst nicht begehren, was deines Nächsten ist. Diese Gebote bilden die Grundlage für die Gesellschaftsordnung aller christlichen Staaten, daher kann man nicht ohne eine starke Verdrehung der Wahrheit sagen, dass das göttliche Gesetz nicht mehr für die Menschen existiert. Der Kampf gegen das Chaos ist freilich keineswegs zu Ende. Gottes Ordnungsreich ist hier auf Erden nur erst in seinen Worten begriffen. Aber mit jedem Tag, der vergeht, wächst es im Dunkeln wie ein Küchlein im Ei, und einmal wird das Licht siegreich über die Welt hereinbrechen. Vielleicht ist der Tag gar nicht mehr so fern. Und auf alle Fälle – ja, Sie müssen verzeihen, dass ich das so geradeheraus sage, Frau Engelstoft – wenn man, so wie Sie, sich außerhalb der kämpfenden Kirche und der Gemeinde der Gläubigen gestellt hat, so ermangelt man einer wesentlichen Bedingung, gerecht über Sieg und Niederlage urteilen zu können.«

Frau Engelstoft warf die Papiere hin und nahm einen gestrickten Schal, der über der Rücklehne des Schreibtischstuhles hing. Es fror sie. Mit ihren kleinen, schnellen und sichern Schritten ging sie durch das Zimmer, indem sie die Arme in den Schal wickelte, um die Kälteschauer zu bekämpfen, die sie durchrieselten. Dass der Kaplan ein paarmal nach dem Sofa hinübergesehen hatte, wo Esther saß, und dass seine Rede überhaupt ebenso viel an die Tochter wie an sie gerichtet war, hatte sie trotz ihrer Geistesabwesenheit wohl bemerkt. Aber seine Worte drangen aus der Ferne zu ihr wie über einen tiefen Abgrund.

Plötzlich aber blieb sie stehen, warf den Kopf zurück und rief:

»Wie mögen Sie nur alle diese schäbigen Phrasen in Ihren Mund nehmen! Sehen Sie denn nicht, Mensch, wie Gottes Gebote jeden Tag verhöhnt werden, und zwar in der Kirche selbst und von den eigenen Männern der Kirche! Du sollst nicht töten! Nein, aber wenn die Könige und die Börsenmatadoren Krieg wollen, flehen die Geistlichen freudig Segen auf die Mordwaffen herab. Da steht auch geschrieben, du sollst nicht schwören, deine Rede sei Ja, Ja, Nein, Nein. Und du sollst nicht begehren deines Nächsten Haus oder Gut, und wer einen Geschiedenen ehelicht, wird zur Ehebrecherin. Aber was tun die Geistlichen? Stehen sie nicht vor dem Altar und segnen im Namen des Vaters, des Sohnes und des Heiligen Geistes die erste beste unanständige Verbindung? – Ich sage Ihnen, dass von dem Tage an, wo ein Geistlicher ein Menschenpaar traute, obwohl er *wusste*, dass, was er segnete, nur ein Mietskontrakt mit soundso viel Monaten Kündigung war, von dem Tage an entzog Gott der menschlichen Gesellschaft seinen Geist. Da ward das Allerheiligste des Lebens entheiligt! Der letzte Altar war der Schande preisgegeben! – Das Reich Gottes! Nein, ein Teufel regiert die Welt, und wer am gewissenlosesten stiehlt, lügt und tötet, den sättigt er mit seinem Segen!«

Der Kaplan antwortete nicht. Er wusste, dass, wenn Frau Engelstoft auf die Scheidungsfrage kam, die Leidenschaft mit ihr durchging. Aus Rücksicht auf die Gegenwart der Tochter schwieg er, um nicht Anlass zu mehr von diesen gehässigen Worten zu geben, die herausgeschleudert wurden wie glühende Steine aus einem Krater. Verlegen sah er wieder zu dem jungen Mädchen hinüber, das bei dem Ausbruch der Mutter weiß vor Angst geworden war.

»Armes Kind«, dachte er, »sie hat es schwer hier!«

Frau Engelstoft kehrte nun an ihren Schreibtisch zurück, setzte sich im Stuhl zurecht zu ihren Berechnungen, um dem Kaplan zu bedeuten, dass er gehen solle.

Da verbeugte er sich und entfernte sich missmutig.

Als der Nachtwächter auf Sophiehöj in der dunklen Regennacht seinen dritten Rundgang um die großen Scheunen, vorüber an den Ställen und den langen, offenen Warenschuppen, gemacht hatte und nach dem Schloss zurückkehrte, stieg er mit seinem gewöhnlichen mürrischen Gebrumme und Fluchen in den Keller unter dem Wirtschaftsflügel hinab, um seine Nachtmahlzeit zu verzehren und ein wenig heißes Bier zu trinken, das für ihn in der Gesindestube hingestellt war.

Es war Gebrauch geworden, dass, wenn er hier unten an dem langen Tisch in dem großen, düstern Raume saß, die Laterne vor sich auf der Tischplatte, er eine kleine Unterhaltung mit den Mägden machte, die in der Kammer dahinter lagen und von denen in der Regel die eine oder die andere von dem Schein seiner Laterne oder dem Stampfen seiner schweren Holzschuhstiefel geweckt wurde. Um Luft zu schaffen, stand die Tür zwischen den beiden Räumen während der Nacht immer offen. Nachtwächter Sören war ja ein alter Kerl, vor dem man sich nicht zu genieren brauchte, und trotz all seines Brummens und Fluchens war er ein Spaßmacher, mit dem die Mägde gern ein wenig Scherz trieben.

Der Anfang wurde gewöhnlich da drinnen aus den Betten mit einer Frage nach dem Wetter, einem langen Gähnen oder einem schlaftrunkenen Fluchen über »das verdammte Rumoren, das er betrieb«, gemacht. Und Sören, dessen Ruf als Witzbold daher stammte, dass er ein größeres Mundwerk hatte als selbst der Großknecht, beantwortete unweigerlich jede noch so unschuldige Bemerkung auf eine Weise, dass sie eine unanständige Bedeutung erhielt. So entstand denn ein Kichern und Quietschen da drinnen unter den dicken, wollenen Betten, und eine Magd nach der andern erwachte.

Als Sören in dieser Nacht aus dem Regen herunterkam, hörte er schon draußen auf dem Gang, dass die Mägde wach waren. Das Geplapper ging da drinnen wie in einer Spinnstube. Kaum dass sie es merkten, als er hereingetrampelt kam, und niemand antwortete auf sein »Guten Abend«. Der Besuch des Hardesvogts und die Gerüchte, die dies auf dem Hofe erzeugt hatte, hielten sie in Atem. Verdrießlich setzte er sich an den Tisch und begann stumm mit seiner Mahlzeit. Mit einem Taschenmesser schnitt er einen Happen von dem fingerdicken Butterbrot ab und stopfte ihn mittels eines Drucks seines Daumens gut in die rechte Backentasche hinab.

Als er eine Weile vergeblich darauf gewartet hatte, dass man Notiz von ihm nehmen sollte, sagte er mit barscher Stimme:

»Was für Narrenspossen habt ihr da eigentlich vor, ihr Dirnen? Ihr habt wohl nich' gar Mannsleute bei euch?«

»Du kannst ja reinkommen und unter das Oberbett gucken«, sagte eine.

»Hm, ja! Das bist du, Lotte, mein süßes Snuteken. Du kannst es wohl gar nich' mehr aushalten. Ja, wart nur einen Momang, denn bin ich gleich da.«

»Weißt du am Ende, Sörensen, warum der Hardesvogt heut oben bei der Kröte war?«, fragte eine andere.

»Das is nichts nich', wo die kleinen Mädchens sich reinzumischen brauchen. Das is nich' gut für euch. Setzt ihr euch man auf eure eigenen vier Buchstaben, Kinners. Da is Platz genug.«

»Kutscher Jens sagt, da soll Verhör sein«, sagte ängstlich eine dritte.

»Ei, Guten Abend, kleine Ellen! Was red'st du von Kutscher Jens? Ja, das is'n Kerl, der seine Sachen in Ordnung hat. Frag man bloß Sine, ob es nich' wahr is, was ich sag.«

Es entstand ein fürchterliches Gekicher da drinnen unter den Federbetten. Aber eins von den Mädchen richtete sich mit einer solchen Kraft auf, dass das Bett krachte. Beleidigt fragte sie:

»Was meinst du damit, Sören?«

»Was ich mein'? Ja, wenn ich bloß wüsste, wovon sie so rundlich geworden is, wie der Küster in Vadum sagte, als er Amen sagen wollt'.«

So fuhren sie eine Weile fort, bis eine mit sehr bestimmtem Ton sagte:

»Verschon uns gefälligst mit dem Gequatsch. Halt du dich an dein Butterbrot, Sören, und lass uns Ruh zum Schlafen.«

»Ei, ei! Maren Bählamm! Du hast dir ja das Mundwerk gewaltig geschmiert. Wann hast du den kleinen Peter Kniff zuletzt in' Himmelreich gesehen?«

Aber die Mägde waren jetzt müde geworden. Eine nach der andern drehten sie sich auf die Seite herum und strichen das Federbett glatt, um zu schlafen.

»Gute Nacht, mein Schatz!«, sagte die eine.

»Grüß deine Großmutter, Sören!«, sagte eine andere.

»Ja, und lass dir Tee kochen!«, rief eine dritte.

Sören brummte, die Backentasche von einem neuen gehörigen Happen ausgeweitet:

»Ja, ja, nu komm ich gleich und will euch zeigen, was 'ne Harke is. – Was sagst du, Lotteschnut'.«

Aber es antwortete ihm niemand mehr. Bald ertönte von da drinnen ein mehrstimmiges Schnarchen, begleitet von dem trübseligen Flötenlaut einer verstopften Nase.

Nach einer Weile klappte Sören sein Messer zusammen, wischte sich mit der Hand über seinen fettigen Mund, trank noch einen tüchtigen Schluck aus dem Bierkrug, stieß ein paarmal mit tiefem Wohlbehagen auf und erhob sich endlich.

Draußen hatte der Regen aufgehört, aber der Himmel war noch bedeckt. Sören sah zu der Wetterfahne auf der hohen Scheune hinauf. Er prophezeite gutes Wetter nach Sonnenaufgang. Dann hängte er die Laterne in seinen Gürtel, um von Neuem seine einsame Nachtwanderung zu beginnen.

Da blieb er mit einem Ruck stehen. Er sah, dass in ein paar Fenster des ersten Stockwerkes am Ende des Schlosses Licht gekommen war, dort, wo Frau Engelstoft und die Tochter ihre Privatwohnzimmer und Schlafstuben hatten.

»Nu spukt sie wieder!«, sagte er zu sich selbst, und es war ihm ganz unheimlich zumute.

Jede Nacht seit dem Tode des Gutsbesitzers hatte er dieselben Fenster erleuchtet gesehen, zuweilen ein paar Stunden hintereinander. Sören war nicht abergläubisch, aber er hatte in dieser Zeit doch oft daran denken müssen, was er von solchen bösen und ruchlosen Weibern gelesen hatte, dass sie des Nachts Besuch von dem Gottseibeiuns bekamen und sich von ihm mit Macht und Reichtum bezahlen ließen. Na, ihn ging es ja nichts an! Er verrichtete hier sein gesetzmäßiges Amt, und er hatte nichts zu befürchten –

Die beiden erleuchteten Fenster gehörten zu einem Kabinett, das vor Frau Engelstofts Schlafzimmer lag. Zu ihren übrigen Heimsuchungen waren auch die Qualen der Schlaflosigkeit gekommen. Stunde auf Stunde konnte sie wach liegen. Unruhig drehte sie sich von der einen Seite auf die andere, und wenn das Bett schließlich wie ein glühender Ofen geworden war, musste sie aufstehen und ein wenig im Zimmer hin und her gehen oder sich an ihre Arbeit mit den Rechnungen setzen, um die Gedanken zu betäuben und die Nerven zu beruhigen.

In einen roten Tuchschlafrock gehüllt, ging sie lautlos auf dem Teppich auf und nieder. Das dicke, aschblonde Haar hing ihr lose über die Schultern. Trotz eines starken Schlafpulvers hatte sie noch keine Ruhe gefunden. Die Unterredung mit dem Kaplan hatte ihr Selbstvertrauen erschüttert. Sie war so zermartert, dass sie nahe daran war, jetzt zu wünschen, sie könne das Geschehene ungeschehen machen. Auf alles andere war sie vorbereitet gewesen; aber dass sie gezwungen werden könne, sich einem Verhör zu unterziehen und ihre Erdichtung zu beeiden – daran hatte sie nicht gedacht und davor wich sie unwillkürlich zurück.

Sie ging einen Augenblick in die Schlafstube hinein und kam mit ihrem Schlüsselbund zurück. Dann stellte sie die Lampe auf eine Schatulle, die zwischen den Fenstern stand, und entnahm einem Geheimfach hinter einem der vielen kleinen Schubfächer einige zerknitterte Papiere in einem korngelben Umschlag. Obwohl sie seine hundertundvierzehn Paragrafen längst auswendig wusste, nahm sie immer wieder ihre Zuflucht zu diesem Dokument wie zu einem Trostbuch. In seiner Schamlosigkeit suchte sie ihre Rechtfertigung. Gegenüber diesem Zeugnis menschlicher Gemeinheit ward sie bestärkt in ihrer Überzeugung, gehandelt zu haben, wie das Gewissen es ihr befahl. Daher hatte sie es auch nicht vernichten wollen. Wenngleich sie sehr wohl einsah, wie gefährlich es für sie war, dass es noch existierte, wollte sie sich nicht davon trennen. Es war doch in letzter Instanz der Beweis, der sie freisprechen sollte. Auf alle Fälle Esther gegenüber. Sie wollte es daher bis an ihren Tod bewahren. Vielleicht würde dann auch eine Nachwelt gerechter über sie urteilen.

Die Türen rings um sie her waren sorgfältig geschlossen und verriegelt. Nur die Tür zu ihrer Schlafstube stand offen, und von hier war ebenfalls die Tür zu Esthers Schlafzimmer daneben offen. Sie wusste nicht, dass die Tochter wach war, und ahnte auch nicht, dass Esther sie von ihrem Bett aus in dem großen Spiegel beobachten konnte, der in ihrem Schlafzimmer hing. Daher gab sie sich schließlich ihrer Verzweiflung gänzlich hin. Sie warf sich vor die herausgezogene Schreibklappe der Schatulle nieder und legte den Kopf mit einem stummen Schluchzen auf ihren Arm.

Esther hatte lange da drinnen im Dunkeln gelegen, die Hände unter der Wange, wachgehalten von ihren eigenen, unruhig träumenden Gedanken. Jetzt richtete sie sich auf dem Ellbogen auf, entsetzt beim Anblick der weinenden Mutter. Sie hatte sehr wohl gehört, dass sich die Mutter im Bett hin und her geworfen hatte und schließlich aufgestanden war. Aber sie war so an ihr nächtliches Treiben gewöhnt und außerdem so erfüllt von ihren eigenen Angelegenheiten, dass sie nur hin und wieder einen Blick in den Spiegel geworfen hatte, um sich gegen eine Überrumpelung zu sichern.

Dies Weinen weckte sie aus ihren Träumereien. Es war das erste Mal, dass sie die Mutter hatte weinen sehen. Arme Mutter! Immer musste sie es so schwer haben! Was konnte nur geschehen sein? Sie war so sonderbar verändert nach dem Besuch des Hardesvogts. Auch Kaplan Bjerring gegenüber. Warum war sie so böse auf ihn geworden? Das war Unrecht, denn er selber dachte immer so schön von allen Menschen und wollte nur ihr Bestes. – Er hatte da draußen im Garten zu ihr gesagt, sie solle versuchen, ihre Mutter ein wenig von ihren Berechnungen ab- und in die Natur hinauszubringen, da würde sie sicher zufriedener werden. Ja, wenn sie das nur könnte! Ach, diese Berechnungen, diese entsetzlich langen Zahlenreihen, die sie zuweilen selbst zusammenzählen musste – die waren ihr Schrecken! Tag und Nacht saß die Mutter über ihnen und wurde immer blasser vor Erregung. Was für Papiere mochten es nun wohl sein, mit denen sie da saß und die sie so verzweifelt machten? Es war nicht das erste Mal, dass sie sie mitten in der Nacht an der Schatullenklappe hatte sitzen und darin blättern sehen. Sie konnte sie an dem gelben Umschlag erkennen.

Plötzlich zuckte sie zusammen. Sie hatte im Spiegel die Mutter die Hände vom Gesicht entfernen und sich erheben sehen; und es ward ihr klar, dass sie in Selbstvergessen sich geräuspert hatte. Still kroch sie unter die Bettdecke, und als die Mutter nach einer Weile in die Tür trat, tat sie so, als schliefe sie.

Und wieder lag sie, die Hände unter der Wange, da und dachte an den Kaplan. Obwohl sie zu sich selbst sagte, dass sie jetzt schlafen wolle, hörte sie zweimal die Turmuhr die Viertelstunde schlagen, ehe sie einschlief. Aber das war ihr gar nicht unangenehm. Es war so wunderschön, dazuliegen und an ihn zu denken und alles, was er gesagt hatte, so recht zu durchdenken. Und sie schlief ein mit dem innigen Wunsch, dass die Mutter sich ihm gegenüber wieder freundlich erzeigen möge, so dass sie ihn kennenlernen konnte, wie er wirklich war, wohl der beste Mensch auf der Welt. –

Währenddessen hatte Nachtwächter Sören von Neuem seinen Rundgang um die großen Scheunen, vorbei an den Ställen und dem langen Vorratsschuppen beendet. Er stand nun wieder unten vor dem Schloss und schielte hinauf zu den beiden erleuchteten Fenstern im linken Flügel. Mit einem Grunzen ging er weiter.

Oben bei der Meierei setzte er sich auf die Deichsel eines alten Göpels, stopfte eine kleine hölzerne Pfeife und zündete sie in seiner Pelzmütze an. Er konnte von dem Platz aus die ganze weitläufige Gebäudegruppe übersehen, bis hinab zu dem Eiskeller und der Schmiede. In der stillen Nacht konnte er auch jeden Laut von dort bis zu dem Piepsen der jungen Mäuse auffangen. Da lag nun das alte Schloss vor ihm mit seinem kleinen dicken Turm, der sich von dem dunklen Himmel abhob. Bald vierzig Jahre hatte er hier jede Nacht gesessen und sein Heiligtum bewacht. Er konnte bis zu dem alten Geheimrat zurückdenken, der immer »Esel« zu seinen Dienstboten sagte und mit dem Stock nach ihnen schlug, wenn ihm der Kopf schlecht stand. Er hatte in der frohen Zeit des Etatsrats hier gesessen, wo des Nachts rings um den Schlossgraben Fackeln brannten, wenn ein Fest gefeiert wurde, und wo der Park von bunten Lichtern schimmerte wie ein Paradies. Er entsann sich des großen Tages, als der König in höchsteigener Person mit allen seinen Generalen hierherkam und ein Goldstück in seinen Hut warf, als er durch das Tor fuhr. – Aber dann kam die traurige Zeit der Kröte. Das waren böse Jahre! Ranziges Schmalz auf dem Brot und saure Milch! Wahrer Schweinefraß! Und kein Vesperbrot! Pfui Teufel!

An dem Abend hier neulich, als der junge Gutsbesitzer starb, hatte er gerade seine zweite Runde gemacht und stand im Schlosstore. Da auf einmal sah er den Schreiber ganz verstört barhäuptig drüben aus dem Kontor gelaufen kommen. Nie würde er den Augenblick vergessen! »Der Gutsbesitzer ist tot!«, rief er. – Ja, ja! Das Gute ist nie von langer Dauer! Aber er wollte seinen Hals darauf in die Schlinge legen, dass das böse Teufelsweib da oben dem Gutsbesitzer was eingegeben hatte.

Möchte die Strafe Gottes sie treffen! Aber der Hardesvogt, dieser Narr, der würd' sie sicher nie zum Eingestehen bringen.

Frau Engelstoft saß am nächsten Vormittag zusammen mit Esther am Frühstückstisch, als der Kaplan gemeldet wurde. Sie warf einen Blick auf die Tochter und erteilte dann den Befehl, den Geistlichen in die Gartenstube zu weisen. Um sich dagegen zu sichern, dass die jungen Leute sich später im Park begegneten, sagte sie hinterher zu Esther, als sie vom Tische aufstanden, sie solle auf ihr Zimmer gehen und die wöchentliche Abrechnung von Agersögaard revidieren.

Esther sah ihre Mutter verwundert an. Aber wie immer gehorchte sie ohne Widerspruch.

Der Kaplan stand am Fenster, als Frau Engelstoft hereinkam. Er drehte sich auf dem Absatz herum und grüßte mit seiner unbeholfenen Verbeugung.

»Sie haben nach mir geschickt«, sagte er. »Ich stehe zu Ihren Diensten.«

»Nehmen Sie bitte Platz. – Entsinnen Sie sich noch, Pastor Bjerring, dass Sie mir neulich versprachen, zu Ihrem Freund, dem Maurermeister Jörgensen zu gehen, wenn Sie dort vorüberkämen, und ihm von mir zu sagen, dass ich über einen Umbau der Molkerei hier mit ihm sprechen möchte? Ich weiß nicht, ob Sie es vergessen haben. Der Mann ist jedenfalls nicht hier gewesen.«

Der Kaplan rieb verlegen seine Hände.

»Vergessen habe ich es nicht. Aber Jörgensen antwortete mir, dass er nicht die Absicht habe, ein Gebot auf diese Arbeit zu machen. Ich würde Ihnen das gestern gesagt haben, aber ich fand keine Gelegenheit dazu.«

»Soll ich seine Antwort so verstehen, dass er in Zukunft überhaupt keine Arbeit hier auf dem Hofe zu übernehmen wünscht?«

»Die Wahrheit in Ehren, Frau Engelstoft! Ich glaube, es soll so zu verstehen sein.«

»Und der Mann ist einer Ihrer kirchlichen Freunde, Herr Pastor! Das nimmt sich ein wenig sonderbar aus!«

»Die Volksstimmung ist gegen Sie, Frau Engelstoft. Das habe ich Ihnen nicht verhehlt. Wenn ich Ihnen einen Rat geben darf, so sollten Sie sowohl Bauunternehmungen als auch andere von Ihnen geplante

Veränderungen hier auf Sophiehöj hinausschieben, bis sich die Gemüter ein wenig beruhigt haben.«

»Ich habe Sie nicht gebeten, mir Ratschläge zu erteilen.«

»Das haben Sie freilich nicht getan. Aber Sie haben mir bisher gestattet, offen mit Ihnen zu sprechen, Frau Engelstoft. Ja, Sie haben ausdrücklich gesagt, dass Sie Wert darauf legen würden, wenn ich mit nichts hinter dem Berge halten wollte. Und nun ist es meine Überzeugung, dass Sie im Augenblick nicht leicht jemand bewegen werden, hier Arbeit zu übernehmen. Wenn ich recht unterrichtet bin, haben mehrere von Ihren Leuten den Hof bereits verlassen.«

Hierauf erwiderte Frau Engelstoft nichts. Sie hatte seinen Ausdruck wieder beobachtet, um Klarheit darüber zu erhalten, ob seine Naivität echt war oder ob er mit jesuitischer Hinterlist heimlicher Teilnehmer an dem Komplott gegen sie war. Jetzt wandte sie sich ab und sagte:

»Die Molkerei soll umgebaut werden, und zwar sofort. Wollen die Banditen hier mich boykottieren, so hole ich Arbeitskraft von auswärts. Mir kann es einerlei sein, wer den Verdienst einsteckt.«

Der Kaplan schwieg missmutig.

»Wollen Sie mir gestatten, Ihnen eine Frage zu stellen, Frau Engelstoft?«, sagte er schließlich.

»Bitte schön!«

»Ich habe mir erzählen lassen, dass, wenn Sie sich zu diesem Umbau der Molkerei entschlossen haben, es geschieht, um sie nach einem neuen Prinzip einrichten zu lassen, wie Sie es bereits auf Agersögaard eingeführt haben. Sie sollen dadurch ein Prozent mehr Butterertrag gewinnen können, sagt man.«

»Nun – und was weiter?«

»Ich kenne ja Ihre bewunderungswürdige Energie. Aber – wenn Sie dann der Erde auch das Prozent abgerungen und vielleicht den Wert von Sophiehöj um eine kleine Tonne Goldes erhöht haben – werden Sie sich dann auch nur ein ganz klein wenig glücklicher fühlen?«

»Ach, verschonen Sie mich bitte mit Ihrer Seminaristenweisheit! Ich habe mir ein für alle Mal Predigten hier im Hause verbeten. Sammelt nicht in die Scheuern! Euer Schatz soll im Himmel sein! Sie hören, ich kenne die Lektion.«

»Ich höre, dass Sie spotten, Frau Engelstoft. Aber ich will Ihnen sagen, ich glaube nicht, dass ich hochmütig bin. Ich bilde mir auch nicht ein, dass ich viel Lebenserfahrung habe. Niemand weiß besser als ich selbst, dass mir noch viel zu lernen übrig bleibt. Aber hier ist gerade etwas, was ich nicht verstehe, und deswegen frage ich. Wenn ich die Kürze dieses Lebens bedenke, begreife ich nicht, dass jemand Beruhigung darin finden kann, seine Wurzeln so tief in das Irdische zu versenken. Das ist ja, als wollte der Schmetterling seinen Wintervorrat sammeln, obwohl er nur einen einzigen Tag lebt.«

»Sie vergessen, Herr Pastor, dass sich unser Leben in unsern Kindern fortsetzt.«

»Ja – verzeihen Sie – aber ist das viel mehr als eine schöne Redensart?«

»Eine schöne Redensart?«

»Ja, geht es nicht in der Regel hier im Leben so, dass, wenn die Kinder heranwachsen und selbstständig werden, sie ihr Glück weitab von den Wegen suchen, die die Eltern mit so viel Fürsorge und oft unter so vielen Entbehrungen für sie bereitet haben? Ich glaube das. Und ich kenne nicht so gar wenig von dieser Sache aus schmerzlicher Erfahrung. Ich habe Ihnen gewiss erzählt, Frau Engelstoft, dass meine Eltern ganz andere Pläne für meine Zukunft hatten, als mich zum Geistlichen zu machen. Es war ihre Hoffnung, mir eine der hochangesehenen Stellungen in der Gesellschaft zu sichern, die mein Vater einstmals selbst erstrebt hatte. Und dann geschah es, dass alle meine eigenen Wünsche und Hoffnungen in eine ganz andere Richtung gingen und ich meine teuren Eltern betrüben musste, indem ich ihre aufopfernde Fürsorge verwarf. Aber einem solchen wirklich tragischen Schicksal setzt sich jeder aus, der das Lebensziel außerhalb des Ewigen und Unwandelbaren sucht.«

»Sie wurden also Pfarrer«, erwiderte sie trocken. »Aber wie war es doch? Dachten Sie nicht daran, Missionar zu werden? Drüben in Asien, nicht wahr? Einer der Apostel des Ostens! – Warum haben Sie das im Grunde aufgegeben?«

»Die Verhältnisse zwangen mich.«

»Ja – jetzt entsinne ich mich, dass Sie es mir erzählt haben. Es fehlte der Missionsgesellschaft an Geld, nicht wahr.«

»Allerdings.«

»Um eine wie große Summe handelte es sich?«

»Fünf- bis sechstausend.«

»Ja, da sehen Sie. Und trotzdem sprechen Sie so verächtlich von dem Gut und Gold dieser Welt. Selbst der liebe Gott kann ja nicht ohne Geld fertig werden. Die armen Chinesen müssen nun auf ihre Bekehrung warten, bis wieder etwas in der Kasse ist.«

Der Kaplan schüttelte den Kopf.

»Da spotten Sie wieder, Frau Engelstoft. Wir Christen fassen dergleichen nicht so äußerlich auf. Wir begreifen, dass Gott, der seine verborgenen Pläne mit allem hat, was geschieht, auch in einem Falle wie diesem hier eine Absicht damit hatte, wenn er ein Hindernis in den Weg legte.«

»Ach so. Freilich, bequemer ist es ja auf alle Fälle, hier in der Heimat Mission zu treiben. Hätten Sie aber nicht Ihre Eltern bewegen können, die Summe zuzuschießen, die fehlte? Es sind ja doch wohlhabende Leute!«

»Meine teuren Eltern würden lieber das Zehnfache geben, um mich zurückzuhalten. Das Klima da drüben ist ja nicht gerade gesund. An Sumpffieber sind die früheren Missionare gestorben. Die Verhältnisse sind wohl überhaupt etwas schwierig für Europäer.«

»Ach, dergleichen wird wohl immer übertrieben.«

»Das ist auch mein Glaube. Und auch das Klima schreckt mich nicht ab. Ich bin immer gesund gewesen und kann Kälte wie auch Hitze vertragen.«

»Dann werden Sie vielleicht dennoch dem Ruf folgen, wenn die Missionsgesellschaft einmal wieder zu Kräften gelangt und das Reisegeld erübrigen kann?«

»Das werde ich unbedingt. Ich habe Gott mein Gelübde gegeben, und das halte ich.«

Frau Engelstoft hatte dagesessen und unruhig mit einem Quast gespielt, der von dem Armpolster des Lehnstuhles herabhing. Jetzt aber erhob sie sich und ging mit ihren kleinen, festen Schritten nach dem Fenster, als fliehe sie plötzlich vor ihren eigenen Gedanken.

Die Unterhaltung geriet ins Stocken, und als Esther sich noch immer nicht zeigte, fiel es dem Kaplan ein, dass er sie vielleicht so wie am vorhergehenden Tage draußen im Garten treffen könne. Er war nicht nur von Teilnahme für das einsame junge Mädchen erfüllt, sondern er hatte in letzter Zeit auch große Hoffnung für die Errettung ihrer schwermütig schwärmerischen Seele gefasst. Dass sie als Heidenkind aufgewachsen war, als kleine Wilde, unwissend und verhext, das wusste er ja freilich. Aber in ihrem kindlichen Zusammenleben und in ihrer Abgötterei mit Blumen und Vögeln sah er ein irregeleitetes religiöses Sehnen, einen schlummernden Gottesdrang, der – einmal erweckt – die Pforten des Himmels stürmen würde.

Er ging auf Frau Engelstoft zu und sagte ihr Lebewohl, sie gab ihm die Hand, ohne ihn anzusehen. Sie konnte sich nicht entschließen, seinem Blick zu begegnen. Obgleich sie sich noch immer nicht klar darüber war, ob seine Freimütigkeit naiv war oder frech, sollte jetzt Ernst daraus gemacht werden, ihm die Tür zu verschließen.

Hinterher stand sie wieder am Fenster und ließ die fieberhaften Finger auf das Fensterbrett trommeln. Mit einem eigenen schwindelnden Machtgefühl dachte sie daran, dass sie, wenn sie sechstausend Kronen opferte, den Mann, der in diesem Augenblick vielleicht ihr gefährlichster Feind war, in den gewissen Tod senden konnte. Auf alle Fälle so weit weg, dass er unschädlich wurde. Wozu sich bedenken? Sollte eine Mutter vor einem fremden Mann zurückweichen, wenn er das Leben ihres Kindes zerstören wollte? Was sie begonnen hatte, musste jetzt vollendet werden. Ein Rückzug war nicht mehr möglich.

Eine gute Woche später erschienen die Gerichtsdiener in Sophiehöj und luden Frau Engelstoft am dritten Tage darauf zum Verhör in das Gerichtsgebäude der Kreisstadt. Das polizeimäßige Einschreiten des Hardesvogts aus Anlass der Unruhen auf dem Hofe hatte die erstrebte Wirkung nicht gehabt. Statt den Verdacht niederzuschlagen, hatte es im Gegenteil bewirkt, dass die unheimlichen Gerüchte in Umlauf gekommen waren und dass mehrere anonyme Einsender in den Zeitungen der Umgegend eine gerichtliche Untersuchung der Geschehnisse am Sterbebett des verstorbenen Gutsbesitzers gefordert hatten. In verschleierten Wendungen war Frau Engelstoft sogar des Mordes beschuldigt worden.

An dem festgesetzten Tage hielt des Morgens um zehn Uhr die altmodische Kutsche, die von früher her »der Wagen der gnädigen Frau« genannt wurde, an der Treppe im inneren Schlosshof. Hinter allen Kellerfenstern und hinter den Fenstern der Gutsschreiberei im Seitenflügel sah man flachgedrückte Nasen und schadenfrohe Blicke. Es waren die Küchenmägde und Schreiber, die hofften, einen Schimmer von dem Gesicht der »Kröte« zu erwischen, wenn sie in den Wagen stieg. Und es kribbelte so süß in ihnen bei dem Gedanken, dass die stolze Dame jetzt vor die Polizeischranke gezerrt werden sollte wie ein gewöhnlicher Bettler und dass man sie zwingen würde, auf alles zu antworten.

Kaum zwei Minuten nachdem die Turmuhr gedröhnt hatte, erschien Frau Engelstoft auf der obersten Treppenstufe. Zur großen Enttäuschung für die Neugierigen war sie tief verschleiert, die ganze Gestalt von dem langen schwarzen Witwenschleier verhüllt. Mamsell Andersen und die Kammerjungfer geleiteten sie an den Wagen hinab, während der dicke Kutscher Jens auf dem Bock seine vorschriftsmäßigen Honneurs machte.

Oben am Fenster im Kabinett stand Esther, von der Gardine verborgen. Als der Wagen abgefahren war, starrte sie ihm unverwandt nach, während ihre großen luftblauen Augen sich mit Tränen füllten. Sie war voller Besorgnis um die Mutter. Wieder hatte sie sie in dieser Nacht in ihren Gemächern hin und her gehen hören, hatte sie auch im Spiegel wieder an der Schatullenklappe sitzen und in die Papiere mit dem gelben Umschlag hineinstarren sehen. Jetzt, am Morgen, war sie wunderlich zerstreut gewesen. Sie war ganz entsetzt, als sie sah, wie alt und müde sie ausschaute.

Die alte Mamsell Andersen kam herein, um nach dem Ofen zu sehen. Obwohl die Mutter ihr verboten hatte, sich mit dem Gesinde zu unterhalten, und sie namentlich vor der Mamsell gewarnt hatte, die sie beschuldigte, an den Türen zu horchen und zu lügen, ging Esther geradeswegs auf das alte Mädchen zu und fragte, was denn eigentlich los sei.

Mamsell Andersen zuckte zusammen.

»Was los ist? Was meinen gnä' Fräulein?«

»Warum seid ihr heute alle so sonderbar? Und warum ist Mutter weggefahren? Wollte sie nach der Stadt?«

»Ja, das glaube ich. Gnä' Frau hat wohl Geschäfte da.«

»Aber was sollte Mutter bei der Polizei? – Ja, es kann nicht nützen, dass Sie es leugnen wollen, Mamsell Andersen. Ich hörte heute Morgen, wie Anna und Maren-Sophie draußen auf dem Gange standen und darüber flüsterten. Hat irgendjemand gestohlen?«

»Dass gnä' Fräulein sich daran kehren wollen, was so ein paar dumme Mädchen klatschen!«

»Da ist etwas, was Sie mir nicht sagen wollen, Mamsell Andersen. Was ist es?«

Die Alte lag vor dem Ofen auf den Knien und legte ein paar Holzscheite auf das Feuer.

»Na ja, wenn gnä' Fräulein so viel gehört haben, können Sie das Ganze wissen. Es ist sonst übrigens was, womit gnä' Fräulein sich nich' zu befassen brauchen.«

»Was ist es denn?«

»Es ist, glaube ich, ein wichtiges Papier von dem seligen Herrn, das weggekommen is'. So hab ich es wenigstens verstanden. Aber ich weiß von nichts.«

»Ein Papier?«

»Ja, so was, was man Dokument nennt.«

»Aber was hat Mutter damit zu tun? Sie kann doch nicht wissen, wo es abgeblieben ist.«

»Ja, die Sache is vielleicht die, dass das Erbteilungsgericht das doch meint«, sagte die Alte und begann eifrig in die Kohlen zu blasen, als habe sie schon zu viel gesagt.

»Dann war das auch wohl die Veranlassung, weswegen der Hardesvogt neulich hier war.«

»Das kann wohl möglich sein«, sagte sie und stand von dem Ofen auf. »Aber nu is es wirklich an der Zeit, dass gnä' Fräulein ihr Frühstück kriegen. Die Uhr is über zehn.«

Esther setzte sich auf das Sofa, wo sie in die eine Ecke hineinkroch, ganz benommen von einer Angst, die sie bei jedem Laut zusammenfahren ließ. Sie hielt die Hand unter den Kopf, und wieder quollen die Tränen aus ihren Augen hervor. Sie konnte sie nicht zurückhalten. Beständig war es ihr, als hörte sie die Fußtritte ihres Vaters da drinnen in dem großen Saal. Es war dies ein Gefühl, das sie während ihres Aufenthaltes hier häufiger gehabt hatte. Auch die Stimme des Vaters glaubte sie zuweilen da drinnen hören zu können.

Wenn doch Pastor Bjerring heute kommen wollte, dachte sie. Sie begriff nicht, was mit ihm vorging. Eine ganze Woche war er nicht hier gewesen. Konnte er krank sein? Sie hatte in diesen Tagen so recht gemerkt, wie gern sie ihn hatte. Sie empfand in seiner Nähe etwas von derselben Geborgenheit, die sie stets bei ihrem Vater gefühlt hatte. War das vielleicht, weil seine tiefe Stimme sie an die des Vaters erinnerte, die sie so oft froh gemacht, wenn sie sie draußen auf der Diele hörte? Wenn sie doch nur die Mutter dahin bringen könnte, ihn gern zu haben! Aber nicht mit einem Wort hatte die Mutter ihn alle diese Tage erwähnt oder sich merken lassen, dass sie ihn vermisste.

Hastig trocknete sie die Tränen von der Wange. Mamsell Andersen kam mit ihrem Frühstück auf einem Teebrett herein.

»Hier is was, was gut für gnä' Fräulein is. Ein extra Beefsteak. Und zwei Eier.«

»Ach, kann ich heute nicht damit verschont bleiben, Mamsell Andersen? Ich habe gar keinen Appetit. Und dann habe ich solch Kopfweh.«

»Nein, essen muss man, weiß Gott, unter den Umständen. Sonst wird es bloß noch schlimmer.«

»Aber was kann das nützen? Ich muss es doch nur wieder herausbrechen, so wie neulich.«

»Ach, es wird schon runtergleiten, das sollen gnä' Fräulein mal sehen! Denken Sie auch daran, was gnä' Frau so oft gesagt hat. Gnä' Frau wird sehr böse werden, wenn sie zu wissen kriegt, dass gnä' Fräulein ihr Beefsteak nich' gegessen hat.«

Die letzte Warnung machte Esther fügsam. Sie setzte sich an den Tisch und zwang sich zu essen, obwohl allein der Anblick der blutigen Fleischstücke ihr Übelkeit erregte.

Währenddessen stand Mamsell Andersen hinter einem Stuhl auf der andern Seite des Tisches und betrachtete sie mit mitleidigem Blick. Es schnitt ihr ins Herz, zu sehen, wie blass sie geworden, seit der Kaplan zur Tür hinausgejagt war.

Trotz der kalten Sturzbäder und der andern Abhärtungskuren, mit denen ihre Mutter sie geplagt hatte, waren niemals viele Blutstropfen in ihrem schmächtigen kleinen Körper gewesen, und in der letzten Zeit sah sie aus, als sollte sie ihrem Vater bald ins Grab folgen.

Deswegen konnte die Alte es auch nicht übers Herz bringen, ihr zu erzählen, was sie gerade gehört hatte, nämlich, dass der Kaplan nun doch zu den Chinesen hinüberreiste. Er sollte es am vorhergehenden Abend selbst im Versammlungshaus gesagt haben. Der liebe Gott habe ihm Reisegeld geschenkt, hatte er gesagt. Es sei in einem Brief ohne

Namen an die Missionsgesellschaft angekommen. Wie traurig das war, zu denken, dass der prächtige junge Mann, der es hier in der Heimat so gut haben konnte, nun vielleicht von den abscheulichen Chinesen gemordet und aufgefressen werden sollte.

Esther hatte noch nicht viele Bissen hinuntergezwungen, als sie das Teebrett beiseite schob und erklärte, jetzt könne und wolle sie nicht das Geringste mehr essen. Wenn sie in dem Ton sprach, wusste Mamsell Andersen, dass es nichts nützte, zu versuchen, sie zur Vernunft zu bringen. So sanft und fügsam sie im Allgemeinen war, konnte hin und wieder einmal ein Kobold in sie fahren, so dass man merkte, sie war die Tochter der »Kröte«.

Dann zog Esther ihren hellgrauen Ulster an, um in den Park hinabzugehen. Obwohl sie jetzt die Hoffnung aufgegeben hatte, dass der Kaplan kommen würde, stand sie doch draußen auf der Diele lange vor dem Spiegel, während sie eine kleine schwarzkarierte wollene Mütze aufsetzte und die Löckchen an den Schläfen ordnete. Sie hatte ihm einmal ansehen können, dass er fand, die Mütze kleide sie. Auch rieb sie die Wangen kräftig mit der flachen Hand, als sie entdeckte, wie blass sie war.

Die Sonne schien, aber trotzdem schlug sie den Kragen um die Ohren in die Höhe und steckte die Hände tief in die Manteltaschen. Ihre Ellenbogen bewegten sich aus und ein, so zitterte sie vor Kälte.

Die letzten Blätter waren gefallen. Der Nachtfrost hatte den Park entkleidet, der noch vor wenigen Tagen in seiner ganzen Farbenpracht des Herbstes stand. Auch ihre Kindheitsfreunde, die Vögel, waren weg. Beim Anblick ihrer leeren Nester hier und da in den kahlen Baumkronen fühlte sie sich doppelt einsam und verlassen. Nur die Schwarzdrosseln waren noch da. Aber sie saßen nicht wie im Sommer oben auf den Zweigen und sangen. Sie liefen stumm unten am Erdboden umher und erschreckten sie, wenn sie plötzlich wie schwarze Ratten in dem roten Laubboden zum Vorschein kamen und ebenso schnell wieder hinter den Baumstämmen verschwanden.

Am äußersten Ende des Parks machte sie halt an einer Pforte und blieb dort einige Augenblicke stehen, die Arme über dem Gitterwerk. Die Pforte ging nach der alten Lindenallee hinaus, die von der Landstraße nach dem Vorwerk führte, und man hatte von hier eine Aussicht über die Felder bis hinab nach dem Dorf mit der weißen Kirche. Am

Wegesrande, drüben auf der andern Seite der Allee, entdeckte sie den alten Anders, der hinter seinem Strohschirm saß und Steine klopfte. Da kam ihr der Gedanke, dass sie vielleicht von ihm erfahren könne, ob Pastor Bjerring krank sei. Sie wusste, dass der alte Anders zu den »Heiligen« gehörte, die jeden Sonntag zur Kirche gingen und Verbindungen im Pfarrhaus hatten.

Mit einem schnellen Entschluss öffnete sie die Pforte und balancierte von einem Stein zum andern über den aufgeweichten Weg, dessen tiefe Wagenspuren voller Wasser waren. Sie begann diplomatisch über das Wetter zu sprechen und sich nach seiner Frau und ihm selbst zu erkundigen. Aber der alte Anders, der wohl eine gottesfürchtige Seele, aber trotzdem ein großer Schelm war, bemerkte mit zugekniffenem Auge und einem verständnisvollen Lächeln, dass, wenn sie nach dem jungen Pfarrer ausgucke, sie nur einen kleinen Augenblick warten solle. Vor einer knappen halben Stunde, sagte er, sei der Kaplan in Talar und Halskrause vorübergekommen auf dem Wege nach dem Vorwerk, um einem der Knechte, der über Nacht krank geworden war, das Heilige Abendmahl zu reichen.

Esther wurde blutrot und verließ ihn sofort, empört und verwirrt. Der Gedanke, dass die Leute auf dem Hofe angefangen hatten, über sie und den Kaplan zu reden, und dass das Gerede der Mutter zu Ohren kommen konnte, flößte ihr große Angst ein. Und nun geschah es, dass, als sie auf ihrem hastigen Rückzug einen Blick die lange Allee mit den großen Wasserlachen hinabwarf, in denen sich der blaue Himmel spiegelte, eine ornatgekleidete Person im selben Augenblick aus der Tür des Vorwerks trat.

Ihre erste Eingebung war, aus seinem Gesichtskreis zu verschwinden, indem sie in den Park hineineilte. Als sie es sich aber klarmachte, dass er sie wahrscheinlich schon gesehen hatte, entschloss sie sich, an der Pforte stehen zu bleiben und auf ihn zu warten. Er konnte sonst leicht denken, dass sie ihn persönlich meiden wolle. Der alte Anders mochte denn über sie denken, was er wollte.

Allmählich fasste sie auch Mut, ihm auf der Graskante neben dem Fahrwege ein paar Schritte entgegenzugehen.

»Sind Sie verreist gewesen, Herr Pastor?«, fragte sie, sobald sie einander begrüßt hatten. »Es ist so lange her, seit wir Sie gesehen haben.«

Sich selbst vergessend, behielt er ihre Hand in der seinen, während er sie verwundert betrachtete.

»Dann wissen Sie also nicht, Fräulein Esther, dass Ihre Mutter mich nicht mehr auf Sophiehöj zu sehen wünscht!«

»Mutter!«, sagte sie erschreckt und erblasste.

»Hoffentlich ist nur eine vorübergehende Missstimmung schuld daran«, fuhr er fort und gab endlich ihre Hand frei. »Ich weiß wenigstens nicht, dass ich etwas Verkehrtes getan habe. Daher will ich Ihnen jetzt auch noch nicht Lebewohl sagen. Sobald Ihre Mutter wieder nach mir schickt, komme ich. Aber das ist wahr! Sie wissen wohl gar nicht, dass ich weggehe?«

»Nach Kopenhagen?«

»Nein, viel weiter weg. Sie erinnern sich wohl, dass ich Ihnen von dem Missionsposten in China erzählt habe, der lange unbesetzt gewesen ist. Es ist ja immer mein Wunsch gewesen, Missionar zu werden. Namentlich da drüben in dem großen Reich der Unwissenheit, das sich das Himmlische nennt. Durch eine unerwartete Schickung ist es mir möglich geworden, fortzukommen. Meinen innigsten Wunsch hat der Herr jetzt erfüllt.«

Esther schwindelte es. Was sagte er da? Sie starrte ihn an in der Hoffnung, einem scherzenden Lächeln in seinem Antlitz zu begegnen. Aber der Ausdruck war tief ernsthaft, ebenso wie seine Stimme. Es war also wahr!

Aus Angst, ihre grenzenlose Enttäuschung zu verraten, versuchte sie nun selber zu lächeln, scherzhaft zu sein.

»Ach, wirklich! Dann muss man Ihnen also Glück wünschen!«, sagte sie.

»Ja, das müssen Sie! So leid es mir auch tut, meine Freunde hier – und meine teuren Eltern in Kopenhagen – verlassen zu müssen, bin ich doch glücklich und voller Hoffnung!«

Ein rotes Gesicht guckte in diesem Augenblick unbemerkt hinter dem Strohschirm drüben auf der andern Seite des Weges hervor.

Was er weiter sagte, hörte Esther nicht.

Dann reichte er ihr die Hand. Sie nahm sie wie im Traum und hörte ihn sagen:

»Gott segne Sie!«

Ehe sie wieder zu sich gekommen, war er weg.

Hinter der Schranke in dem düstern Gerichtssaal, der mit einer Reihe schmutziger Fenster nach dem Marktplatz der Stadt hinaus lag, saß der Hardesvogt in goldbestickter Uniform, und zu seiner linken Hand hatte der Gerichtsschreiber mit dem großen Protokoll seinen Platz. An der Tür, durch die die Zeugen herein- und hinausgeführt wurden, saß ein riesengroßer Schutzmann mit blauroten Wangen und nickte im Halbschlaf, während die Gerichtszeugen – ein paar alte Pensionisten – ihren Sitz unter einem Fenster hinter der Schranke hatten.

Es waren mehrere Zeugen vernommen, und die Luft da drinnen, die schon im Voraus schwer von altem Staub und Kohlendunst aus dem Ofen gewesen, war bereits erstickend geworden. In diesem Augenblick saß der Realschuldirektor Brandt vor der Schranke und gab seine Erklärung ab. Er sagte aus, dass er wenige Stunden vor dem Tode seines Schwagers lange mit ihm geredet habe, und zwar über die Schenkungsurkunde, die er auf seine Aufforderung hin in den eingemauerten Geldschrank gelegt habe. Falls der Schwager wirklich später seine Einwilligung dazu gegeben habe, dass sie vernichtet werde, könne er zu dem Zeitpunkt sicherlich sich seiner Handlungen nicht klar und voll bewusst gewesen sein. Im Übrigen aber glaube er nicht an die Erklärung.

Auf die Frage des Hardesvogts, ob er denn jemand in Verdacht habe, die Schenkungsurkunde unterschlagen zu haben, antwortete er mit einem klaren und bestimmten Ja.

»Ist Ihr Verdacht gegen eine bestimmte Person gerichtet?«

Hierauf weigerte er sich zu antworten. Dahingegen erinnerte er daran, dass Frau Engelstofts längst verstorbener Bruder nach dem, was jetzt in Erfahrung gebracht sei, sich als junger Mensch an der Kasse seines Prinzipals vergriffen habe, was auf verbrecherische Familienanlagen hinzudeuten scheine.

Dieser Giftstich versetzte den Hardesvogt in Raserei. Puterblau im Gesicht rief er:

»Hier ist nicht der Ort, mit losen Vermutungen aufzuwarten. Ich habe Sie gefragt, ob Ihre Bezichtigung eine bestimmte Adresse hätte.«

»Und ich muss wiederholen, dass ich mich nicht für verpflichtet halte, Gewissensfragen zu beantworten.«

Damit war der Hardesvogt abgeführt.

»Haben Sie noch weiter etwas zur Aufklärung der Sache vorzubringen?«, fragte er.

»Nein.«

»Dann sind wir miteinander fertig.«

Der nächste Zeuge war die Krankenpflegerin Schwester Bodil. Der Hardesvogt bat sie, Platz zu nehmen, und sagte:

»Sie kannten den verstorbenen Gutsbesitzer recht genau. Sie haben ihn während seiner letzten Krankheit längere Zeit gepflegt.«

»Ja.«

»Und Sie waren im Augenblick seines Todes zugegen?«

»Ja. Das heißt – während der Unterhaltung des Gutsbesitzers und der Frau Engelstoft hielt ich mich in meinem Zimmer auf – aber ich wurde hineingerufen.«

»In welchem Zustand fanden Sie da den Sterbenden vor?«

»Der Todeskampf hatte bereits begonnen.«

»War er imstande zu sprechen?«

»Ich glaube das nicht.«

»Hatten Sie den Eindruck einer veränderten Gemütsstimmung bei ihm, als Sie hineingerufen wurden?«

»Ich hatte nur den Eindruck eines sterbenden Menschen.«

»Aber ein Anzeichen von einem unmittelbar vorausgehenden heftigen Wortstreit oder einer gewaltsamen Überredung fanden Sie also nicht?«

»Nein.«

»Wie erklären Sie sich denn den plötzlich eingetretenen Todesfall?«

»Ich glaube wohl, dass die Gemütsbewegung anlässlich von Frau Engelstofts Kommen den Tod beschleunigt haben kann. Aber der Gutsbesitzer war so schwach, dass wir jeden Tag eine Katastrophe erwartet hatten.«

»Sehr wohl. Das stimmt mit der Aussage des Doktors überein. Jetzt nur noch dies eine: Nach dem Eintreten des Todes verließen Sie das Krankenzimmer, nicht wahr?«

»Ich ging durch das Nebenzimmer und rief Mamsell Andersen, die im Esszimmer saß.«

»Waren Sie so lange fort, dass während Ihrer Abwesenheit Schubladen oder Schränke im Krankenzimmer geöffnet werden konnten?«

»Nein, das halte ich für unmöglich.«

»Sehr wohl. Und gleich darauf kamen ja mehrere Personen herzu. Der Verwalter und der Gutsschreiber, nicht wahr?«

»Ja.«

»Sehr wohl.«

Nachdem ihr der Hardesvogt noch einige Fragen gestellt und die ganze Verhandlung zu Protokoll gegeben hatte, wurde ihr dies vorgelesen, worauf sie die Erlaubnis erhielt, zu gehen.

Aber sie blieb sitzen und sagte, dass sie gern noch etwas sagen wolle.

»Was denn noch?«, rief der Richter ungeduldig aus.

In starker Erregung versicherte sie, dass sie keinem Menschen etwas Böses wünsche. Aber um ihres eigenen Gewissens willen müsse sie etwas sagen, das sie – und wahrscheinlich sie allein – mit Bestimmtheit wisse.

»Ja, dasselbe haben auch alle die andern gesagt. Und wenn man die Sache bei Licht besah, so war das Ganze nur Klatsch und dummes Gerede. Was wollen Sie denn sagen?«

Sie habe gehört, sagte sie, dass das bewusste Testament oder die Schenkungsurkunde im Schlafzimmer des Gutsbesitzers im Ofen verbrannt worden sei. Aber das könne nicht der Fall sein.

»Warum denn nicht?«

»Weil an dem Abend gar kein Feuer im Ofen war. Der Ofen wurde überhaupt nicht benutzt.«

»Was soll das heißen? Als ob man nicht ein Stück Papier in einem Ofen verbrennen könnte, ohne dass Feuer darin ist. So ein Unsinn! Wenn Sie, um Ihr Gewissen von dergleichen törichten Skrupeln zu befreien, das Gericht aufhalten, so –«

»Herr Hardesvogt haben mich missverstanden. Es kann an jenem Abend überhaupt nichts in dem Ofen verbrannt sein, weder Papier noch sonst etwas.«

»Woher, zum Kuckuck auch, können Sie das wissen?«

Sie erklärte, das Ofenloch sei voll von Wattestückchen gewesen, die benutzt worden waren, um die Arme und die Brust des Gutsbesitzers mit Spiritus einzureiben. Die hatten noch am Tage nach dem Tode des Gutsbesitzers dagelegen, und es sei doch einleuchtend, dass ein so brennbarer Stoff bei der geringsten Berührung mit Feuer in Brand geraten sein würde.

Der Hardesvogt lehnte sich in seinen Thronsessel zurück und kreuzte die Arme über der Brust. »Ei, ei!«, dachte er und fixierte sie scharf. »Diese anständig aussehende Person gehört also mit zum Komplott. Nun! Sie sollte ebenso wie die andern schnell entlarvt werden!«

»Was Sie da erzählen, klingt sonderbar! Wie kamen Sie auf den Gedanken, umherzugehen und in die Öfen zu gucken? Es verlautete ja damals nichts davon, dass die Schenkungsurkunde vernichtet, geschweige denn verbrannt worden sei.«

»Es ist meine mir vorgeschriebene Pflicht, ehe ich ein Haus verlasse, in dem Zimmer, in dem sich mein Patient aufgehalten hat, rein zu machen und alles zu entfernen, was mit dem Kranken in Berührung gekommen ist.«

Die Gesichtsmuskeln des Hardesvogts wurden auf einmal schlaff. Er musste sich selber einräumen, dass hier ein Punkt war, der genauer hätte untersucht werden müssen.

»So – und dann entfernten Sie also die Wattestückchen?«

»Ja, ich habe sie verbrannt.«

»Hm … Sie sind sich wohl klar über die Bedeutung, die Ihre Mitteilung möglicherweise für die Sache haben kann, die es hier aufzuklären gilt? Ich muss Ihnen deswegen anheimgeben, ernsthaft zu bedenken, was für Folgen für Sie daraus erstehen können, wenn es sich herausstellen sollte, dass sie nicht mit der Wahrheit übereinstimmt.«

»Das tut sie«, versicherte sie mit Tränen in den Augen.

»Bedenken Sie, dass Sie in der Zeugenschranke stehen und dass Sie nötigenfalls verpflichtet sind, mit Ihrem Eid zu bekräftigen, was Sie hier gesagt haben. Sind Sie dazu bereit?«

»Ja.«

»Dann habe ich Sie im Augenblick nichts mehr zu fragen. Haben Sie aber die Güte, hier zu bleiben, da ich wahrscheinlich später gezwungen sein werde, näher mit Ihnen zu sprechen.«

Er verfolgte sie mit den Augen, während sie fortging. »Dahinter steckt etwas!«, dachte er. Stand sie nicht da und log und weinte zugleich!

Nach kurzer Erwägung erteilte er nun dem langen Schutzmann den Befehl, Frau Engelstoft aus dem besonderen Wartezimmer, das ihr aus

Galanterie angewiesen worden war, hereinzurufen. Der Schutzmann öffnete die Tür und rief ihren Namen.

Mit stolzer Haltung trat sie über die Schwelle, blieb dann stehen und sah sich ein wenig unsicher um. Gleich darauf aber setzte sie mit ihren kleinen, festen Schritten den Weg nach der Schranke fort. Der Hardesvogt begrüßte sie mit so viel von der ihm in Fleisch und Blut übergegangenen Höflichkeit, wie die Heiligkeit und die Würde des Richterstuhls gestatteten. Mit einer Neigung des Kopfes und einer Handbewegung bat er sie, auf dem Stuhl vor der Schranke Platz zu nehmen.

Und er begann das Verhör mit dem Bedauern, dass er gezwungen gewesen sei, sie zu bemühen. »Da es sich aber hauptsächlich darum handelt, festzustellen, inwiefern Gutsbesitzer Engelstoft damals, als er sich entschloss, seine Schenkungsurkunde zu vernichten, sich der betreffenden Handlung und ihrer Folgen klar bewusst war, so werden Sie gewiss verstehen, dass Ihre Zeugenaussage von besonderer Bedeutung ist.«

Frau Engelstoft nickte. Mit einer vornehmen Handbewegung hatte sie den Schleier von ihrem blassen Antlitz zurückgeschlagen und sah dem Richter, ohne zu blinken, in die Augen. Sie kannte ihre Macht über diesen Mann und war entschlossen, sie auszunutzen.

Sie hatte im Voraus genau überlegt, was und wie viel sie ohne Risiko sagen konnte, und ließ sich auch nicht einen Augenblick aus der Fassung bringen. Dahingegen zeigte sich der Hardesvogt ziemlich verwirrt. Erst nach einem planlosen Hinundherreden von ungefähr zehn Minuten und einem umständlichen Zuprotokollgeben richtete er die entscheidenden Fragen an sie.

»Die Vernichtung der Schenkungsurkunde geschah also auf den ausdrücklich ausgesprochenen Wunsch des Verstorbenen? Mit seiner vollen und freiwilligen Billigung?«

»Ja.«

»Und der Grund war, dass er infolge der Unterredung mit Ihnen zu der Überzeugung gelangt war, dass die Personen, die ihm den Gedanken an das geplante Erholungsheim eingegeben und das Schriftstück ausgefertigt hatten, ein selbstsüchtiges Ziel damit verfolgt hatten?«

»Ja.«

»Was ist aus dem Dokument geworden? Ich meine, auf welche Weise wurde es vernichtet?«

»Es wurde verbrannt.«

»Im Ofen?«

»Ja.«

»In dem Ofen, der im Schlafzimmer des Verstorbenen stand?«

In der Weise, wie diese Frage gestellt wurde, wie auch in dem gespannten Ausdruck, mit dem der Schreiber und die Gerichtszeugen sie plötzlich mit den Augen verschlangen, lag etwas, das sie veranlasste, ihr Ja zurückzuhalten. In einem Nu wurde es ihr voller Angst klar, dass hier eine Falle war.

»Ist *das* nicht gleichgültig?«, fragte sie, um Zeit zu gewinnen.

»Es ist erforderlich, gnädige Frau, dass wir auch diesen Punkt aufklären.«

»Nein, es geschah nicht im Schlafzimmerofen«, sagte sie; und als sie sah, wie sich das Gesicht des Hardesvogts erhellte, während der Schreiber seine boshaften Augen mit einem enttäuschten Ausdruck senkte, fuhr sie fort: »Ich fürchtete, dass der Rauch infolge des Sturms herausschlagen und das Atemholen des Kranken belästigen könne.«

»Ganz natürlich! Eine anerkennenswürdige Bedachtsamkeit ... Wo fand denn die Verbrennung statt?«

»In der Bibliothek nebenan. In dem großen Kamin da drinnen.«

»Sehr wohl.«

Der Hardesvogt begann wieder zu Protokoll zu geben; und nachdem ihr dieses vorgelesen und von ihr gutgeheißen war, fügte er mit einer ehrerbietigen Verbeugung, die die Freimütigkeit der Worte entschuldigen sollte, hinzu:

»Es ist nun meine vorgeschriebene Amtspflicht, Sie zu fragen, ob Sie Ihr Gewissen genau erforscht und die Folgen bedacht haben, falls Sie später zu einer andern Erkenntnis gelangen sollten. Und ob Sie schließlich ohne Furcht die abgegebene Erklärung mit Ihrem Eid bekräftigen können.«

»Ja.«

Es folgte eine neue Hinzufügung zum Protokoll und eine neue Verlesung und Gutheißung. Dann wandte sich der Hardesvogt ganz belebt nach den Gerichtszeugen um und sagte:

»Dann wollen wir zur Eidablegung schreiten!«

Er war während des Verhörs mit sich selbst einig darüber geworden, dass nur eine beeidigte Aussage Macht haben würde, den boshaften Klatsch zu Boden zu schlagen.

»Wollen Sie mir das Formular reichen, Hansen? Es liegt wohl in Ihrem Schubfach.«

Obwohl Frau Engelstoft während der ganzen Zeit gehofft hatte, dass ihr der Eid nicht abverlangt werden würde, bewahrte sie ihre ruhige und stolze Haltung. Aber ihr Herzschlag stand einen Augenblick still. Und mit Scheu betrachtete sie das schwarz eingebundene Buch, das der Schreiber aus dem Schubfach genommen hatte.

Der Hardesvogt erhob sich und gab ihr mit einer Handbewegung zu erkennen, dass sie dasselbe tun solle. Auch die andern Anwesenden standen von ihren Stühlen auf und blieben während der Verlesung stehen.

»Der Schwörende versichert, dass er die Wahrheit ausgesagt hat, die reine, volle Wahrheit, so dass er nichts erklärt hat, was er nicht wusste, und nichts verhehlt hat, was er wusste, zur Aufklärung betreffs dessen, über das seine Erklärung abgefordert wurde, und dass er auch keinen Vorbehalt gebraucht hat, sondern aufrichtig die Worte in der Meinung gebraucht hat, in der er wusste, dass sie verstanden würden. Er steht vor dem Gericht der Menschen, das strenge den Meineidigen strafen wird, wenn Gott die Wahrheit ans Licht kommen lässt, und aller Herzen werden sich demjenigen verschließen, der mit dem entsetzlichen Namen eines Meineidigen gebrandmarkt ist.«

Während der Hardesvogt schnell und gewohnheitsgemäß diese Drohworte herleierte, umfasste Frau Engelstoft wie zufällig den Rand der Schranke mit ihrer einen Hand. Obwohl sie sich Mühe gab, nichts zu hören, begann es ihr schwarz vor den Augen zu werden, so dass sie sich stützen musste.

»Der Schwörende steht vor dem Antlitz des allwissenden Gottes, der in das Verborgene sieht und offenbarlich bezahlt; der den Fluch ausgehen ließ, dass er über das Haus des Diebes kommen soll und über das Haus dessen, der fälschlich bei seinem Namen schwört. Der Schwörende erhebt deswegen nach alter Sitte die drei Finger seiner rechten Hand, dass dieses sichtbare Zeichen ihn daran erinnern soll, dass er den dreieinigen Gott zum Zeugen anruft und dass, falls er fälschlich schwört, er sich der Gnade, des Schutzes und des Segens

Gottes des Vaters begeben hat; er den Erlöser der Welt verleugnet hat und keine Zuflucht in den Ängsten des Lebens oder am Tage des Weltgerichts bei ihm suchen kann; er sich den Weg zu Gottes Geist verschlossen und auf allen Trost von Gottes Wort in der Not des Lebens und des Todes verzichtet hat. Während er auf der Erde weilt, wird sein Herz beben und sein Fuß keine Ruhe finden; darauf gehet er hin, wo ein jeder nach seinen Werken bezahlt werden wird. Denn was ein Mensch sät, das soll er auch ernten. Mit dieser Ermahnung und Warnung haben wir das Unsrige getan. Ein jeder, der bei der Wahrheit bleibet, lege mit Freimütigkeit seinen Eid ab, jeder aber hüte sich, bei dem Namen des Höchsten fälschlich zu schwören.«

Der Hardesvogt warf das Formularbuch hin und berührte respektvoll Frau Engelstofts Arm.

»Die Schwörende erhebe die drei Finger der rechten Hand mit diesen Worten: Dass die von mir abgegebene Erklärung mit der Wahrheit übereinstimmt, bekräftige ich hierdurch mit dem Eid meiner Seligkeit, so wahr mir Gott helfe und sein heiliges Wort.«

Nichts in ihren Zügen verriet etwas anderes als eine natürliche Gemütsbewegung bei der Ausführung einer feierlichen Handlung. In Wirklichkeit aber war sie kaum bei Bewusstsein. Mit Anstrengung erhob sie die bleischwere Hand und wiederholte mechanisch die Worte:

»Dass die von mir abgegebene Erklärung mit der Wahrheit übereinstimmt, bekräftige ich hierdurch mit dem Eid meiner Seligkeit, so wahr mir Gott helfe und sein heiliges Wort.«

Der Hardesvogt verneigte sich; und mit lauter Stimme erklärte er darauf das Gericht für aufgehoben.

Wenige Minuten später saß Frau Engelstoft unten in ihrem Wagen, der einen kleinen Auflauf auf der Treppe des Gerichtsgebäudes verursacht hatte. Sie hörte jemand aus der Menge »Mörderin« hinter ihr dreinrufen, als der Wagen fuhr. Aber das machte keinen Eindruck auf sie. Sie lehnte sich zurück und schloss die Augen mit einem wollüstigen Gefühl der Befreiung. Jetzt war dies überstanden! Sie hatte das Ungeziefer abgeschüttelt! Gleichzeitig empfand sie ein unwiderstehliches Bedürfnis zu schlafen. Sie hatte mehrere Nächte keinen Schlaf gefunden. Einige Minuten lang war sie ganz bewusstlos. Gleich einem Ertrinkenden sah sie in diesen Augenblicken einen Zug von flimmernden Erinnerungsbildern an sich vorüberjagen. Bis sie von Kälteschauern und einem aufsteigenden Bedürfnis zu weinen geweckt wurde.

Bei der Rückkehr nach Sophiehöj bemerkte Frau Engelstoft sogleich auf der Diele, dass sich in ihrer Abwesenheit etwas zugetragen hatte. Esther, die ihr sonst einen stürmischen Empfang zu bereiten pflegte, wenn sie nur ein paar Stunden von ihr entfernt gewesen war, ließ sich nicht blicken. Mamsell Andersen, die ihr den Mantel abnahm, war sichtlich nervös und schien geweint zu haben.

»Wo ist meine Tochter?«, fragte sie.

»Gnä' Fräulein mussten zu Bett gehen. Gnä' Fräulein fühlten sich nicht wohl.«

»Was fehlt ihr?«

»Ja – ich muss es gnä' Frau ja so sagen, wie es is. Gnä' Fräulein bekam so eine Art Anfall.«

»Einen Anfall?«

»Ja, es kam ganz auf einmal. Gnä' Fräulein war nach dem Frühstück im Park spazieren gegangen. Ich stand gerade am Fenster, als gnä' Fräulein zurückkam. Ich konnte sehen, dass sie so sonderbar ging und ganz weiß im Gesicht war. Da lief ich schnell runter – ja – und da, gerade als gnä' Fräulein hereingekommen war, wurde ihr schlecht und sie fiel in Ohnmacht.«

»Wann war das?«

»Es war wohl eine gute Stunde, nachdem gnä' Frau gefahren waren … Gnä' Fräulein is es selbst so unangenehm gewesen. Sie sagte, ich solle gnä' Frau nichts davon sagen.«

»Meine Tochter ist wohl durch irgendetwas erschreckt worden. Kann sie jemand im Park getroffen haben?«

Die Alte strich verlegen an ihrer Schürze herunter.

»Nein – davon hat gnä' Fräulein nichts gesagt.«

»Stehen Sie nun nicht da und machen Geschichten! Wissen Sie irgendetwas?«

»Ja, wenn gnä' Frau wünschen, dass ich es sagen soll, so glaub ich ja, dass gnä' Fräulein den Kaplan getroffen hat. Er war hier auf dem Hof und hat einem der Knechte das Heilige Abendmahl gereicht. Der alte Anders soll sie zusammen in der Allee gesehen haben.«

Frau Engelstoft senkte den Blick.

»Hm, ja«, beeilte sie sich zu sagen. »Meine Tochter ist in diesen Tagen ein wenig unpässlich. Das wusste ich übrigens sehr wohl. Gehen Sie zu ihr hinauf und sagen Sie ihr, ich würde bald hinaufkommen und mich nach ihr umsehen.«

Sie ging in ihr Zimmer und sank in einen Lehnstuhl, todmüde und wie vernichtet. Sie blieb dort fast eine halbe Stunde sitzen, weil sie sich in diesem Zustand nicht vor Esther sehen lassen wollte. Dass das Kind einen Ohnmachtsanfall gehabt hatte, beängstigte sie auch nicht so sehr. Das gehörte mit zu ihrem Alter. Weit mehr beunruhigte sie sich über diese Begegnung mit dem Kaplan. Der heuchlerische Hund! Soweit war es also schon mit ihr gekommen, dass sie ihre Abwesenheit benutzt hatten, um ein Stelldichein abzuhalten! ...

Gut, dass sie nicht davor zurückgeschreckt war, ihn aus dem Wege zu schaffen! Alle ihre Opfer – auch dies letzte – könnten sonst vielleicht vergebens gebracht sein. Es war die höchste Zeit, dass er von hier fortkam. War er erst drüben auf der andern Seite der Erdkugel angelangt, so würde Esther ihn schon vergessen.

Sie wollte sich erheben, sank aber schreckgeschlagen wieder nieder und begann zu zittern. Sie hatte zufällig auf ihre rechte Hand niedergesehen, die auf der Stuhllehne lag, und es wollte ihr scheinen, als sei sie sandgrau und welk geworden. Außer im ersten Augenblick war sie freilich nicht im Zweifel darüber, dass es eine durch ihren erregten Gemütszustand hervorgerufene Einbildung war. Trotzdem starrte sie unverwandt auf die Hand hinab mit einer Angst, als sei sie wirklich verändert. »Was geht eigentlich mit dir vor?«, dachte sie und schloss schließlich die Augen vor dem Anblick.

Und sie erinnerte sich ihrer Mutter, die sie so oft vor sich selbst gewarnt und sie mit dem Irrenhause bange gemacht hatte. »Hüte dich, mein Kind!«, hörte sie sie mit ihrer gebrochenen Stimme sagen. »Dein streitbarer Sinn wird einmal dein Unglück werden! Nur das sanftmütige Herz hat Frieden im Leben und im Tode. Bedenke das! Beuge dich gehorsam dem unerforschlichen Willen des Herrn. Erwecke nicht seinen Zorn, denn er ist ein eifriger Gott, der strenge straft.«

Warum hatte sie nicht den demütigen Sinn ihrer guten Mutter geerbt? Jetzt hatte die göttliche Rache sie ereilt. Aus dem eigenwilligen kleinen Mädchen hatte der Himmel eine Leichenräuberin und eine

Meineiderin gemacht. Sollte sie nun auch ihren Verstand verlieren? Das Leben in Wahnsinn enden? ...

Schwer schleppte sie sich nach einer Weile die Treppe zu den Schlafzimmern hinauf, indem sie die Hand auf dem Geländer hielt, um nicht umzusinken. Sie fürchtete diese Begegnung mit der Tochter und wünschte gleichzeitig, dass sie sie an ihr Herz schließen und ihr alles anvertrauen könne. In ihrer grenzenlosen Einsamkeit bedurfte sie eines Mitwissers, der sie nicht verachten würde. Aber der Gedanke, dass Esther selbst der Wahrheit auf die Spur kommen könnte, beängstigte sie mehr als alles andere.

Esther lag im Bette, das Gesicht der Wand zugekehrt. Sie blieb, auch nachdem die Mutter hereingekommen war und sich auf den Rand ihres Bettes gesetzt hatte, in derselben Stellung liegen. Sie wollte verbergen, dass ihr die Tränen an den Wangen herabliefen.

Frau Engelstoft strich ihr liebevoll übers Haar, indem sie unwillkürlich ihre linke Hand benutzte und die rechte im Schoße hielt. Armes Kind! Sie hatte wirklich ihre erste Verliebtheit durchzumachen!

Dass sie einem Pfarrer galt, war nicht so wunderlich. Das gehörte ja auch mit zu ihrem Alter.

»Was fehlt dir, Kind? Tut es dir irgendwo weh?«

Esther schüttelte den Kopf.

»Warum weinst du denn?«

»Ich weine nicht«, sagte sie und suchte sich der Liebkosung der Mutter zu entziehen.

Da fiel es Frau Engelstoft ein, dass Esther natürlich von dem Kaplan erfahren hatte, warum er nicht mehr hierher kam, und sie beschloss, offen ihre Ansicht über diesen Mann zu äußern. Sie sagte ihr, dass, selbst wenn sie ihre Handlungsweise nicht verstehen könne, sie sie nicht verkennen dürfe, sondern sich darauf verlassen müsse, dass, was sie von ihr fordere, stets zu ihrem eigenen Besten sei. Sie sagte, sie sei noch zu unerfahren, um beurteilen zu können, wie viel für sie auf dem Spiele stehe, und dass der Mann, von dem sie sich habe überlisten lassen, entweder ein Fantast sein müsse, der sich selbst und sie ins Unglück stürzen würde, oder ein Abenteurer, der mit ihrer Einfalt spekuliere. Sie erinnerte sie an ihr eigenes Schicksal und sprach von ihrer Mutter, die an den Bettelstab gekommen sei, weil sie nicht die

Kraft gehabt hatte, sich dem verbrecherischen Leichtsinn eines Mannes zu widersetzen.

»Du musst dich zusammennehmen, Esther, und bedenken, dass du kein Kind mehr bist. Ich will nichts mehr von deinem Müßiggang wissen. Du fängst nur Grillen und wirst krank davon. Ich habe daran gedacht, dass du anfangen sollst, mir ein wenig bei der Beaufsichtigung zu helfen. Es ist nicht zu früh, dass du dich daran gewöhnst, auf eigene Verantwortung zu handeln. Aber darüber wollen wir ein andermal reden: Trockne nun deine Augen und zeige, dass du ein vernünftiges kleines Mädchen bist, damit ich keine Schande an dir erlebe.«

Sie küsste sie auf die Stirn und ließ sie dann in Ruhe. Den ganzen Nachmittag verbrachte sie in ihrem Arbeitszimmer, wo sie mit ihren aufgehäuften Berechnungen die Gedanken von den wilden Wegen zurückzwang und sie festhielt. Nach und nach beruhigte sich auch ihr Gemüt. Um den Leuten auf dem Hofe keinen Anlass zu weiterem Gerede zu geben, ließ sie nacheinander den Inspektor, den Oberknecht und den Meiereiverwalter rufen und hatte wie gewöhnlich stundenlange Verhandlungen mit ihnen, entwarf Pläne und erteilte Befehle.

Dann war aber auch ihre Widerstandskraft gebrochen. Sobald der letzte sie verlassen hatte, sank sie zusammen. Es war dieselbe totenähnliche Mattigkeit, die sie auf dem Heimwege aus der Stadt befallen hatte. Sie schwankte nach dem großen Lehnstuhl am Fenster, und während die Dämmerung und die Abendstille rings um sie her wuchsen, saß sie in einen Schal gehüllt, in einen Halbschlummer versunken, in dem sie beständig von Neuem den gelbgetünchten Gerichtssaal vor sich sah und die Schreckensstunde vor der Schranke wie einen bösen Traum wieder durchlebte.

Dass es an dem Morgen dieses Tages war, als sie sich in den Wagen setzte und nach der Stadt fuhr, begriff sie nicht. Es war ihr, als müssten Jahre zwischen diesem Augenblick und ihrer Heimkehr liegen, mit einer solchen Summe von seelischen Leiden waren diese Stunden angefüllt gewesen. Sollte sie noch einen Tag wie diesen erleben, so würde sie der Versuchung, dem Ganzen ein schnelles Ende zu machen, nicht länger widerstehen können. Das Leben war ihr lange genug ein Grauen und eine Qual gewesen. Nur um Esthers willen hatte sie die Schande und die Demütigung der letzten Jahre ertragen. Dies hilflose Kind allein hatte sie in einer Welt zurückgehalten, die ihr zur Hölle geworden war.

Wäre jetzt nur dieser Heuchler von einem Pfarrer glücklich aus dem Wege! Nichts quälte sie so wie die Angst, dass sie ihr Kind verlieren und alles, was sie in zwanzig Jahren des Kampfes und der Selbstverleugnung für sie zusammengescharrt hatte, ja, was ihr jetzt den Frieden ihrer Seele gekostet und sie halbwegs um ihren Verstand gebracht hatte, einem Fremden preisgegeben sehen sollte.

Plötzlich schallte die Grabesstimme der Turmuhr durch das Haus. Sie konnte diese finstern Glockentöne niemals hören, ohne dass ihr Herz einen Augenblick stillstand. Sie trugen so viele Erinnerungen mit sich aus den zwanzig Jahren, als sie hier mit Niels gelebt hatte. Sie hatten sich in das Glück und Unglück ihres Zusammenlebens hineingewoben, gleich von der Brautnacht an, als sie zum ersten Mal darüber erschrak, sie durch die Stille dröhnen zu hören.

Sie zählte die Schläge - sechs. Und sie musste an eine andere Nacht denken, an die, in der Esther geboren wurde. Früh am Morgen war sie durch einen heftigen Stich geweckt worden, und gerade als sie sich klar darüber wurde, was der Schmerz bedeutete, schlug die Uhr sechs. In ihrer Angst fühlte sie diese schweren Glockenschläge als eine übernatürliche Verheißung, dass ihre Stunde gekommen war. Und doch sollte sie noch zwanzigmal die Grabestöne der vollen Stundenschläge durch ihre eigenen Schreie hindurch hören, ehe das Kind zur Welt kam. »Die junge Dame hat auf sich warten lassen«, hatte der Arzt gesagt, als er endlich mit dem kleinen halbtoten Wesen in seinen blutigen Händen dastand. Sie selbst empfand keine Freude darüber, die Stimme ihres Kindes zu hören. Sie ahnte ja schon damals, zu welcher Schande sie geboren war. Und Niels gab dem armen Kinde auch gerade kein besonders herzliches Willkommen, weil er sich einen Sohn gewünscht hatte. War es da zu verwundern, dass Esther niemals so recht hatte gedeihen wollen?

Eine Woche später hielt Pastor Bjerring seine Abschiedspredigt in einer überfüllten Kirche, und nicht lange darauf verließ er das Land, ohne die gewünschte Gelegenheit gehabt zu haben, Frau Engelstoft und ihrer Tochter Lebewohl zu sagen. Sophiehöj blieb ihm bis zuletzt verschlossen. Solange er sich noch in der Gegend befand, hatte Frau Engelstoft außerdem dafür gesorgt, dass Esther niemals allein ausging, selbst in den Park durfte sie nicht ohne Begleitung gehen.

Anfangs hatte sich Esther dem mütterlichen Willen mit gewohntem Gehorsam unterworfen. Allmählich aber, als die Zeit verging und ihre Hoffnung, dass Pastor Bjerring Erlaubnis erhalten werde, wenigstens einen Abschiedsbesuch zu machen, sich nicht erfüllte, stieg der Kobold in ihr auf. Sie wollte nicht essen, nicht schlafen, wollte der Mutter nicht antworten, wenn diese sie fragte. Alle diese Bewachung hatte außerdem eine Ahnung in ihr erweckt, wer es gewesen, der der Missionsgesellschaft die mysteriöse Geldsumme gesandt hatte und in welcher Absicht das geschehen war. An dem Tage, als sie erfuhr, dass Pastor Bjerring abgereist war, fiel sie der alten Mamsell Andersen ganz außer sich um den Hals und weinte verzweifelt.

Von diesem Tage an setzte sie der Mutter offenbaren Trotz entgegen. Sie wollte, dass die Mutter verstehen sollte, dass sie Pastor Bjerring nie, nie vergessen würde. Er hatte sie einmal einen kleinen Gesangbuchvers gelehrt und ihr empfohlen, ihn sich jeden Abend aufzusagen, ehe sie einschlief, was sie auch ganz im Geheimen getan hatte. Jetzt sagte sie ihn laut und mit gefalteten Händen auf, auch wenn die Mutter in der Nähe war und es hören konnte. Und statt ihre Schreibereien zu verrichten, setzte sie sich zuweilen mit einer Bibel hin, die sie in der Bibliothek gefunden hatte, und schrieb Stellen daraus ab, um sie auswendig zu lernen.

Frau Engelstoft ließ sich nichts merken. In der Hoffnung, dass das Kind bald zur Vernunft kommen würde, zeigte sie sich nachsichtig ihr gegenüber, ja, verhätschelte sie gegen ihre Gewohnheit nicht wenig in dieser Zeit. Als Esther eines Abends außergewöhnlich elend aussah und Frostschauer hatte, gab sie Befehl, dass künftig eine Wärmflasche in ihr Bett gelegt werden solle, etwas, dem sie sich früher auf das Bestimmteste widersetzt hatte. Ebenso erließ sie ihr das Frühstücksbeefsteak aus halbrohem Fleisch, das ihr seit ihrer Kindheit eine tägliche Qual gewesen war.

Alle diese ungewohnte Nachgiebigkeit steigerte jedoch nur Esthers Unsicherheit der Mutter gegenüber. Und dann geschah es, dass sie eines Tages ein abgerissenes Stück von einer Zeitung auf ihrem Tische fand. Eine der Mägde hatte es aus Bosheit in einem unbewachten Augenblick hingelegt. Da stand eine drohende Erklärung von Schuldirektor Brandt und Rechtsanwalt Sandberg, die »im Namen vieler angesehener Mitbürger« den Hardesvogt aufforderten, die Untersuchungen anlässlich der auf Sophiehöj verschwundenen Schenkungsurkunde, die der verstorbene Gutsbesitzer nach Frau Engelstofts zu allgemeiner Überraschung eidlich erhärteter Aussage hatte vernichten lassen, wieder aufzunehmen.

Sie würde früher ein solches Papier in den Ofen geworfen haben, ohne es zu Ende zu lesen. Solange sie denken konnte, hatten die Leute schlecht von der Mutter gesprochen und sie mit Verleumdungen verfolgt. Aber jetzt war ihr Misstrauen wachgerufen. Außerdem stand da, das Dokument habe aus acht vollbeschriebenen Bogen in einem gelben Umschlag bestanden. Daher packte sie eine böse Ahnung.

»Mamsell Andersen!«, sagte sie am Tage darauf zu der Alten. »Das Papier … das Dokument, Sie wissen ja … das ist doch nicht gefunden, wie?«

»Gefunden! Nein, wie sollte das wohl gefunden sein? Der Gutsbesitzer hatte ja bestimmt, dass es nicht mehr existieren sollt'. Auf seinem Sterbebett hat er gnä' Frau gebeten, es zu verbrennen. Sonst saß gnä' Fräulein wohl nich' hier. Aber wie kommen gnä' Fräulein auf solche Gedanken? Haben die dummen Dirns hier wieder auf dem Gang gestanden und geklatscht?«

Esther wandte sich um, ohne zu antworten. Sie trat an das Fenster und blieb dort stehen, den Rücken der Stube zugewendet, um ihre angstvolle Unruhe nicht zu verraten. –

Frau Engelstoft brachte diese Tage in ununterbrochener, rastloser Arbeit zu. Und wie sie sich selber keine Schonung erwies, schonte sie auch ihre Untergebenen nicht mehr. Trotz aller bösen Blicke mussten sich der Verwalter und der Großknecht mehrmals täglich bei ihr einfinden, um Befehle entgegenzunehmen; und weder die Küchenmägde noch die Leute in den Ställen und auf den Feldern waren mehr sicher, nicht von ihr überrascht zu werden.

Alle diese Wachsamkeit hinderte jedoch nicht, dass der Besitz fast täglich von Unglücksfällen heimgesucht wurde. Den einen Tag waren es die Kühe, die krank wurden und die Kälber verwarfen; den nächsten war es ein Dreschwerk, das zersprang, oder ein junges Pferd, das sich losgerissen und das Bein gebrochen hatte. Lange wollte sie in dieser

Reihe von Zerstörungen nur eine neue Äußerung der Bosheit der Leute sehen. Als aber der Sturm eines Nachts einen Schafstall umwarf, wodurch ein paar Lämmer vom vergangenen Sommer getötet wurden, musste sie an die Worte denken, die ihr im Gerichtssaal vorgelesen waren, die Worte von dem allwissenden Gott, »der in das Verborgene sieht und offenbarlich bezahlt; der den Fluch ausgehen ließ, dass er über das Haus des Diebes kommen soll und über das Haus dessen, der fälschlich bei seinem Namen schwört«.

Nach jeder neuen Unglücksbotschaft sah sie unwillkürlich hinab auf die drei Finger der rechten Hand. Obgleich sie sehr wohl fühlte, wie sie hiermit das Wahnsinnsgespenst hervorlockte, das in ihr lag und lauerte, so konnte sie es nicht lassen. Wie oft sie auch zu sich selber sagte, dass es eine Torheit sei, konnte sie sich nicht von der Einbildung befreien, dass die drei Finger täglich kleiner würden, hinwelkten.

Eines Tages musste ein Wagen in die Stadt geschickt werden, um den Arzt zu holen. Esther war plötzlich krank geworden. Sie erwachte am Morgen mit Fieber und klagte über Schmerzen im Kopf und im Rücken. Als sie aufzustehen versuchte, wurde sie ohnmächtig.

Der Arzt, der die Krankheit für eine heftige Erkältung hielt, sagte jedoch nichts darüber. Aus Rücksicht auf das Honorar saß er lange mit einem grübelnden Ausdruck an ihrem Bett, stellte die sonderbarsten Fragen und zog mit wiederholten Untersuchungen die Zeit in die Länge. Schließlich verordnete er eine Menge Medizin und sagte, er würde am nächsten Tage wiederkommen.

Sein bedenklicher Ausdruck hatte Frau Engelstoft besorgt gemacht. Als sie auf den Gang hinausgekommen waren, bat sie ihn, ihr unverhohlen zu sagen, was er über den Zustand der Tochter denke.

»Ich kann mich heute nicht näher darüber äußern. Ich kann nur sagen, dass keine dringende Gefahr vorhanden ist. Sie müssen sich nicht ängstigen, gnädige Frau! Hoffentlich werden wir das Übel überwinden!«

Als er gegangen war, kehrte Frau Engelstoft in das Schlafzimmer der Tochter zurück und setzte sich auf den Rand ihres Bettes. Esther hatte sich nach der Wand umgedreht, als sie sie kommen hörte, sie hatte eine unüberwindliche Furcht vor der Mutter bekommen, nachdem sie sie noch einmal in der Nacht mit den Papieren in dem gelben

Umschlag an der Schatullenklappe hatte sitzen sehen. Bei der bloßen Berührung ihrer Hand fing sie an zu zittern.

»Friert dich? Dann will ich eine Decke holen. – Willst du nicht versuchen, ob du etwas schlafen kannst?«

»Ja – danke.«

»Könntest du dir nicht denken, dass du etwas essen möchtest?«

»Nein. Willst du aber nicht Mamsell Andersen rufen?«

»Lass mich dir doch helfen, Kind!«

»Nein, ich möchte am liebsten, dass Mamsell Andersen kommt.«

»Nun ja – wie du willst. Jetzt werde ich schellen.«

Erst als Esther mit der Mamsell allein geblieben war, drehte sie sich wieder nach dem Zimmer herum.

»Was hat der Doktor gesagt?«, fragte sie.

»Er hat wohl nichts gesagt. Gnä' Fräulein müssen sich nicht ängstigen.«

»Das tue ich auch nicht. Ich möchte am allerliebsten sterben«, sagte sie und brach in Tränen aus.

»Na, wissen gnä' Fräulein was! Nu müssen wir ganz still liegen und versuchen, ob wir nicht ein bisschen schlafen können.«

»Ja, das will ich auch. Können Sie mir mein Kopfkissen ein wenig zurechtlegen, Mamsell Andersen?«

»So – is es nu so, wie es sein soll?«

»Ja, wenn ich jetzt nur etwas so recht Gutes träumen könnte!«

»Was soll das heißen, liebes gnä' Fräulein?«

»Ich träumte über Nacht so hässlich. Als ich aufwachte, war ich am ganzen Körper nass vor Angst.«

»Ja, das ist das Fieber.«

»So sollte es aber nicht sein, Mamsell Andersen. Wenn man krank ist, sollte man gerade das Allerschönste träumen.«

»Wovon möchte gnä' Fräulein denn am liebsten träumen?«

Esther wandte das Gesicht wieder der Wand zu und schloss die Augen über den von Neuem hervorbrechenden Tränen.

»Von meinem Erlöser!«, sagte sie so leise, als sei das etwas, was sie eigentlich nicht laut hatte sagen wollen.

Die Mamsell dachte das Ihre bei dieser Antwort. Sie war selbst einmal in einen Pfarrer verliebt gewesen. Und die Erinnerungen aus jener Zeit machten ihre eigenen alten Augen feucht. –

Frau Engelstoft war in ihr Arbeitszimmer hinuntergegangen und saß schon bei ihren Berechnungen. Sie wagte nicht, müßig zu sein. Friedlos, wie sie selbst in ihrem eigenen Heim geworden war, musste sie beständig in Tätigkeit sein. Sie war seit vier Uhr auf gewesen, hatte Arbeit auf Arbeit, Anstrengung auf Anstrengung gehäuft als Schutz gegen ihre verworrenen Gedanken.

Aber jetzt wollten die Kräfte auch nicht mehr ausreichen. Wieder und wieder musste sie den schwindelnden Kopf auf ihren Arm niederlegen und ihr Gehirn ruhen lassen. Die Gerichtsdiener waren am vorhergehenden Tage abermals bei ihr gewesen. Der Hardesvogt war von der Volksstimmung gezwungen worden, ein neues Verhör abzuhalten. Daher brannte es in ihren drei Fingern wie von einem verzehrenden Feuer, und beständig glaubte sie in der Stille Stimmen um sich her zu hören, ein Murmeln von finstern, drohenden und höhnenden Stimmen.

In solchen Augenblicken, wo ihre Gedanken umnebelt wurden, wünschte sie fast, dass Esther sterben möchte. Denn dann schlug die Stunde der Befreiung auch für sie selber, und sie konnte endlich ihre Zuflucht zu dem Revolver nehmen, der sie überall begleitet hatte wie ein Freund, der ihr die letzte Handreichung geben sollte.

Als der Arzt zum dritten Male nach Sophiehöj kam, fand er zu seiner Überraschung den Zustand der Patientin ernstlich verschlimmert. Das Fieber war gestiegen und das Atmen wurde ihr sehr schwer. Bei einer abermaligen Untersuchung konnte er eine schon weit ausgebreitete Lungenentzündung feststellen. Sie war bisher seiner Aufmerksamkeit entgangen, aus dem natürlichen Grunde, weil er mit dem einen Ohr nur schwer hörte und auf dem andern taub war.

Um die Patientin nicht zu beunruhigen, ließ er sich nichts merken, solange er am Krankenbett stand.

»Es geht ja beständig gut vorwärts«, sagte er. »In ein paar Tagen haben wir das kleine Fräulein sicher wieder außer Bett.«

»Warum bin ich denn so müde?«, fragte Esther mit ihrer heiseren Stimme.

»Das hat nichts zu sagen. Das ist so, wie es sein soll«, versicherte er und bat sie, guten Mutes zu sein.

Er konnte sich ebenfalls nicht entschließen, Frau Engelstoft die ganze Wahrheit zu sagen, als sie sich hinterher draußen auf dem Gang aufhielten. Aber sein auffallender Eifer, fortzukommen, ließ sie Unrat ahnen.

»Ich wünsche nicht hinters Licht geführt zu werden. Glauben Sie, dass Gefahr für das Leben meiner Tochter besteht?«

Er hatte das Geständnis auf den Lippen, hielt es jedoch zurück, weil er im selben Augenblick bemerkte, wie sich Frau Engelstofts Aussehen in den letzten Tagen verändert hatte. Sie war mit einem Male gealtert, ihr Gesicht war graubleich vom Nachtwachen, und es lag eine wilde Aufgescheuchtheit in ihrem Blick, der ihm zu Herzen ging.

»Lassen Sie sich doch nicht beängstigen, Frau Engelstoft! Ihre Tochter hat freilich keine starke Konstitution ... und eine Lungenentzündung ist ja immer eine ernste Sache ... Aber es liegt durchaus kein Grund vor, die Hoffnung aufzugeben, dass sie durchkommen wird. Sie dürfen überzeugt sein, gnädige Frau, dass ich auf alle Fälle mein Bestes tun werde.«

Noch vier Tage kämpfte Esther still mit dem Tode. Meistens lag sie in einem Halbschlummer. In ihren Fieberträumen wurde sie in ferne Länder geführt, bewegte sich in paradiesesschönen Gegenden mit blauenden Bergen und blühenden Magnolienwäldern ... mit großen finstern Sümpfen, wo wilde Büffel lagen und sich im Schlamm kühlten ... mit chinesischen Bambushütten ... mit Flussufern, an denen rosenrote Flamingos herumstolzierten ... mit alten Landstraßen ... Ochsenkarren ...

In ihren Träumen flüsterte sie hin und wieder Worte, die ihre Fantasiebilder verrieten.

Tag und Nacht saß Frau Engelstoft am Bette, aber sie begriff sehr wohl, dass, wenn Esther auch noch lebte, sie sie doch schon verloren hatte. Ein anderer hatte ihr ihr Herz geraubt. Jedes Mal, wenn Esther erwachte und sie dasitzen sah, wandte sie das Gesicht ab. Einmal sagte sie es geradezu, dass sie sich von hier fortsehne, »heim zu Jesus«.

Am Abend des vierten Tages glitt sie in den Tod hinein. Unmittelbar zuvor hatte sie in Unruhe ihre Augen mit einem eigenartig flehenden Blick auf die Mutter gerichtet. Es war, als wollte sie ihr etwas anvertrauen. Als die Mutter sich aber über sie beugte, um zu hören, kam dieselbe Angst in den Blick, die ihr während der ganzen Zeit dort entgegengetreten war.

»Ach Mutter!«

Mit diesem Notschrei sank ihr Kopf auf die Brust herab.

Die ganze Nacht saß Frau Engelstoft allein bei der Tochter, deren Hände Mamsell Andersen sich zu falten erkühnt hatte, als sie den toten Körper im Bett zurechtlegte und ihn ausstreckte. Nur eine Nachtlampe brannte. Der Arzt, den man geholt hatte, war wieder weggefahren, und das Gesinde hatte sich zur Ruhe begeben.

Sie saß da in ihrem roten Schlafrock und starrte mit leeren Augen vor sich hin. Der Kummer hatte ihre Züge erstarrt, aber sie war bei vollem Bewusstsein. Der Anblick der Leiche ihrer Tochter wirkte ganz anders auf sie, als sie selbst erwartet hatte. Ihre Gedanken brüteten Rache. Wenn Esthers Tod die Strafe des Himmels war, weil sie ihr Kind gegen Diebe und Räuber hatte schützen wollen, so war der Gott des Himmels ein Ungeheuer. Und war es das *nicht*, sondern nur ein Zufall, ein launenhafter Einfall des Schicksals – was für eine Weltenordnung war das denn, die so etwas möglich machte?

Da drinnen in einem der Schubfächer der Schatulle lag der Revolver mit vier Patronen bereit. Aber sie wollte nicht sterben. Sie gönnte ihren Feinden den Triumph nicht. Sie wollte jetzt gerade leben, damit der Hass gegen sie so recht aufflammen und die Heuchelei und das Ärgernis sich ausbreiten konnten. Von diesem Tag an sollte die Hölle über Sophiehöj losgelassen werden, damit alles zerstört werden konnte.

Während der folgenden Tage ließ sie sich nicht außerhalb ihrer Zimmer blicken. Sie erteilte die notwendigen Befehle in Bezug auf das Begräbnis, empfing aber niemand. Weder der Verwalter noch der Großknecht erhielten Vortritt. Sie bekamen den Bescheid, die Wirtschaft auf eigene Verantwortung zu leiten.

Am Tage nach dem Begräbnis, das ohne vorherige Bekanntmachung in den Zeitungen stattfand, hielt sich Frau Engelstoft im Kabinett neben dem Schlafzimmer auf, als Mamsell Andersen anklopfte und bestürzt meldete, der Hardesvogt sei vorgefahren.

»Ich habe ihm gesagt, dass gnä' Frau nicht empfängt. Aber er sagt, gnä' Frau hätten selbst nach ihm geschickt.«

»Das verhält sich so. Bitten Sie ihn, ins Wohnzimmer zu gehen, ich werde in einem Augenblick kommen.«

Der Hardesvogt war unruhig und verlegen. Er glaubte, sie habe ihn rufen lassen, um sich ihm gegenüber Luft zu machen in Anlass der neuen Vorladung zum Verhör. Als sie nun hereinkam, sah er zu seinem

Erstaunen, dass sie in Reisekleidung war, sogar einen Hut auf dem Kopf und eine Tasche in der Hand hatte. Auch ihr Aussehen machte ihn stutzen. Sie war fast weißhaarig geworden. Und die hellen, gewölbt vortretenden Augen hatten allen Glanz verloren.

Ohne ihm die Hand zu reichen, nahm sie ein Papier aus der Tasche und reichte es ihm.

»Jetzt habe ich keine Verwendung mehr dafür«, erklärte sie ruhig. Es war ein Schriftstück in gelbem Umschlag, das Testament ihres Mannes. Der Hardesvogt sah in die Papiere, dann sah er sie unsicher an. Seine Hände begannen zu zittern.

»Was ist denn das? Ich verstehe Sie nicht. Was bedeutet dies hier?«

»Dass mein Eid falsch war. – Ich bin bereit, Ihnen zu folgen.«

Lange standen die beiden Jugendbekannten da und starrten einander in die Augen. Es blitzte etwas Wildes und Grausames in den einfältigen Zügen des Hardesvogts auf, als er aus dem harten Ausdruck in Frau Engelstofts Antlitz ersah, dass sie die Wahrheit redete. Aber das Entsetzen machte ihn schwindeln. Er musste sich setzen.

Lange Zeit herrschte eine geisterhafte Stille im Zimmer.

Dann sprang der Hardesvogt mit Weinen im Halse auf. Jugenderinnerungen und die alten Gefühle gewannen wieder die Oberhand in seinem Sinn. Er bot ihr eine vierundzwanzigstündige Frist an, um zu entfliehen und sich gegen Nachstellungen zu sichern. Er versprach ihr, wie er sagte, seine eigene Ehre und sein Amt um ihretwillen aufs Spiel zu setzen und stumm zu sein, bis sie in Sicherheit gelangt sei.

Sie aber schüttelte den Kopf und antwortete, dass sie so viel Edelmut nicht anzunehmen wünsche. Wenn sie der strafenden »Gerechtigkeit« hätte entfliehen wollen, so hätte sie ja reichlich Zeit und gute Gelegenheit dazu gehabt. Aber sie wünsche gerade, ihre »gerechte« Strafe zu erleiden. In ihrer Gefängniszelle wolle sie ihre Freude daran haben, an Herrn Schuldirektor Brandts und Sandbergs triumphierenden Einzug auf Sophiehöj zu denken. Täglich wolle sie sich freuen in dem Gedanken, wie gute Tage Schurken und Betrüger jetzt hier hatten, wie sich die Frechheit und die Bestialität mästeten, bis der Trog leer war und Ratten und Mäuse die letzten Überreste fraßen.

Der Hardesvogt hörte sie mit starrenden Augen an. Da aber klingelte sie der Kammerjungfer, und bald darauf fuhr sie als Arrestantin vom Schlosse fort.

Während der folgenden Tage waren die Zeitungen voll von Berichten über ihre Missetaten, und in ihnen allen wurde sie als ein Ungeheuer in Menschengestalt dargestellt. Der einzige, der sie in Schutz nahm, war der Hardesvogt, der eines Abends im Klub beim vierten Glase Grog äußerte, dass gerade Frau Engelstofts leidenschaftliches Gerechtigkeitsgefühl ihr Unglück geworden sei. Von der Gesellschaft, deren Lebensbedingungen sie jetzt teilen würde, erklärte er bei derselben Gelegenheit, dass er sie im Grunde für die ehrlichste im ganzen Lande halte, »weil diese Leute doch im Allgemeinen eingestehen, dass sie Verbrecher sind«.

Diese Äußerung aber hatte in dem Grade die gute Bürgerschaft gegen ihn aufgehetzt, dass er längere Zeit dem Klub fern bleiben musste. Seither verhielt er sich stumm, wenn die Rede auf Frau Engelstofts Schandtaten kam, und betäubte auf gewohnte Weise seinen Schmerz, indem er seine Grogs stärker braute. Da saß er dann in Einsamkeit mit betauten Augen und verlor sich in Kindheitserinnerungen, dachte bewegt an seine Gefangene, die einstmals so rührende kleine Gutsbesitzerstochter mit dem roten Samtkäppchen, die immer so getreulich mit ihrem Brüderchen an der Hand ging.

Im Übrigen war Frau Engelstofts Gefängnisleben nur von kurzer Dauer. Sie vertrug das Eingesperrtsein nicht. Bald nachdem sie ihr Urteil bekommen hatte und ins Zuchthaus überführt worden war, brach sie zusammen. Sie starb, ohne eine Versöhnung zu wünschen, weder mit Gott noch mit den Menschen. In einem hinterlassenen Brief verlangte sie, in ihrer Gefangenentracht begraben zu werden und ohne Geistlichen und Glockengeläute.

Bürgermeister Hoeck und Frau

Ein Doppelporträt

Eine kleine Stadt im Festgewand. Flaggen in allen Straßen. Wimpelgeschmückte Schiffe im Hafen. Eine Ehrenpforte vor einer großen, modernen Villa am Rande der Stadt. Über dem Ganzen ein blendender, klarer Aprilhimmel, zitternd von Licht. Auf dem Erdboden nicht ein Schatten.

Ein Volksaufzug war gerade durch die Hauptstraße gezogen mit einem Schutzmann und vier Messingmusikanten an der Spitze, auf dem Wege zur Villa hinaus. Ein paar Köter standen noch mitten auf dem Fahrwege und bellten hinterdrein. –

Bald darauf wurde ganz leise an der Haustürglocke in dem stillen Hause des Bürgermeisters in einer Seitenstraße geschellt. Eine ältere Haushälterin öffnete ein Fenster ein wenig und guckte heraus. Draußen auf der steinernen Treppe stand die kleine, breithüftige Apothekerfrau, einen großen Strauß gelber Narzissen in der Hand.

Die Haushälterin ließ sie eine Weile warten, ehe sie öffnete. Mit einem stummen Gruß führte sie sie in das Esszimmer, wo die betraute Dienerin in dieser Zeit täglich Leuten Auskünfte erteilte, die kamen, um sich nach dem Befinden ihrer kranken Herrin zu erkundigen.

»Wie geht es denn, liebe Mamsell Mogensen?«

»Es ist jedenfalls nicht besser«, antwortete die Mamsell, wie jemand, der mehr weiß, als er sagen will. »Frau Bürgermeisters Schwester aus Deutschland ist heute gekommen.«

»So, ist das wirklich wahr? Ich hörte ja schon bei Sörensen & Lund, dass eine fremde Dame mit dem Morgenzug gekommen sei, die so ausländisch aussähe. Da hab ich mir dann das Meine gedacht. Hat sie sich sehr verändert?«

»Die Frau Majorin?«

»Ja.«

Die Haushälterin zuckte nachsichtig mit den Mundwinkeln.

»Das kann ich doch nicht wissen, Frau Bergmann. Zu meiner Zeit ist die Frau Majorin nicht hier gewesen.«

»Ach nein, nein, – was ich rede. Aber Sie können mir glauben, Mamsell Mogensen, sie war schön in ihrer Jugend. Wie eine Königin anzusehen! Und Sie können mir glauben, hier herrschte Kummer und Herzeleid, als dieser grässliche Deutsche mit ihr auf und davon ging. Die Leute konnten sich nun übrigens nie einig darüber werden, welche von den beiden Schwestern die schönste sei. Ich für mein Teil hab nun freilich immer auf Ihre Herrin hier gehalten. – Glauben Sie, dass ich heute zu ihr hinein kann?«

»Nein, das glaube ich nicht. Frau Bürgermeister hat eine schlechte Nacht gehabt. Aber ich kann ja mal fragen.«

»Ach ja, tun Sie das, liebe, gute Mamsell Mogensen, das ist nett von Ihnen. Vielleicht könnte es Frau Bürgermeister auch amüsieren, etwas von dem Fest zu hören. Ich komme eben gerade von dem Handwerkerzug. Ja, Sie haben wohl die Musik gehört?«

»Ich hab genug mit meinen eigenen Angelegenheiten zu tun, Frau Bergmann, wenn man eine Verantwortung hat –«

»Ja, ich verstehe es so gut. Es liegt in dieser Zeit viel auf Ihren Schultern, Mamsell Mogensen.«

»Man tut ja seine Pflicht.«

»Aber Sie sollten nun doch sehen, dass Sie heute ein wenig hinauskommen und sich den Staat ansehen. Die Villa soll ja heute Abend illuminiert werden, wenn wir gegessen haben. Und die Regimentsmusik aus Randers ist bestellt, die soll spielen. Das muss man Jörgen Ovesen lassen, wenn er etwas tut, so tut er es so, dass es sich hören und sehen lassen kann.«

»Soll ich Frau Bürgermeister die Blumen bringen, die Frau Bergmann da hat?«

»Ja, wollen Sie das? Es tut mir nur so leid, dass sie so einfach sind.«

In einem großen Bett, das von der Wand frei in das große Schlafzimmer hinein stand, lag die kranke Frau ausgestreckt zwischen blauweißen, schimmernd reinen Betttüchern mit vielen Spitzeneinsätzen. Ein kleines dunkelrotes seidenes Schlummerkissen war unter ihren Nacken geschoben.

An der Seite des Bettes, nach dem Fenster zu, saß die Schwester in einem Korbstuhl. An der andern Seite stand einer von diesen niedrigen, mit Flakons und kleinen Kruken bedeckten Toilettentischen, über denen eine eigene, mysteriöse Stimmung ruhen kann, und die zusammen mit dem Spiegel und dem Spiegelbehang für die Frauen, wenn sie lieben, einen Altar der Liebe bilden. Auf Befehl des Arztes waren sonst alle überflüssigen Gegenstände aus dem Zimmer entfernt. Selbst die Gardinen waren abgenommen, um so viel Licht und so viel Luft wie nur möglich Zutritt zu verschaffen. Aber auf dies Heiligtum hatte die Bürgermeisterin nicht verzichten wollen. Die Vertraulichkeit ihres Spiegels hatte sie während ihrer langen Krankheit nicht entbehren wollen, und die vielen gewohnten Kleinigkeiten, die auf dem Tische standen, wollte sie auch zur Hand haben. Sie verdeckten außerdem so gut die Medizinflaschen und Pillenschachteln, die sie nicht sehen mochte.

Auf dem Tische standen auch noch vier langstängelige Rosen in einem Blumenglas. Ferner eine kleine silberne Schale mit Pfefferminzpastillen und Konfekt, wovon sie dem Arzt und andern, die zum Besuch kamen, anbot. Mitten zwischen alle diesem sah man endlich ein paar Bilder, darunter die Kabinettfotografie des Bürgermeisters.

Auch die wollte sie immer bei sich haben; und mit nassen Augen hatte sie sie in den vielen, langen Stunden angestarrt, die sie hier einsam gelegen und mit ihrer Todesangst und ihren Selbstanklagen gekämpft hatte. Selbst jetzt, wo die Schwester bei ihr saß, verfiel sie ein paarmal in Sinnen, den Blick darauf gerichtet, und oft unterbrach sie ein wenig nervös die Unterhaltung, indem sie sagte, dass sie nun bald ihren Mann erwarten könnten.

Die Majorin von Rauch war eine Dame nahe den Vierzigern, vier Jahre älter als die Bürgermeisterin. Die beiden Schwestern waren ein paar schöne Frauen gewesen und – jede auf ihre Weise – glücklich über ihre Schönheit. Die Majorin, die kinderlos war, nahm sich noch brillant aus. Sie war ihrem Äußeren nach ganz die preußische Offiziersgattin, stramm geschnürt und üppig, ganz verdeutscht in ihrem Geschmack. In den feineren und weicheren Zügen der Bürgermeisterin hatten die Jahre, und namentlich diese monatelange, zehrende Krankheit tiefere Spuren hinterlassen. Über ihren einstmals so warmen, braunen Augen lag jetzt jener Spiegelglanz, der der erste Vorbote des Todes ist. Der schöne Mund, der die Form eines kleinen Herzens gehabt hatte, umrahmte blutlos stramm gezogen die vorstehenden, weißen

Zahnreihen. Nur allein diese Zähne und das rotbraune Haar hatten den Zerstörungen der Krankheit noch standgehalten.

Die beiden Damen waren die Töchter eines Zollverwalters, der in den sechziger Jahren hier in dieser kleinen jütischen Fjordstadt, in der die jüngere später Bürgermeistersgattin werden sollte, ein lustiges Leben geführt hatte. Das war zur Zeit des Krieges, und ein Jahr nach dem Friedensschluss hatte sich die ältere Tochter zum großen Ärgernis der Leute in der Stadt mit einem der feindlichen Offiziere verheiratet, die während der Besetzung im Hause des Vaters in Quartier gelegen hatten.

Zum ersten Mal seit achtzehn Jahren besuchte die Majorin jetzt ihr Vaterland. Die Schwester und den Schwager hatte sie während dieser Zeit nur ein einziges Mal gesehen, nämlich auf deren Hochzeitsreise vor vierzehn Jahren. Es war damals eine Begegnung in einem der großen Hotels am Comer See zustande gebracht worden, wo Frau von Rauch sich in jenem Frühling aufhielt, um eine Luftkur durchzumachen nach einer ernstlichen Krankheit, über deren Natur sie sich übrigens nicht hatte äußern wollen.

Indessen hatten die Schwestern alle diese Jahre in stetem Briefwechsel gestanden, und das Wiedersehen an diesem Morgen war stürmisch bewegt gewesen.

Die Bürgermeisterin war jedoch ziemlich schnell müde und zugleich etwas abwesend geworden. Es war fast, als werde sie allmählich der Schwester gegenüber ein wenig scheu, infolge ihrer vielen Fragen. Oft tat sie, als überhörte sie sie, und jeden Augenblick suchte sie nach einem neuen Stoff für die Unterhaltung.

Schließlich war sie stumm geworden, und nun lag sie mit geschlossenen Augen da und ließ die Majorin von ihrem Leben in der Hauptstadt Deutschlands erzählen, ohne im Grunde zuzuhören.

Es wurde leise an die Tür gepocht. Mamsell Mogensen kam mit dem Strauß der Apothekerin.

»Was ist denn nun wieder?«, fragte die Kranke ungeduldig.

»Frau Bergmann ist draußen. Sie fragt, ob sie hereinkommen darf und Frau Bürgermeister begrüßen.«

»Nein, nein – es ist unmöglich. Ich kann heute niemand empfangen. Sagen Sie Frau Bergmann das.«

»Frau Bergmann meinte, Frau Bürgermeister könnten am Ende Lust haben, etwas von dem Fest in der Stadt zu hören. Sie kommt gerade von dem Handwerkerzug.«

»Ach Beste – was mache ich mir aus den Torheiten! Ja, das dürfen Sie natürlich nicht wiedersagen, Mamsell Mogensen! Sagen Sie Frau Bergmann, es sei schrecklich liebenswürdig von ihr, aber ich fühlte mich zu müde.«

»Und dann soll ich diese Blumen bringen. Wollen Frau Bürgermeister sie hier stehen haben?«

»Ach nein – es sind so viele. Sie duften wohl auch zu stark. Setzen Sie sie ins Wohnzimmer.«

»Es ist beinahe schade«, sagte die Majorin, die aufgestanden war und jetzt den Strauß nahm. »Sie sind wirklich hübsch. Lass mich wenigstens ein paar herausnehmen und in das Glas da setzen anstelle der Rosen. Die sind nicht mehr ganz frisch.«

»Ach nein, von denen will ich mich nicht gern trennen, die halten wohl noch ein wenig. Mein Doktor hat sie mir gebracht. Sind sie nicht reizend? Wollen Sie Frau Bergmann vielmals danken, Mamsell Mogensen. Und sagen Sie ihr, es tue mir schrecklich leid, aber ich kann heute niemand annehmen.«

»Was für eine Dame ist diese Frau Bergmann?«, fragte die Majorin, als die Haushälterin gegangen war. »Eine von deinen Freundinnen hier?«

»Sie ist die Frau des Apothekers. Aber das ist wahr – du musst sie kennen. Erinnerst du dich nicht meiner alten Schulgefährtin Laurine Holm?«

»Ja – der Name klingt mir so bekannt.«

»Weißt du nicht noch … Mutter stellte sie uns immer als abschreckendes Beispiel auf – ›die Watschelgans‹ nannte sie sie.«

»Ach ja – freilich. Sie war sonst ganz hübsch, nicht wahr? Blond und mit einem schönen Teint. – Und die ist da draußen?«

»Ja, sie kommt fast täglich und fragt nach mir. Und wenn ich nicht zu elend bin, darf sie hereinkommen. Sie ist im Grunde lieb. Aber furchtbar ermüdend, weißt du.«

Trotz ihrer ernsten Sorge um die Schwester musste die Majorin über sie lächeln. Sie dachte im Stillen, in ihrem Verhältnis zu den Freundinnen hatte sich Anne Marie offenbar nicht verändert. Es war dieselbe launenvolle Gleichgültigkeit, mit der sie während des Heranwachsens die vielen Bewunderinnen und Gönnerinnen tyrannisiert hatte, die sie stets zu umschwärmen pflegten.

»Es würde mir eigentlich Spaß machen, deine Freundin zu begrüßen. Glaubst du, dass sie sich meiner noch erinnert?«

»Dass sie sich deiner erinnert? ... Ach, du ahnst nicht, was für ein gutes Gedächtnis man in so einer kleinen Stadt hat. Wenn du wissen willst, was du hier heute vor fünfundzwanzig Jahren zu Mittag gegessen hast, so bin ich überzeugt, dass da irgendjemand ist, der es dir erzählen kann.«

»Und glaubst du, dass sie noch da draußen ist?«

»St!«

Die Kranke streckte die Hand aus. Sie hatte den Schall von Männertritten in der Wohnstube nebenan aufgefangen.

»Das ist mein Mann!«, rief sie jubelnd aus – und der spärliche Rest von Blut, den ihr Körper noch besaß, schoß ihr in die Wangen.

Der Bürgermeister kam geradeswegs von einem Verhör auf dem Rathaus und war in Uniform. Er verbeugte sich formell vor der Majorin.

»Hoffentlich vertreibe ich Sie nicht?«, sagte er, als er sah, dass sie sich anschickte zu gehen.

»Keineswegs«, entgegnete sie kurz. »Aber ich höre, dass sich in diesem Augenblick eine alte Schulgefährtin hier im Hause befindet, und ich habe Lust bekommen, sie zu begrüßen. Sie verzeihen wohl.«

Der Bürgermeister verneigte sich abermals mit einer etwas gezwungenen Höflichkeit.

Vom Bett her hatte seine Frau indes schon die Hand nach ihm ausgestreckt. Wegen der Anwesenheit ihrer Schwester war es ihr übrigens ein wenig unangenehm, dass er in Uniform war. Sie wusste nicht, wie es zugehen konnte, aber trotz seiner hohen und aufrechten Gestalt kleidete ihn die Uniform nicht. Sie hatte außerdem sofort gesehen, dass ein wenig von dem Aufhängsel im Nacken hervorlugte.

Als er nach der Entfernung der Majorin an ihr Bett trat, strahlte ihr Antlitz vor Zärtlichkeit. Sie nahm seine große, sonnengebräunte Hand und legte die Rückseite mit den geschwollenen Adern gegen ihren Mund, sie gleichsam heimlich küssend.

»Weißt du, dass wir uns heute fast noch gar nicht gesehen haben?«, fragte sie.

»Ich habe nicht stören wollen. Es ist ja so natürlich, dass du und deine Schwester eine Menge miteinander zu bereden gehabt habt.«

»Du störst niemals. Wie oft soll ich dir das denn noch sagen? Ich habe dich heute den ganzen Vormittag gerade so sehr entbehrt. Ist es nicht sonderbar, ich glaube fast, ich sehne mich weniger, wenn ich allein bin, als wenn ich Gesellschaft habe – selbst wenn es meine eigene Schwester ist.«

»Du hast dich gewiss mit dem Sprechen überanstrengt«, sagte er, statt zu antworten – und sein bärtiges Gesicht, das wie aus altem Eichenholz geschnitten war, nahm einen noch kühleren, verschlosseneren Ausdruck an.

»Ich bin jetzt auch müde ... und so unruhig«, seufzte sie, und presste ihre Wange gegen seine Hand wie ein Kind, das Ruhe auf einem Kopfkissen sucht. »Lise und ich haben so viel von alten Zeiten gesprochen ... von unserer Hochzeitsreise ... damals, als wir uns in Bellagio trafen. Der wunderbar schöne Abend unten am See. Weißt du wohl noch?«

»Ja, wir hatten schönes Wetter«, erwiderte er in einem trocknen Ton und zog – sanft, aber bestimmt – seine Hand zurück.

Sie lag eine kleine Weile mit geschlossenen Augen, ohne zu sprechen. Sie hatte den kleinen Ruck bemerkt, der ihn bei ihrer Frage durchzuckt hatte.

»Willst du dich nicht ein wenig zu mir setzen?«, fragte sie und machte eine Bewegung mit der Hand auf den Korbstuhl hin, ohne ihn dabei anzusehen.

»Ich habe diesen Augenblick keine Zeit. Ich war eigentlich auf dem Wege zu der Mogensen, um mir meinen Kakao geben zu lassen. Im Büro sitzen Leute und warten auf mich. Um drei Uhr ist Empfang bei Jörgen Ovesen, und dort muss ich als Wortführer der Magistratsdeputation erscheinen.«

»Erzähle mir ein wenig vom Handwerkerzug. War etwas daran? Ich möchte so gerne davon hören!«

»Ich habe den Zug nur flüchtig von den Rathausfenstern aus gesehen. Er war ganz nett. Jörgen Ovesen hat das Ganze ja selbst arrangiert. Amüsant ist es übrigens, dass Zweifel darüber entstanden sind, ob wirklich heute sein Jubiläum stattfindet. Auf alle Fälle ist es ja aber eine gute Reklame für sein Geschäft.«

»Ist es wahr, dass er die Villa heute Abend illuminieren will?«

»Ich habe es erzählen hören.«

»Wann sollst du da sein?«

»Um drei.«

»Und wie viel ist die Uhr jetzt?«

»Halb eins.«

»Du musst mir versprechen, hereinzukommen und Adieu zu sagen, ehe du gehst.«

»Dazu werde ich kaum Zeit haben. Wie ich dir schon sagte, das ganze Büro sitzt voller Leute.«

»Aber wenn ich dich so herzlich darum bitte!«

»Wie viele sonderbare Launen du doch bekommen hast, Anne Marie!«

»Du verstehst mich recht gut. Wenn ich nun hier läge und stürbe, während du weg bist?«

»Immer kommst du mit dieser dummen Rederei«, sagte er, schlug aber im selben Augenblick die Augen nieder vor dem sonderbar starren, angstvoll gespannten und ausharrenden Blick, mit dem sie zu ihm aufsah.

»Versprichst du mir denn zu kommen?«

»Ja – natürlich – wenn du so großes Gewicht darauf legst.«

»Denn du weißt ja doch, was der Doktor gesagt hat.«

Der Bürgermeister richtete sich ein wenig straffer auf.

»Nun ja, Doktor Bjerring«, sagte er überlegen. »Der sagt so viel. – Aber nun solltest du doch versuchen, ein wenig Ruhe zu finden. Du hast heute gewiss schon mehr gesprochen, als dir gut ist.«

Bald darauf ging er.

Die Kranke lag mit bebenden Lippen da und sah nach der geschlossenen Tür, durch die er verschwunden war – bis der Mund sich verzog und die Augen in Tränen schwammen.

Wenn sich Bürgermeister Hoeck in seinem Büro bewegte, das in einem Seitenflügel des großen Gebäudes lag, war sein Wesen ungleich freier und auch wärmer, als wenn er sich in den Zimmern seiner Frau aufhielt. Er legte wohl niemals eine gewisse amtliche Feierlichkeit ab, und da sein Selbstgefühl außerordentlich zart besaitet war, musste man ihn überhaupt mit etwas Vorsicht behandeln. Aber Leuten gegenüber, die nicht vergaßen, wer er war, machte sich oft eine einfache, milde und nachgebende Freundlichkeit geltend, was namentlich dazu beigetragen hatte, ihn in dem einfacheren Teil der Bevölkerung beliebt zu machen.

Gegen Verbrecher, selbst gegen die gefährlichsten, schamlosesten, zeigte er oft eine sonderbare Nachsicht. Dahingegen konnte er anständige Leute, selbst unter den angesehensten Bürgern der Stadt, beleidigen, indem er ihnen gegenüber mit der ganzen Strenge des Gesetzes auftrat, wenn es sich um kleine Übertretungen handelte, denen sie selbst gar keine Bedeutung beilegten.

Ein wenig unsicher fühlte man sich deswegen immer ihm gegenüber, und überhaupt waren die Ansichten über ihn recht geteilt. Darüber waren sich jedoch alle einig, dass er kein gewöhnlicher Polizeiochse war. Im Grunde war man sehr stolz auf ihn, gab zu, dass er selbst wie auch seine Frau der Stadt zur Zierde gereichten. In den ersten Jahren, ehe Frau Hoeck krank wurde, als sie jeden Nachmittag mit ihrem kleinen, hübsch gekleideten Töchterchen auf ihrem Spaziergang nach den Anlagen hinaus durch die Hauptstraße kam, war ihr Erscheinen eines der Hauptereignisse des Tages für alle diejenigen, die hinter den Wohnstubenfenstern saßen und die Spaziergänger in dem Spion beobachteten. Die stattliche Erscheinung des Bürgermeisters mit dem hochgetragenen Kopf, dem brünetten Gesicht und dem bereits fast ganz weißen Haar und Bart wirkte recht vornehm in dieser Umgebung, und über die Schönheit der Frau Bürgermeister herrschte nur eine Stimme neben der des Neides.

Auch aus anderen Gründen fühlte man sich durch sie beehrt. Bürgermeister Hoeck hatte früher dem Kriminalgericht in Kopenhagen angehört. Er galt für einen der scharfsinnigsten Untersuchungsrichter im Lande und war überhaupt einer der feinsten Namen in der juristischen Welt. Er trug den seltenen Titel Doctor juris, und es galt als selbstverständlich, dass er einmal einen Sitz im höchsten Gericht einnehmen würde. Man sagte, es sei gerade die Reihe an ihm gewesen, in den Purpur der Jurisprudenz gekleidet zu werden, als er sich zum allgemeinen Erstaunen als Bürgermeister in die kleine jütische Stadt versetzen ließ.

Er hatte sich seinen Freunden gegenüber den Anschein gegeben, als wenn es ein Opfer sei, das er – übrigens ohne große Selbstüberwindung – seiner Frau brachte, die sich nach der Gegend zurücksehnte, in der sie geboren war; und Frau Hoeck gab auch selbst keine andere Erklärung.

Fünf Jahre hatten sie nun hier fern von seinen Freunden und Geistesverwandten gelebt, ja, waren bei diesen schon halbwegs in Vergessenheit geraten, ohne sich jedoch jemals darüber zu beklagen oder es sich merken zu lassen, dass sie sich hier nicht aus eigener freier Lust und Neigung aufhielten.

Nachdem die Majorin von Rauch die kleine Apothekerfrau hinausbegleitet hatte, stand sie eine Weile an dem großen Eckfenster im Esszimmer und trommelte mit ihren ringbeladenen Fingern auf dem Fensterbrett. Ihr Gesicht hatte einen sinnenden Ausdruck angenommen.

Dass ihre Schwester nicht glücklich in ihrer Ehe war, hatte sie lange geahnt, obwohl Anne Marie alles getan hatte, um es in ihren Briefen zu verheimlichen. Sie hatte sich nicht irreleiten lassen von der Reihe begeisterter und liebevoller Adjektive, mit der die Schwester beständig von ihrem Gatten gesprochen hatte. Zwischen den feinen, unruhig wogenden Schriftzügen hatte sie deutlich ein Entbehren herausgelesen, einen verborgenen Kummer, der mit den Jahren tiefer geworden war und schließlich in einer sich selbst aufgebenden Verzweiflung geendet hatte.

Da unten in Deutschland hatte sich die Majorin allmählich eine Meinung über die Sache gebildet. Bei ihren Erfahrungen aus den Kreisen, in denen sie sich selbst bewegte, und namentlich aus ihrer eigenen Ehe mit einem lebensgierigen Offizier, den sie schon im Jahre nach der Hochzeit auf einer Treulosigkeit ertappte, hatte sie alle Schuld auf den Mann gewälzt. Damals, als ihr Anne Marie die Versetzung ihres Gatten in die Provinz mitteilte und in dieser Veranlassung ausdrücklich schrieb, dass sie ihn nicht dazu angespornt, sondern sich nur den Wünschen ihres Mannes gefügt habe, fasste die Majorin diese Worte als einen Versuch auf, ihr eine demütigende Wahrheit vorzuenthalten. Wenn auch ihre vielen Lobesworte über den Mann den Gedanken an einen eigentlichen Treuebruch von seiner Seite ausschlössen, so konnte sie deswegen ja sehr wohl Grund gehabt haben, ihn den Versuchungen der Hauptstadt fern zu wünschen.

Aber nach ihrer Unterredung mit der Apothekerin fing sie an zu verstehen, dass es sich mit dieser Liebestragödie anders verhalten müsse. Die kleine Provinzdame hatte in den respektvollsten Ausdrücken vom dem Bürgermeister gesprochen und schien überhaupt keine Ahnung von einem ehelichen Unglück zu haben. Und übrigens musste die Majorin sich auch selbst eingestehen, dass der Schwager eigentlich gar nicht dem Bilde entsprach, das sie sich aus der Entfernung von ihm als Familienvater gebildet hatte – zum Teil nach dem Vorbilde ihres eigenen, weinduftenden Eheherrn.

Aber was in Himmels Namen konnte denn nur geschehen sein?

Als sie nach viertelstündiger Abwesenheit in das Krankenzimmer zurückkehrte, fand sie die Schwester allein. Anne Marie hatte sich aus eigener Kraft auf den Ellbogen aufgerichtet und einen Handspiegel vom Toilettentisch genommen, um ihr Haar ein wenig zu ordnen.

»Weißt du, dass die Uhr fast eins ist?«, fragte sie. »Wir können den Doktor jeden Augenblick erwarten. Willst du nicht ein wenig Eau de Cologne zerstäuben? Die Luft ist gewiss nicht gut.«

»Aber was ist dir, Anne Marie? Hast du geweint?«

»Kannst du das sehen? Habe ich rote Augen? Ich bin auch so müde.« Sie legte mit einer schwerfälligen Bewegung den Spiegel hin. »Ich glaube, ich will etwas ruhen, bis der Doktor kommt.«

Sie wandte sich auf die Seite um, den Rücken der Schwester zugekehrt, während diese die Betttücher ein wenig ordnete und die Kissen unter ihrem Kopfe zurechtzupfte. Die Anstrengung, die es ihr immer kostete, die Arme zu erheben, hatte sie sehr mitgenommen. Unter allerlei gleichgültigem Geplauder senkten sich ihre Augenlider nach und nach. Schließlich schlummerte sie ein.

Frau von Rauch hatte wieder den Platz in dem Korbstuhl neben dem Bett eingenommen und blieb hier sitzen, ohne sich zu rühren. Sie war ganz bestürzt, als sie sah, wie grünlichfahl und angegriffen Anne Marie plötzlich geworden war. Überhaupt hatte sie die Schwester viel schwächer gefunden, als sie geglaubt hatte und wie sie nach ihren eigenen Äußerungen in den Briefen zu erwarten Grund gehabt hatte. Hier musste ja wirklich etwas Ernstliches vorliegen.

Sie sah die Schwester deutlich vor sich, so wie sie damals ausgesehen hatte, als sie selbst sich verheiratete und abreiste. Wie reizend war sie doch! Halb noch Kind, kaum sechzehn Jahre alt, mittelgroß, harmonisch gebaut, in halblangen Kleidern mit einer kleinen Krinoline und kurzen Puffärmeln. Das schwere Haar war in der Form eines Kaffeekringels am Hinterkopf aufgesteckt, was sie übrigens nicht kleidete; aber aus dem letzten Winter entsann sie sich einer großen Samtkappe mit Pelzbesatz, in der sie hingegen ganz unglaublich süß ausgesehen hatte. Immer war sie munter wie ein Vogel, voller Einfälle und Narrenstreiche, und doch ganz Dame, korrekt bis zum Äußersten, namentlich Herren gegenüber. Wie oft hatte sie sich über sie amüsiert, wenn Besuch da war und sie mit der vollendetsten Grandezza im Zimmer erschien, nachdem sie sich noch unmittelbar vorher draußen in der Küche mit dem Mädchen geprügelt hatte, das ihr verwehren wollte, eine Kompottschüssel auszulecken. Auch in körperlicher Hinsicht war sie früh entwickelt, und sie war selbst sehr interessiert gewesen zu verfolgen, wie ihre Brust sich rundete. Trotzdem sollten über vier Jahre hingehen, bis sie sich mit der ganzen Warmblütigkeit ihres kleinen Körpers einem Mann um den Hals warf.

Die Majorin erinnerte sich noch sehr deutlich des amüsanten, halbverlegenen Briefes, in dem sie ihr die Verlobung mitteilte. Sie gestand darin ganz offen, dass ihr Verlobter gar nicht hübsch sei. Und doch war sie offenbar sehr eingenommen gerade von seiner Person. Der damalige Kriminalgerichtsrat hatte sich ein paar Monate als Kommissionsrichter in Anlass eines Mordes in der Stadt aufgehalten, und länger hatten sie sich nicht gekannt. Nachdem die Majorin seine Bekanntschaft bei jener Begegnung auf der Hochzeitsreise gemacht, hatte sie begriffen, dass das fremdartige Wesen und die eigenartigen Gewohnheiten des schweigsamen Mannes, die im Vergleich zu denen der Provinzbewohner leicht einen Schimmer von Vornehmheit annehmen konnten, dazu das Ansehen seiner Stellung und der Ruf, der seit der Entdeckung der Mordgeschichte seinen Namen krönte – dass das alles dazu beigetragen hatte, ihn in ihren Augen zu idealisieren.

Sie hatte seither oft daran gedacht, dass sie vielleicht niemals zwei so glückliche Menschen gesehen habe. Sie waren eine Woche wie ein paar richtige Landstreicher in den Bergen umhergestreift und hatten von hier aus einen schneefrischen Hauch mit hinabgebracht in die schwüle, mit Speisengeruch angefüllte Hotelstadt, in der sie selbst die Tage in Einsamkeit und Entbehren dahinschleppte. Anne Marie hatte ihr denn auch anvertraut, dass sie sich das Leben niemals so wunderbar schön gedacht habe, und den verzückten Ausdruck, mit dem sie das gesagt hatte, konnte sie seither nie wieder vergessen, – er hatte gleichsam eine Nadel in ihr Herz hineingebohrt. Der Eindruck von dem Gatten der Schwester hatte sich dahingegen im Laufe der Jahre ziemlich verwischt. Eigentlich erinnerte sie sich nur seiner Schweigsamkeit, in der eine gewisse Macht gelegen haben musste.

Was war denn in der Zwischenzeit geschehen, das ihr Glück zerstört hatte?

Sie strauchelte auf einmal über eine alte Erinnerung. Sie entsann sich eines Vetters, des langen Alexanders, der im Büro des Vaters angestellt war und täglich in ihr Haus kam. Er war sehr von Anne Marie eingenommen gewesen, die ihrerseits auch nicht gleichgültig war – wie sie überhaupt schon früh glücklich über die Huldigung der Männer gewesen. Aber der Bursche war ein Taugenichts, so faul und unzuverlässig, wie er hübsch war. Er musste plötzlich aus der Stadt fortgeschafft werden, und sie sahen ihn seither nicht wieder.

Anne Marie, die damals in ihr sechzehntes Jahr ging, ließ einen Tag lang den Schnabel hängen und tat dann, als sei nichts geschehen. Und doch hatte sie ihn wohl niemals ganz vergessen. Die Majorin erinnerte sich jetzt, dass sie ihn mehrmals, auch nach ihrer Verheiratung, in ihren Briefen erwähnt und viel Mitgefühl mit ihm an den Tag gelegt hatte wegen seines traurigen Schicksals. Mit der eigentümlich mütterlichen Treue, die sie denen gegenüber bewahrte, für die sie einmal Zuneigung empfunden, hatte sie ihn sicher in aller Heimlichkeit auf seinen krummen Pfaden verfolgt, die ihn wohl mehr als einmal den dicken Mauern mit den eisernen Stangen sehr nahe brachten.

War es denkbar, dass dieser missratene Vetter von Neuem ihren Weg gekreuzt hatte? Man hörte ja zuweilen sonderbare Sachen von der unheimlichen, gespensterhaften Macht, mit der die erste Liebe selbst sonst ganz gefestigte Gemüter überrumpeln konnte.

Ach, Unsinn! Jetzt fiel es ihr wieder ein! Der Bursche war ja schon längst drüben in Amerika gestorben. –

Die Kranke öffnete die Augen wieder, sah sich verwundert um und fragte:

»Wie viel Uhr ist es?«

»Es hat eben halb zwei geschlagen. Die Uhr da drinnen im Zimmer hat dich wohl geweckt?«

»Dann müssen wir den Doktor für heute wohl aufgeben«, sagte sie noch halb im Schlaf, und wandte mit einem unwilligen Ausdruck den Kopf wieder ab, um weiterzuschlafen.

Nach einer Weile aber streckte sie ihre knöcherne Hand nach einem Flakon mit Kölnischwasser aus und strich mit dem Glaspfropfen über ihre Stirn hin.

»Wie warm es hier ist!«, klagte sie. »Ich fühle mich gar nicht recht wohl.«

»Ich will ein Fenster öffnen.«

Jetzt verging wieder eine Weile mit allerlei Geplauder über das Wetter und die Leute in der Stadt, und schließlich über Ingrid, die zwölfjährige Tochter des Hauses, das einzige Kind, das in einem Pensionat in einer größeren, benachbarten Stadt untergebracht war. Die Majorin hatte es bisher so viel wie möglich vermieden, von ihr zu sprechen, weil sie sich denken konnte, dass es die Schwester angreifen würde; jetzt fiel es ihr aber auf, dass Anne Marie auch nicht ein einziges Mal das Kind erwähnt hatte, dessen Bild doch in einem silbernen Rahmen neben dem ihres Mannes auf ihrem Toilettentisch stand. Hiermit war sie abermals der Frage gegenübergestellt, welches Geheimnis diese Ehe barg, und diesmal auf eine Art und Weise, die nicht allein ihr schwesterliches Mitgefühl, sondern auch ein klein wenig allgemein weibliche Neugier in ihr wachrief.

Die Kranke hatte sich auf den Rücken gelegt und wandte das Gesicht dem Licht zu. Der Schlaf hatte sie erfrischt. Sie hatte sogar ein wenig Farbe auf den Wangen.

»Sag mir doch«, begann die Majorin nach einem Schweigen, »warum in aller Welt hat sich dein Mann eigentlich hierher in das kleine Mauseloch versetzen lassen, wo es doch offenbar keinen passenden Umgang für irgendeinen von euch gibt. Schon allein Ingrids Unterricht und ihrer ganzen Ausbildung wegen hätte es doch weit besser sein müssen, wenn ihr in Kopenhagen geblieben wäret.«

Anne Marie schien etwas beunruhigt durch die Frage, die freilich auch ein klein wenig kopfüber in die Unterhaltung hineingeplumpst kam. Indem sie ihre Augen von dem Fenster der Decke zuwandte, streifte ihr Blick die Schwester mit dem ein wenig scheuen und forschenden Ausdruck, mit dem sie sie schon einmal in Veranlassung ihrer vielen Fragen beobachtet hatte.

»Der Zeitpunkt war für Ingrid vielleicht nicht sehr günstig gewählt«, entgegnete sie. »Aber die Stelle war damals gerade frei, und das musste ja den Ausschlag geben, wenn mein Mann doch hierher wollte. Übrigens bin ich selbst jetzt sehr gern hier. Ich entbehre Kopenhagen nicht im allergeringsten. Wenn ich nur gesund werden wollte. – Überhaupt, wenn es nur mit meinem Mann zusammen ist, können sie mich, wenn es sein soll, gern nach Grönland schicken.«

»Nun ja, dergleichen sagt man wohl. Und natürlich meint man es in gewissem Sinne auch. Aber ich finde nun doch, es muss ein schlimmer Übergang für dich gewesen sein. Du liebtest Kopenhagen doch so sehr.«

»Ach du, ich hatte wirklich gar keine Zeit, den Übergang zu fühlen ... auf die Weise. Wir waren hier nach dem Umzug kaum in Ordnung gekommen, als der kleine Kay krank wurde. Und drei Monate später war der Junge tot.«

»Ja, das ist wahr! Du hast sein kleines Grab hier. – Du kannst mir übrigens glauben, es ist ganz sonderbar für mich gewesen, zu denken, dass du so einen großen, sechsjährigen Buben gehabt hast, den ich nie zu sehen bekommen würde. Er war ja so hübsch?«

»Hübsch? Das weiß ich nicht ... Aber er war ein herrlicher Junge. Er hatte die Augen seines Vaters. So ernst und tief. So voller Gedanken.«

»Das muss eine harte Zeit für dich gewesen sein, kleine Anne Mi'e!«

»Ach ja, das war es eigentlich auch wohl«, sagte sie – sie lag da, die Hand unter dem Kopf und starrte unverwandt zur Decke empor. »Und doch. Es ist so sonderbar, denn oft meine ich, dass es im Grunde eine schöne Zeit war. Man kommt einander so innerlich nahe durch so ein großes Unglück. Alle alltäglichen Kleinigkeiten werden gleichgültig, alle kleinen Uneinigkeiten vergisst man. Und du ahnst nicht, welch ein Trost und welch eine Stütze mein Mann mir gewesen ist. Er wich nicht von mir in jener Zeit. Wenn ich ihn nicht gehabt hätte, wäre ich auch sicher wahnsinnig geworden. – Es ist beinahe unrecht, es zu sagen, aber ich finde oft, wenn ich an die Tage zurückdenke, dass er mir durch seine unendliche Liebe einen vollen Ersatz für das gab, was ich verloren hatte.«

Es entstand ein kurzes Schweigen nach diesen Worten. Die Majorin verfiel einen Augenblick in Sinnen. Draußen in dem blendenden Frühlingssonnenschein flötete ein unermüdlicher Star.

»Ich kann nun doch nicht verstehen, dass ihr hier den Verkehr nicht entbehrt«, begann die Majorin von Neuem. »Ihr hattet doch gewiss viele gute und amüsante Bekannte in Kopenhagen. Ich entsinne mich noch, dass du von mehreren Kollegen deines Mannes schriebst, mit denen ihr häufiger zusammenkamt. War da nicht namentlich ein – wie hieß er doch gleich – ein Rat Lunding, glaube ich?«

»Nun ja, der war ganz amüsant«, antwortete Anne Marie ein wenig hastig. »Aber er entpuppte sich als schlechter Mensch. Mein Mann hatte es übrigens immer gesagt, dass er keinen guten Ruf habe. Dann kam da eine Geschichte mit einer verheirateten Frau, und in der letzten Zeit verkehrten wir gar nicht mehr miteinander.«

Die Majorin beobachtete sie misstrauisch; ihr weiblicher Instinkt sagte ihr, dass sie hier einem Geheimnis auf die Spur gekommen sei. Sie konnte sich aber doch nicht entschließen, es gleich zu verfolgen. Halb aus Furcht, halb aus Verlegenheit brach sie ihr hinterlistiges Verhör ab.

»Wird es dir nicht zu kalt?«, fragte sie. »Soll ich das Fenster nicht lieber schließen?«

»Ja, tue es nur. Der Vogel schreit auch so abscheulich.«

Die Unterhaltung glitt zurück zu den Verhältnissen dort in der Stadt und zu Ingrid, die aus Anlass der Ankunft der Tante zu einem kleinen Besuch erwartet wurde.

»Wie ich mich darauf freue, sie zu sehen«, sagte die Majorin. »Du musst sie ja schrecklich entbehren. Nicht wahr?«

»Furchtbar«, sagte die Mutter, indem das Wort gleichsam beschwerlich von einem Seufzer geboren wurde. Tränen waren ihr in die Augen getreten, und es zuckte von Neuem um ihren Mund.

»Aber wäre es dann nicht besser für das Kind und auch für euch gewesen, wenn ihr sie zu Hause behalten hättet? Man muss doch auch hier Unterricht haben können. Wenn er auch nicht ersten Ranges ist, so kann man sich doch vorläufig damit begnügen. Wie richten sich denn die andern Familien in der Stadt ein? Frau Bergmann zum Beispiel? Schickt sie ihre Kinder auch fort?«

»Nein, nein. Die Schule hier ist wirklich tadellos. Und Ingrid hat sie auch bis vor einem Jahre besucht. Aber dann meinte mein Mann, es sei an der Zeit, dass sie von zu Hause fortkäme.«

»Ich finde, das ist so unsinnig. Namentlich jetzt, wo du krank bist. Du solltest ernsthaft mit deinem Mann darüber sprechen.«

»Glaubst du nicht, dass ich das getan habe?« – Sie lag mit geschlossenen Augen da, um die Tränen zu verbergen, die unter den Wimpern hervorzuquellen begannen.

»Ja, verzeih, dass ich es sage, aber ich finde es wirklich in hohem Maße unverständig von deinem Mann. Denn jetzt verstehe ich auch, dass du hier liegen und krank werden musst, allein aus Sehnsucht nach dem Kinde. Das muss doch, weiß Gott, auch er begreifen können. – Willst du mir erlauben, mit ihm darüber zu reden?«

»Es nützt nichts. – Ich weiß es.«

Es lag etwas Unbeherrschtes, etwas verzweifelt Hoffnungsloses in diesem Ausruf, der die Majorin stutzen machte.

»Aber ich begreife es wirklich nicht«, sagte sie. »Du sagst doch, dass dein Mann sonst so bedacht und so verständig ist.«

Frau Anne Marie wandte zögernd das Antlitz der Schwester zu und sah sie lange und gleichsam beschämt mit ihren großen, tränengefüllten Augen an, während ihr Mund immer breiter wurde von zurückgehaltenem Weinen.

»Du hast also nichts bemerkt, Lise?«

»Was?«

»Dass mein Mann – krank – ist?«

»Krank? Ist dein Mann krank? Ich fand doch gerade, dass er so kräftig aussieht, im Verhältnis zu seinem Alter.«

»Nein, nicht auf die Weise … So meine ich das nicht. Du verstehst mich nicht.«

Sie wandte sich wieder ab, hob mit einer weltverzichtenden Bewegung beide Arme ein wenig in die Höhe und ließ sie todschwer auf die Bettdecke fallen.

»Niemand versteht mich!«, klagte sie verzweifelt.

Die Majorin verstand in diesem Augenblick weniger denn je; aber sie wagte nicht, weiter zu fragen. Die Schwester hatte wieder diesen bläulichen Schein über dem Gesicht bekommen, der ihr so beunruhigend erschien.

Außerdem wurde sie jetzt auf andere Weise in Anspruch genommen. Anne Marie klagte wieder über Hitze und bat um etwas zu trinken. Dann sollte sie auch ihre Medizin nehmen, und ihre feuchten Hände mussten abgetrocknet werden. Die Majorin war ihr bei alledem behilflich. Sie wollte nicht erlauben, dass zu diesem Zweck nach Mamsell Mogensen geklingelt würde.

»Ich möchte dir ja so gern eine kleine Hilfe sein«, sagte sie und suchte durch ihren Ton den Worten eine tiefere Bedeutung zu verleihen. »Darum bin ich ja doch hergekommen, liebe Anne Mi'e!«

Mitten während dieser Störung kam der Doktor. Keine der Schwestern hatte sein Schellen gehört, auch nicht, dass er klopfte. Sie ahnten nichts, bis er im Zimmer stand.

»Also Sie kommen doch noch«, sagte Anne Marie ein wenig missgestimmt. »Ich hatte Sie für heute schon aufgegeben. Das ist Doktor Bjerring. Meine Schwester, Frau Major von Rauch.«

Der Doktor war ein jüngerer, ein wenig verwachsener Mann, mit jener hoffärtigen Eleganz gekleidet, mit der dergleichen Menschen sich gern für ihr körperliches Gebrechen schadlos zu halten pflegen. Der Eindruck seiner Person war jedoch nicht gerade lächerlich oder abschreckend. Er hatte ein längliches, blasses und bartloses Gesicht mit großen, ganz hübschen Zügen, einen vorstehenden Unterkiefer, mit stark roten Lippen, dichte Brauen, tiefe, bläuliche Augenhöhlen und ein Paar strahlende, dunkle Augen mit jenem metallischen Glanz, der dem kundigen Blick den Frauenfreund verrät. Über dem Scheitel lag dünnes, tintenschwarzes Haar, das so aussah, als wenn es daraufgemalt wäre.

Er schien sehr unglücklich darüber, dass er sich die Ungnade seiner Patientin zugezogen hatte, und entschuldigte sich lebhaft, er sei unterwegs aufgehalten worden.

»Nun ja – nehmen Sie nur einen Stuhl, Herr Doktor. Und lassen Sie uns dann ein wenig von der Gesellschaft gestern Abend hören. Von mir ist wirklich nichts zu sagen. Ich bin heute dieselbe wie gestern. Kein Appetit, keine Kräfte … nichts.«

»Und wie steht es mit dem Schlaf?«, fragte er, indem er mit seinen langen, weißen Fingern ihr Handgelenk umspannte, um den Puls zu fühlen. »Hat das Pulver nicht geholfen?«

»Nicht im Geringsten. Sie sind ein schlechter Doktor, der mir nicht helfen kann. Aber jetzt sollen Sie nicht mehr fragen. Heute will ich Ferien haben. – Und erzählen Sie ein wenig von der Soiree auf Krogstrup. Waren da viele Menschen?«

»Ja, es war ja, wenn ich mich so ausdrücken darf, diesmal das große Abendmahl des Hofjägermeisters. Da war wohl alles, was es hier in der Gegend an Herrenfracks gibt. Aber das ist wahr, der Herr Bürgermeister hatte eine Absage geschickt.«

»Ja, es war schade. Ich bat ihn so sehr, doch zu gehen und sich nicht an mich zu kehren. Es wäre ihm so gut gewesen, einmal von seinem Büro wegzukommen. Dann hätte ich den Bericht auch ganz frisch haben können. – Nun, und die Damen? Waren da viele schöne Toiletten?«

»Ja, da waren wirklich mehrere Damen, die nicht sonderlich viel anhatten.«

»Hörst du, Lise? Der Doktor ist unmöglich. Und wen hatten denn Sie die Ehre, zu Tische zu führen?«

»Hofjägermeisters neue Gouvernante, Fräulein Lang.«

»Ach so! Sie soll ja hübsch sein, wie ich höre. Wie finden Sie sie?«

»Ganz nett.«

»Nicht mehr? Aber wohl lebhaft?«

»In gewisser Beziehung, ja. Fünf Viertelstunden hat sie den Mund nicht aufgemacht, außer um zu essen. Ich saß schließlich wirklich in einer wahren Angst da, dass ihr Korsett nicht halten würde.«

Die Kranke lachte vergnügt.

»Sie sind grässlich, Herr Doktor! Aber würde sie nicht am Ende doch für Sie passen, dies Fräulein Lang? Du musst nämlich wissen« – sie wandte sich an die Schwester – »dass ich mir alle erdenkliche Mühe gebe, um Doktor Bjerring eine Frau zu verschaffen. Ich empfehle ihm die schönsten und reichsten jungen Damen in der ganzen Gegend an. Aber es hilft alles nichts.«

»Herr Doktor Bjerring will sich vielleicht gar nicht verheiraten«, sagte die Schwester. »Es ist ja auch oft ein sehr gewagtes Spiel.«

»Ach, das ist eigentlich nicht gerade der Grund, meine gnädige Frau«, sagte der Doktor und sah zum Fenster hinaus. »Aber mit der

Liebe geht es so wie mit den Theaterbilletts: Der Platz, den man gerne haben will, ist in der Regel schon besetzt.«

»Ja, Ausflüchte haben Sie immer zur Genüge«, sagte die Bürgermeisterin schnell. »Und heute Abend wollen Sie schon wieder in Gesellschaft. Sie sind viel unterwegs in dieser Zeit. Ist es wahr, dass illuminiert werden soll und dass man ein Feuerwerk im Garten abbrennen will? Das wird ja großartig!«

So schwirrte die Unterhaltung munter wie in einem Salon. Auch die Majorin nahm lebhaft teil daran, allmählich ganz angeregt durch den kleinen Provinzlebemann.

Als er endlich ging, begleitete sie ihn auf die Diele hinaus. Sie wollte unter vier Augen mit ihm über den Zustand der Schwester sprechen. Hier draußen schüttelte er ernsthaft den Kopf und sagte, dass er eigentlich stündlich auf eine Krisis gefasst sei. Die Kräfte seien ja sichtlich im Abnehmen begriffen; doch sei die Möglichkeit einer plötzlichen Besserung nicht ausgeschlossen, ja, es sei gar nicht undenkbar, dass die Bürgermeisterin eines schönen Tages aufblühen und ihre alte Gesundheit völlig wiedergewinnen würde. Diese Nierenkrankheiten seien unberechenbar. Man könne damit hundert Jahre alt werden, und sie könnten einen in einer Stunde totschlagen.

Auf dem Rückweg durch das Esszimmer begegnete die Majorin dem Bürgermeister. Er kam aus seinen Zimmern und war in voller Gala. Mamsell Mogensen trug seinen Überrock hinter ihm drein.

Der Bürgermeister fragte, wie es »da drinnen« gehe, und die Schwägerin antwortete, Anne Marie habe sich gar nicht wohl gefühlt.

»Aber jetzt ist der Doktor hier gewesen, und das hat sie ein wenig belebt«, sagte sie.

Hierauf erwiderte der Bürgermeister nichts.

Es war seine Absicht gewesen, um keinen Verdacht bei der Schwägerin zu erwecken, gleich zu seiner Frau hineinzugehen und ihr Lebewohl zu sagen, so wie sie es gewünscht hatte. Jetzt begnügte er sich damit, ihr einen Gruß zu senden. Sobald er den Rock angezogen hatte, ging er.

Die Majorin kehrte nach dem Krankenzimmer zurück. Hier lag Anne Marie noch in derselben Stellung, die Hand unter dem Kinn, so wie sie und der Doktor sie verlassen hatten. Der Blick war den Fenstern zugewendet, und sie war so tief in Gedanken versunken, dass sie das Kommen der Schwester nicht sogleich in die Gegenwart zurückrief.

»Nun, wie findest du denn meinen Doktor?«, fragte sie, als die Majorin wieder ihren alten Platz im Korbstuhl neben dem Bett eingenommen hatte. »Er ist ja gerade keine Schönheit, aber er ist wirklich so prächtig. Und du ahnst nicht, wie rührend er in seiner Fürsorge für den kleinen Kay war.«

»Hältst du ihn aber auch für einen tüchtigen Arzt? Denn das ist doch die Hauptsache.«

»Liebste, er gilt für einen wahren Wunderdoktor! Wenn er nicht mit diesem körperlichen Gebrechen behaftet wäre, hätte er sich niemals in der Provinz niedergelassen – das weiß ich ganz bestimmt. Du konntest wohl auch merken, dass seine Munterkeit nicht ganz echt war. Er ist in Wirklichkeit eine schrecklich schwermütige Natur. Es kann einem förmlich ins Herz schneiden, zu sehen, wie niedergeschlagen er zeitenweise sein kann, wenn man ihn unter vier Augen hat. Er hat zuweilen ein paar Stunden hier bei mir gesessen, nur weil er das Bedürfnis hat, mit einem Menschen zu reden, der ihn versteht. Hast du seine Augen wohl beachtet? Es liegt so viel Kummer darin, finde ich. – Jetzt hat es drei geschlagen.«

Die Uhr im Wohnzimmer hatte sie aufmerksam gemacht.

»Erwartest du jemand?«, fragte die Schwester.

»Nein – niemand weiter als meinen Mann. Ihn erwarte ich immer.«

»Das ist wahr – dein Mann ist ausgegangen. Ich sollte dich von ihm grüßen.«

»Ist er gegangen?«

»Ja. Er habe es eilig, sagte er. Er wollte wohl zur Gratulation bei dem Jubilar. Er war in vollem Staat.«

Anne Marie wurde schweigsam. Sie schloss die Augen und wandte sich schließlich ab, wie um wieder ein wenig zu schlummern, zog auch die Decke bis über die Schultern hinauf, so dass das Gesicht fast verhüllt war, und lag ganz still da. Als sich aber die Schwester nach Verlauf einiger Minuten vorbeugte, um sich zu vergewissern, dass sie schlief, sah sie, wie eine Träne nach der andern an ihrer Wange herabrollte.

Da konnte sich die Majorin nicht länger beherrschen. Sie beugte sich über das Bett, nahm die Hand der Schwester und sagte:

»Anne Marie! Liebe Schwester! Sage mir doch – was dir fehlt. Vertraue dich mir doch an. Vielleicht kann ich helfen.«

»Nein, hier hilft nichts! Nichts!«

»Aber so rede doch trotzdem. Es wird dich erleichtern.«

»Was sollte es wohl nützen? Du verstehst es doch nicht. Und ich verstehe es ja selbst auch nicht.«

»Versuch es doch nur. Erzähl mir alles.«

»Ach du, es ist eine lange, lange Geschichte. Ich würde nie damit fertig werden.«

»Ich will schon geduldig sein. Bedenke, ich bin ja deine Schwester.«

»Ja!«, sagte sie und presste in Todesangst die Hand der Schwester gegen ihr Herz.

Anne Marie fing damit an, von ihrer verstorbenen Schwiegermutter zu erzählen, von der Justizrätin Hoeck, der Witwe eines braven Postmeisters. Sie war eine lange, hagere und selbstgerechte Dame gewesen mit sehr einseitig entwickelten geistigen Interessen. Sie stammte aus einer bekannten Pfarrersfamilie, war eine geborene Sidenius, worauf sie sich viel zugute tat. Ringsumher im Lande hatte sie Brüder und Vettern und Halbvettern, die alle Geistliche waren und alle Bücher über erhabene Themata schrieben, worauf sie ganz besonders stolz war. Wie überhaupt die Familie Sidenius in ihren Augen die vor allen andern begnadete Familie war, der von der Vorsehung eine heilige Mission hier im Lande zuerteilt war, so verkörperten diese Schriften für sie das letzte, inspirierte Wort der Wahrheit über das große Rätsel des Lebens und des Todes. Worüber man auch in ihrer Gegenwart reden mochte, stets gelang es ihr, die Unterhaltung so zu drehen, dass sie Gelegenheit zu einer Bemerkung wie: »Hierüber hat mein Bruder Peter eine herrliche Betrachtung in seinen Sonntagsandachten geschrieben«, oder: »Diese Frage hat mein Vetter Johannes mit wunderbarer Klarheit und Tiefe in seinen Adventspredigten entwickelt«, hatte. Fand die Unterhaltung in ihrem eigenen Hause statt, so erhob sie sich sofort und holte das betreffende Werk aus dem Bücherschrank, worauf sie mit ihrer groben, männlichen Stimme lange Auszüge daraus vorlas, indem sie nach jedem Punkt ihren Zuhörern einen Blick über die Brille zuwarf, um ihre Bewunderung einzuheimsen.

Des Sohnes Wahl einer Lebensbegleiterin hatte tiefes Missfallen und Bekümmernis bei ihr wachgerufen, und mit der unbestechlichen und rücksichtslosen Redlichkeit, die eine der Grundeigenschaften ihres Wesens war, hatte sie Anne Marie, geschweige denn dem Sohn selber, gegenüber kein Hehl hieraus gemacht. Obwohl Anne Marie ihrem Bräutigam zuliebe ihre ganze Kunst entfaltete, um sich bei der gestrengen Schwiegermutter einzuschmeicheln, hatte ihr diese doch gleich bei ihrem ersten Besuch geradeheraus gesagt, sie sei eine »unerzogene kleine Zierpuppe«, und sie halte es für ihre Pflicht, aus Rücksicht auf das Glück des Sohnes, ihre Erziehung in die Hand zu nehmen, »um zu versuchen, einen Menschen aus ihr zu machen«.

Die Schwiegermutter wohnte in Kopenhagen, und um des lieben Friedens willen hatte Anne Marie geschwiegen und sich in ihre Bevormundung geschickt. Mit engelhafter Geduld hatte sie als junge Frau Abend für Abend dagesessen und ihre endlosen Vorlesungen angehört, während sie verzweifelt mit einem krampfhaften Verlangen zu gähnen kämpfte. An dergleichen Unterhaltungen war sie aus ihrem Elternhause nicht gewöhnt, wo man des Abends Rambuse gespielt oder Erik Bögh'sche Lieder zum Klavier gesungen hatte. Aber sie liebte ihren Mann bis zur Verschämtheit, und sie fürchtete den Einfluss, den der Zorn oder das Missfallen seiner Mutter auf seine Liebe haben können.

Allmählich war das Verhältnis denn auch ein wenig besser geworden, aber zu einer wirklichen Vertraulichkeit der Schwiegermutter gegenüber kam es doch niemals. Anne Marie konnte sich ihr nicht mit einem modernen Hut oder einem Paar neuen Handschuhen, oder auch nur mit einem so recht lebensfrohen Lächeln zeigen, ohne dass sie gleich misstrauisch wurde und ein peinliches Verhör begann. Und da Anne Marie sehr empfindlich gegen Kritik war, sobald sie sich um ihr Äußeres drehte, kam es ein paarmal zu recht heftigen Szenen zwischen ihnen. Namentlich war es der alten Dame, die selbst ein Gesicht wie ein erfrorener Apfel hatte, eine Quelle steten Ärgers, dass Anne Marie in einem eigenen, instinktiven Trotz nicht auf ihr weibliches Vorrecht, Schönheitsmittel zu benutzen, verzichten wollte.

»Dergleichen Jux ist für Dirnen – nicht für ehrbare Frauen«, hatte ihr die Schwiegermutter wohl hundertmal ganz empört vorgehalten.

Namentlich dies Verhältnis suchte Anne Marie ihrer Schwester zu erklären, die übrigens durch ihre Briefe schon etwas davon kannte. Von ihrem Manne sagte sie, dass er sich anfangs ritterlich auf ihre Seite gestellt habe in dem Kampf mit der Schwiegermutter, und diese oft mit großer Bestimmtheit zurechtgewiesen habe. Es habe niemals eine große Liebe zwischen ihm und dieser Mutter bestanden, die ihn in seinen Knabenjahren mit ihren ewigen Ermahnungen ermüdete, und von der er sich deswegen auch – äußerst ehrgeizig, wie er überhaupt stets gewesen war – schon in einem frühen Alter unabhängig gemacht hatte, indem er sich durch eigene Arbeit die Mittel zu seinem Unterhalt verschaffte.

Aber nach der Mutter Tode – erklärte sie – habe sie eine Veränderung in seinen Gefühlen gespürt. Er fand immer mehr an ihr auszusetzen. Es war, als ob das Misstrauen und das Missvergnügen der Mutter in ihn gefahren seien als ererbte Gemütsleiden. Seine Tätigkeit als Polizeibeamter habe auch das ihre dazu getan, glaubte sie. Dass er sich beständig mit Verbrechern und Verbrechen beschäftigte, hatte ihn allmählich dahin gebracht, überall Betrug und Verstellung zu wittern. Es war förmlich eine fixe Idee bei ihm geworden. Schließlich habe er eines Tages in einer krankhaften Erregung den Einfall bekommen, dass das Kind fort solle, weil sie seiner Ansicht nach einen schädlichen Einfluss auf die Kleine habe. Ingrid war mit ein paar Äpfeln nach Hause gekommen, die ihr einer der großen Jungen des Kämmerers geschenkt hatte, und er hatte hierin eine unpassende Annäherung vonseiten des Kindes gesehen. Das waren schreckliche Tage gewesen!

Sie sprach hastig und kurzatmig mit vielen Seitensprüngen und plötzlichen Pausen, wie jemand, der sein Geheimnis nicht länger zu bewahren vermag, aber sich trotzdem nicht entschließen kann, die volle Wahrheit zu sagen, und mit Absicht zu verwirren sucht. Auch vermied sie es während der ganzen Zeit, die Schwester anzusehen, wohingegen sie beständig ihre Hand mit einem krampfhaften, angsterfüllten Griff umklammert hielt.

Die Majorin strich ihr schweigend über das Haar. Sie hatte angefangen, den Zusammenhang zu erkennen, und musste gegen eine heftige Gemütsbewegung ankämpfen. Das Unglück, das sie jetzt ahnte, war ja viel furchtbarer, als sie es sich vorgestellt hatte, so dass sie sich nicht entschließen konnte, mit weiteren Fragen in die Schwester zu dringen. Das Mitleid machte sie stumm.

Trotz der Selbstanklage, die deutlich aus Anne Maries unzusammenhängender Rede herauszuhören war, glaubte sie an keinen Fehltritt. Sie wollte ihre Hand dafür ins Feuer legen, dass Anne Marie sich nichts

Ernstliches vorzuwerfen hatte. Das Verhältnis war viel trauriger. Ihre arme Schwester war das Opfer der Eifersucht eines wahnsinnigen Mannes. Und in ihrer Einsamkeit und Verzweiflung war sie auf dem besten Wege, sich selbst für schuldig zu halten.

Da wurde an die Tür geklopft. Es war Mamsell Mogensen mit ihrer großen, schneeweißen Latzschürze.

»Was gibt's?«, fragte die Majorin und erhob sich. Anne Marie war zu angegriffen, um selbst Bescheid anzunehmen.

»Herr Pastor Torm ist da. Er fragt, ob es Frau Bürgermeister passt.«

»Ein Geistlicher?«, sagte die Majorin überrascht und wandte sich dem Bette zu. »Das ist gewiss nicht gut für dich.«

»Ja, lass ihn nur kommen!«, sagte Anne Marie. »Er ist so prächtig. Er kommt fast täglich her und sieht sich nach mir um.«

»Aber bist du jetzt nicht sehr angegriffen?«

»Freilich, aber gerade deswegen. Ich fühle mich immer so beruhigt, wenn Pastor Torm bei mir ist.«

»Bitten Sie den Herrn Pfarrer zu kommen«, sagte die Majorin ein wenig kurz.

Pastor Torm war ein hübscher, alter, weißhaariger Mann, der von Sauberkeit glänzte.

»Wer sind denn Sie?«, fragte er verwundert bei dem Anblick der Majorin. Er war seit fünfzehn Jahren Geistlicher hier in der Stadt gewesen und kannte alle Bewohner bis zu den Hunden und Katzen auf der Straße.

»Das ist meine Schwester«, stellte Anne Marie vor. »Frau Major von Rauch.«

»So«, sagte er gleichgültig. »Ach so … Nun ja … Rauch, ja.«

Pastor Torm hatte kein Interesse für Fremde. Was außerhalb der Grenzen seiner eigenen Gemeinde lag, existierte nicht für ihn.

»Wie geht es denn, liebe Frau Bürgermeister?«, fragte er und setzte sich in den Korbstuhl neben dem Bett. »Ist es heute wohl nicht ein ganz klein wenig besser?«

»Nein, gar nicht. Ich fühle mich mit jedem Tage schwächer.«

Der Pfarrer schüttelte seinen kleinen silberweißen Kopf mit einem seufzenden Zischlaut.

»Wie mir das leid tut! Ich habe doch so innig für Sie gebetet, liebe Frau Bürgermeister.«

»Haben Sie das getan, lieber Herr Pastor? Ja, dann ist es Gottes Wille, dass es nicht wieder besser werden soll.«

»Sagen Sie das nicht! Gottes Ratschluss kennt niemand. Er geht so viele verborgene Wege, um zu unserm Herzen zu gelangen. Er legt oft seine Hand so schwer auf uns, damit wir die Bürde dieser eitlen Welt von uns werfen sollen. Darum sollen wir ihm ja auch für unsere Leiden danken. Vergessen Sie nicht, liebe Frau Bürgermeister, dass jede schlaflose Nacht Sie Gott näher bringt.«

»Ja, das habe ich gefühlt. Und das ist mein einziger Trost.«

»Ich komme gerade von Schlachter Andersen. Sie wissen, er hat den ganzen Winter krank gelegen. Es war nicht viel Hoffnung für ihn … er litt an Krebs … und nun heute Morgen ist er sanft und still entschlafen.«

»Ist Schlachter Andersen tot!«

Anne Marie richtete sich ein wenig im Bette auf und sah den Pfarrer mit großen, runden Augen an.

»Ja – es war so schön. Von ihm kann man wahrhaftig sagen, dass ihm sein Leiden zur Wiedergeburt wurde. Vor seiner Erkrankung sah ich ihn niemals am Tische des Herrn, und es währte auch lange, bis es mir gelang, sein tief eingeschlummertes Sündenbewusstsein zu wecken. Aber in der letzten Zeit gab er sein Herz Gott ganz hin. Heute Morgen um sieben Uhr wurde ich zu ihm gerufen, um ihm das Heilige Abendmahl zu reichen, und ich kann wohl sagen, dass ich nie mit größerer Zuversicht zu einem Menschen gesagt habe: ›Dir sind deine Sünden vergeben.‹ Wenige Minuten darauf entschlief er sanft, das Blut des Herrn auf den Lippen.«

Anne Marie hatte die Augen geschlossen. Jeder Todesfall machte in dieser Zeit einen solchen Eindruck auf sie, dass sie zu zittern begann.

»Pastor Torm«, sagte sie, »wollen Sie mit mir beten?«

»Ja, liebe Frau Bürgermeisterin! Darum bin ich ja gekommen, nicht wahr –?«

Die Majorin hatte sich unterdessen zurückgezogen und war in das Wohnzimmer gegangen. Hier stand sie an einem der Fenster und trommelte heftig mit den Fingern auf das Fensterbrett, während der volle Busen sich mit den Sturmeswogen in ihrem Innern hob und wieder senkte. Die Tür zum Schlafzimmer war nur angelehnt. Sie konnte Anne Marie da drinnen das Vaterunser beten hören. Und sie war kurz davor, vor Kummer und Zorn in Tränen auszubrechen, als sie die Schwester da drinnen mit erhobener Stimme die Worte: »Und vergib uns unsre Schuld« sprechen hörte.

Diesmal war Pastor Torm auf des Bürgermeisters ausdrückliche Aufforderung gekommen. Die beiden Herren hatten sich auf der Treppe des Jubilars getroffen, und der Bürgermeister hatte dann gesagt, seine Frau fühle sich gar nicht wohl und würde sich gewiss freuen, ihn zu sehen. Die verzagten Äußerungen der Schwägerin über Anne Mariens Zustand hatten sein Gemüt in Unruhe versetzt. An und für sich überraschten sie ihn wohl nicht; er glaubte selbst, dass es mit starken Schritten dem Tode entgegenging, und er wünschte es auch gar nicht anders. Aber es war das erste Mal, dass ihm seine Hoffnung von andern als von dem Doktor bestärkt wurde, und zu dessen Worten hatte er nun einmal kein Vertrauen.

Seinen Gratulationsbesuch machte er aus diesem Grunde so kurz, wie die Verhältnisse und pflichtschuldige Rücksichten es gestatteten. Mit einem besonderen Magistratsausschuss, dessen Wortführer er bei der Überreichung des Geschenks der Stadt, eines silbernen Kaffeeservices, war, trank er ein Glas Wein mit dem Jubilar und seiner Familie, worauf er sich entschuldigte und sich zurückzog.

Er hatte nun auch keine weiteren Sympathien für den gefeierten Helden des Tages, wenn er auch bereitwillig seine große Tüchtigkeit und seine Verdienste um das Aufblühen der Stadt anerkannte. Zu einem Zeitpunkt, als die abseits gelegene kleine Schifferstadt dem Untergang geweiht schien, war dieser siebzehn Jahre alt – vom Lande hereingekommen, als die treibende, fruchtbare Erdkraft, die ihr Erneuerer werden sollte. Der Sage nach hatte er seinen Einzug in die Stadt mit einem Achtschillingstück in der Tasche gehalten und sich dann vom Ladenburschen in einem alten, halbbankrotten Kaufmannshause heraufgedient, bis er, nach Verlauf von nur zehn Jahren, als dessen Chef endete. Mit der Mischung der Eigenschaften des Ochsen und des Fuchses, die unter dänischen Verhältnissen das große Geschäftstalent hervorbringt, hatte er den Handel der Stadt auf den Schwung gebracht, hatte die Schifffahrt gehoben, ihr Hinterland erschlossen und sich gleichzeitig selbst ein Vermögen von ungefähr einer Million erworben. Und doch konnte man eigentlich nicht sagen, dass er sich mit seinen

Verdiensten brüstete. Er war ein schlichter, gemütlicher, auf seine Weise sogar kindlicher Mann mit einem offenen Herzen und einer mildtätigen Hand.

Dessen ungeachtet empfand der Bürgermeister immer eine gewisse Verlegenheit, wenn er – so wie heute – aufgrund seiner Stellung gezwungen wurde, ihm eine Lobrede zu halten. Der breite, blonde Mann mit den hellblauen Augen, der starken Stimme und dem breiten jütischen Akzent wirkte rein physisch unbehaglich auf ihn. Fein war er nun eigentlich nicht, und wenn er auch nicht geradezu eine Unredlichkeit begangen hatte, so hatte er sich doch wie alle diese Leute häufig sehr nahe an der gesetzlich geschützten Grenze zwischen Mein und Dein bewegt. Die Transaktionen zum Beispiel, mittels deren er seinerzeit zu einem Zeitpunkt, wo die Sachen eine für seinen Prinzipal günstige Wendung nehmen zu sollen schienen, sich die Leitung des Handelshauses angeeignet hatte, waren in ein mystisches Dunkel gehüllt, das der Bürgermeister trotz eingehender Untersuchungen nicht zu durchdringen vermocht hatte.

Er machte sich deswegen auch Gedanken, dass sein Glückwunsch heute ziemlich trocken ausgefallen war. Glücklicherweise aber hatte der Realschuldirektor gleich nach ihm das Wort ergriffen und nicht an Redeblumen gespart.

Er ging nun oben auf der hochgelegenen Landstraße, die in einem Bogen um die Stadt führte und von wo aus man eine schöne, weite Aussicht über den Fjord und die Wiesen hatte. Doch war es nicht der Aussicht wegen, dass er in letzter Zeit diesen Weg zu seinen Spaziergängen bevorzugt hatte, sondern weil er hier ungestörter war als in dem kleinen Lustpark der Stadt. Auch ging er nicht allein des schönen Wetters wegen so langsam oder blieb so häufig stehen, um tief und gründlich zu atmen. Er fühlte heute noch weniger als sonst Sehnsucht, nach Hause zu kommen. Die Anwesenheit der fremden Schwägerin war ihm ungeheuer peinlich wegen der Erinnerungen, die sie wachrief.

Sie hatte ihn beim Frühstück mit Erinnerungen von ihrer Begegnung auf der Hochzeitsreise unterhalten, von Anne Maries Briefen aus der Verlobungszeit und von vielem andern, wovon er am liebsten nichts hören wollte. Die halb vergessenen Begebenheiten aus der Vergangenheit waren ihm wieder unleidlich nahe gerückt. Ihre Enttäuschungen und Sorgen lebten gespensterhaft von Neuem auf wie Gicht in alten Wunden.

Er ging gerade hier auf demselben Wege, auf dem er vor vierzehn Jahren – an einem Frühlingstag ungefähr wie heute – ausgegangen war, in der Absicht, um Anne Mariens Hand zu werben. Ihre Eltern wohnten damals in einer alten, zerfallenen Holzvilla da oben unter dem Hügelabhang, wo jetzt das städtische Wasserbassin seinen Platz gefunden hatte. Es war keineswegs ein leichter Gang für ihn gewesen, und mit einer gewissen feierlichen Gerührtheit über sich selbst dachte er an diesen Tag zurück. Denn es konnte wohl als Beweis für den Ernst und die Aufrichtigkeit seiner Gefühle gelten, dass er, der damals so selbstbewusste Kriminalrat, sich hatte überwinden können, als Supplikant vor einen Mann zu treten, von dem alle wussten, dass er nur mit Hilfe seiner Klubfreunde vor Amtsentsetzung und Entehrung bewahrt worden war. Für ihn in seiner damaligen Stellung und mit seinen damaligen Zukunftsaussichten war es überhaupt ein wirkliches Opfer gewesen, ja fast ein Wagestück, Verbindung mit einer Familie anzuknüpfen, mit der sich der Stadtklatsch auch aus andern Gründen häufig beschäftigte und deren Ansehen keineswegs dadurch verbessert wurde, dass sich die älteste Tochter kürzlich mit einem preußischen Offizier verheiratet hatte.

Und doch war er sehr glücklich gewesen, als er an jenem Tag da draußen in der altmodischen hellroten Gartenstube saß, Anne Mariens kleine unruhige Hand in der seinen. Die Sonne schien festlich ins Zimmer hinein und sprühte Funken in den Sherrygläsern, als der Schwiegervater ihr Wohl ausbrachte.

Trotz seiner dreißig Jahre war er ziemlich unerfahren in der Liebe. In seiner Jugend, während die meisten seiner Freunde und Studiengenossen sich lustig im geselligen Leben tummelten und sich auf jedem Ball eine neue Verliebtheit antanzten, ging er ganz in seinem Studium auf, lebte ganz seiner Arbeit und seiner Zukunft. Er hatte nicht gewusst, dass der Kuss einer Frau eine solche Süße enthalten konnte. Anne Marie bezauberte ihn ganz mit ihren kleinen, unschuldigen Liebkosungen. Er ließ sich völlig gefangen nehmen von ihrer zärtlichen, zwitschernden Munterkeit.

Dass er nicht ihre erste Liebe war, ja dass Anne Marie in aller Unschuld verschiedene kleine Passionen gehabt hatte, das wusste er aus dem Stadtklatsch; aber das focht ihn damals nicht an. Was der Vergangenheit angehörte, sollte jetzt vergessen sein, und Anne Mariens Wesen hatte sich auch seit der Verlobung gar nicht so wenig verändert; sie war stiller geworden, Fremden gegenüber beherrschter. Scheinbar hatte es gefruchtet, was er sie eines Tages rücksichtsvoll hatte verstehen lassen, dass ein junges hübsches Mädchen sich dem Gerede aussetzte, wenn es sich den Leuten gegenüber zu zuvorkommend zeigte, und dass es sie seiner Ansicht nach nicht einmal kleide, wenn sie zu lebhaft und lächelnd war; sie sei gerade am allerschönsten, wenn ihr Antlitz ruhig sei; eine gewisse Zurückhaltung entstelle überhaupt weder Frauen noch Männer; sie verleihe Vornehmheit, Haltung, Anmut.

Jetzt, wenn er daran zurückdachte, verstand er nicht, dass er so hoffnungsvoll hatte sein können; und es war ihm ein neuer rechtfertigender Beweis für den Ernst seiner eigenen Liebe, dass er sich so gänzlich hatte verblenden lassen. Denn er hatte doch schnell eingesehen, welch eine – in moralischer Beziehung – unordentliche und unerzogene kleine Person sie war. Was konnte es nützen, dass sie allmählich lernte, sich in ihrem Auftreten ein wenig Zwang anzutun, wenn doch all ihr Denken darauf hinausging, Aufmerksamkeit zu erregen und sich vorteilhaft auszunehmen. Es waren noch nicht viele Tage seit ihrer Verlobung vergangen, als er schon anfing, die nervöse Unruhe zu spüren, die sie überall ergriff, wo Herren zugegen waren. Sie war auch noch immer mit ihren verschiedenen Anbetern dort in der Stadt beschäftigt. Ohne dass sie es wohl selbst ahnte, drehte sich ihre Unterhaltung, sogar ihm gegenüber, hauptsächlich um das, was ein Provisor Andersen, ein Bürovorsteher Jörgensen oder ein Kommis Jensen bei dieser und jener Gelegenheit gesagt und getan hatten, und sie verriet, wie gut sie von ihren Augen Gebrauch gemacht hatte, indem sie nicht nur über ihre Figur und die Farbe ihres Haares und ihrer Augen genau Bescheid wusste, sondern auch die Form der Hände und Füße, ja alle Einzelheiten ihrer Kleidung kannte, und das alles in ihrer ausgelassenen Weise lobte oder lächerlich machte.

Es lag indessen etwas so Treuherziges in ihrem Interesse, dass er es nie fertiggebracht hatte, mit ihr darüber zu reden. Er wollte sich auch nicht der Gefahr aussetzen, dass sie ihn für eifersüchtig hielt. Außerdem fand er eine Entschuldigung für sie in ihrer Jugend und namentlich in der schlechten Beeinflussung ihres Elternhauses. Ihre Mutter war eine leichtfertige Person, für die nur das Äußere Wert besaß; sicher war auch hauptsächlich ihre Vergnügungs- und Putzsucht schuld daran, dass sich der Mann an der Amtskasse vergriff. Schön wie sie selber war, hatte sie ihre Töchter geradezu zur Eitelkeit erzogen. Anne Marie hatte ihm erzählt, wie sie und die Schwester stets ein Gefühl gehabt hatten, als befänden sie sich im Examen, wenn sie während ihres Heranwachsens die Eltern auf einem Spaziergang durch die Stadt begleiteten. Beständig ertönten die Ermahnungen der Mutter: »Halte den Kopf ein wenig höher, Anne Marie!« oder: »Strecke den Spann, Lise! Die Ellenbogen an den Leib, alle beide!«

So hatte er denn beschlossen, noch im nämlichen Sommer Hochzeit zu halten, um sie so schnell wie möglich aus dem Einfluss des Elternhauses und der provinziellen Verhältnisse zu entfernen. Aber schon auf der Hochzeitsreise war sein Vertrauen von Neuem erschüttert worden.

Die Erzählungen der Majorin am Frühstückstisch hatten ihn gerade an eine solche Episode erinnert. Es war kaum vierzehn Tage nach der Hochzeit. Sie waren eine Woche lang allein oben in den Bergen umhergestreift, hoch oben in den Wolkenregionen, wo Anne Marie allmählich ihre jungfräuliche Scheu ganz überwunden und sich sogar ziemlich unbeherrscht ihrem starken Hingebungsbedürfnis überlassen hatte. Im Grunde war sie ohne allen Sinn für die Natur. Sie konnte höchstens ihre gröberen Effekte genießen, die meilenweiten Aussichten, die abgrundtiefen, schwindelnden Schluchten, betrachtete aber das feine Spiel des Lichtes und der Linien mit demselben Mangel an Verständnis wie ein Wilder. Wenn sie trotzdem so entzückt von der Reise gewesen war und fröhlich sogar sehr anstrengende Bergbesteigungen auszuhalten vermochte, so hatte das seinen Grund darin, dass die Natureindrücke, wie überhaupt alles, was sie erlebte, das erwachte Geschlechtsleben in ihr nährten, sich in erotische Wärme umsetzten. Der Sonnenregen über einem Gebirgssee, ein Sausen, das durch den Wald ging, das Geriesel eines verborgenen Quells, ja sogar Enttäuschungen und ein Reisemalheur wurden für sie nur der Anlass zu einem erneuten Rausch liebeserfüllter Zärtlichkeiten.

Er hatte zuweilen ein wenig bedenklich dabei werden können. In der Liebe dieser schmächtigen, kleinen Frau lag etwas von der Unerbittlichkeit einer entfesselten Naturmacht. Es war wie ein Ausbruch aus einer glühenden Tiefe, wenn sie sich unter einem Feuerregen von Küssen an ihn schmiegte. Aber er selbst war viel zu bezaubert, fühlte sich zu beglückt durch ihre Zärtlichkeit und besaß außerdem damals noch zu wenig Erfahrung, um eine solche Frau richtig zu verstehen und sie zu fürchten.

An demselben Tage, an dem sie in die menschenwimmelnde Hotelstadt hinabgekommen waren, um die Schwester zu treffen, saßen sie des Nachmittags alle drei draußen auf einer Terrasse vor dem Hotel, als ein Herr kam und Frau von Rauch begrüßte und auf ihre Aufforderung hin schließlich Platz bei ihnen nahm. Es war ein Mann vom Leutnantstyp mit einem ganz netten, aber nichtssagenden Äußern – ein österreichischer Landjunker. Anne Marie war auf einmal eine andere geworden. Sie hatte wieder das nervös unruhige und gezwungene Wesen bekommen, das er so gut kannte; und als der junge Mann sofort begann, sie mit anzüglichen Höflichkeiten zu überschütten, war sie soweit davon entfernt, ihn zurückzuweisen, dass sie sich im Gegenteil durch ihr Lächeln seiner Courmacherei gleichsam feilbot. Sie verstand so viel Deutsch, dass sie einigermaßen eine Unterhaltung in dieser Sprache zu führen vermochte; im Übrigen aber gab ihre sprachliche Unbeholfenheit dem jungen Ausländer nur Gelegenheit, sich von der liebenswürdigsten Seite zu zeigen und ihr Schmeicheleien zu sagen. So vollständig vergaß sie hierüber die Anwesenheit ihres Gatten, dass sie – die noch vor einem Augenblick heimlich seine Hand unter dem Tisch gedrückt, die vierzehn Tage lang nichts weiter empfunden hatte als ihn – nicht einmal einen Versuch machte, ihn in die Unterhaltung hineinzuziehen.

Um sie zu prüfen, erhob er sich unter dem Vorwande, dass er auf die Post gehen und nach Briefen fragen wollte. Sie blieb ruhig sitzen, nickte ihm lächelnd zu und sagte, sie wolle ihn hier erwarten. Als er nach Verlauf einer halben Stunde zurückkehrte, war der junge Mann eben gegangen. Er ließ sich nichts merken, und Anne Marie hatte anscheinend selbst nicht die geringste Empfindung davon, dass sie etwas Unrichtiges getan hatte. Keine Miene verriet, ob sie wusste, dass sie eine Missstimmung bei ihm wachgerufen hatte. Als sie später am Abend einen Spaziergang im Mondschein am See entlang machten, lehnte sie den Kopf einschmeichelnd gegen seine Schulter und war sehr zärtlich.

An jenem Abend tauchten ihm zum ersten Mal ernste Zweifel über ihre Aufrichtigkeit auf.

Er hatte seither oft daran gedacht, dass er schon damals hätte voraussehen können, wohin ihre Natur sie führen musste, und dass er sich hätte von ihr scheiden lassen sollen, ehe ein größeres Unglück geschehen war, ehe sie Kinder in die Welt gesetzt hatten. Aber sie verstand es, ihn wieder sicher zu machen. Außerdem hoffte er noch immer auf den Einfluss, den die neuen Umgebungen, in die sie jetzt als seine Frau eingeführt werden würde, auf sie haben mussten. Es zeigte sich indes, dass dieser Einfluss ganz anderer Art wurde, als er es erwartet hatte. Infolge ihrer Jugend und Schönheit erweckte Anne Marie überall berechtigtes Aufsehen, und sie nahm sofort – und mit unverhohlener Freude – die fadeste Courmacherei entgegen, ja selbst wenn sie nach seiner Ansicht nicht mehr passend war. Er konnte sich jedoch nicht entschließen, mit ihr hierüber zu reden. Bei seinem noch immer unerschütterten Glauben an die gute Natur in ihr, gelobte er sich selbst, Geduld zu üben, wie er auch seine Mutter ermahnte, ihr gegenüber nicht ungerecht zu sein.

Es war ihm übrigens auch nicht schwer geworden, ihr zu verzeihen, insofern er damals keinen Grund hatte, an ihrer Liebe zu zweifeln. Sie konnte ganz rührend sein in ihrem Glück und ihrer Dankbarkeit für ihr schönes Heim, für das er die Kosten ausschließlich getragen hatte. Kaum war er zur Tür hineingekommen, als sie ihm auch schon um den Hals fiel, und sie hatte ihn in der Regel schon unzählige Male geküsst, noch ehe er seinen Überrock abgelegt hatte. In ihrer Wonne über das Leben suchte sie jeden Tag zu einem Fest zu gestalten, auch für ihn; sie putzte sich und wandte ihre ganze weibliche Erfindungskunst an, um ihm zu gefallen.

Trotzdem fand er schließlich Gelegenheit, sie zu warnen, Fremden gegenüber zu entgegenkommend zu sein. Ganz ruhig, ohne den geringsten Unwillen, geschweige denn Eifersucht zu verraten, bat er sie, um ihrer selbst willen ein wenig vorsichtig zu sein. Er wiederholte, was er ihr schon in der Verlobungszeit gesagt hatte, dass es sie nicht einmal gut kleide, wenn sie so lebhaft sei. Trotz ihrer schönen Zähne sei sie am alleranziehendsten, wenn ihr Gesicht sich in Ruhe befände.

Sie hörte ihm ganz überzeugt zu, und die Unterhaltung endete damit, dass sie reuevoll und weinend an seiner Brust lag.

Am nächsten Abend wollten sie in eine große Gesellschaft gehen. Anne Marie sah entzückend aus mit ihrem entblößten Halse und den völlig nackten Armen, an deren Schaustellung im geselligen Leben er sich nicht ohne einige Schwierigkeit gewöhnt hatte. Kurz bevor sie fahren wollten, schlang sie diese Arme um seinen Hals, sah ihm mit einem ehrlichen Blick in die Augen und sagte:

»Heute Abend wirst du keinen Grund haben, mir irgendetwas vorzuwerfen. Das verspreche ich dir!«

Dessen ungeachtet war kaum eine Stunde vergangen, als sie bereits begann, durch ihre Lebhaftigkeit Aufsehen zu erregen. Die Herren scharten sich um sie und schmatzten vor Befriedigung. Um sie zu warnen und um zugleich den Leuten seine Sicherheit zu zeigen – er hatte nämlich gemerkt, dass man anfing, mitleidig zu ihm hinüberzusehen –, stellte er sich schließlich mitten zwischen ihre Kavaliere und nahm mit einem Lächeln teil an der Unterhaltung. Trotzdem bemühte sie sich nicht im Geringsten, sich Zwang anzutun. Selbst als er eine ernste Miene aufsetzte, um ihr ein Zeichen zu geben, tat sie, als bemerke sie es nicht. Sie war wie besessen. Sie stand gleichsam unter dem Zwang eines Naturtriebes, den sie nicht zu beherrschen vermochte.

Als sie auf dem Heimwege im Wagen saßen, wartete er darauf, dass sie reden würde. Aber sie tat, als sei nichts geschehen, erzählte von den Damen der Gesellschaft und kritisierte die Herren. Er verstand sie damals erst halb. »Ist dies Verstellung?«, dachte er. »Oder ist es Selbstbetrug? Oder gibt es bei der Frau Gefühle und Seelenzustände, die der Mann nicht begreift und für die er keinen Namen hat?«

Mit jedem Jahr war sie ihm ein größeres Mysterium geworden. Je länger sie miteinander lebten und je vertraulicher ihr Zusammenleben in gewisser Weise wurde, umso fremder ward sie ihm. Wenn er glaubte, sie endlich ganz zu kennen, konnte ein Wort von ihr, eine zufällige Bemerkung oder auch nur eine augenblickliche Nachdenklichkeit verborgene Gefühle entschleiern, fremde Seiten in ihrem Wesen, die dann wieder in Finsternis und Verborgenheit hinabtauchten. Ihr Inneres erinnerte an gewisse heiße Quellen, deren siedende Wasser in dem einen Augenblick unschuldig über der Erdoberfläche aufsprudeln und im nächsten mit prachtvollem Regenbogenglanz hoch zum Himmel emporsteigen, um dann ebenso plötzlich wieder herabzusinken und tief in der Erde zu verschwinden, sich in Abgründen zu bergen, deren Tiefe niemand zu ermessen vermag.

Er entsann sich, dass einmal, während sie bei Tische saßen, ein Brief an sie von einem ihrer jütischen Verwandten mit der Mitteilung von dem Tode eines Vetters drüben in Amerika gekommen war. Sie waren schon mehrere Jahre verheiratet gewesen, und Anne Marie hatte ganz offen von diesem Vetter erzählt, wie er in ihrer ersten Jugend im Hause ihrer Eltern verkehrt hatte und dass sie damals ein wenig verliebt ineinander gewesen seien. Er war daher sehr erstaunt, den starken Eindruck zu sehen, den die Todesnachricht auf sie machte – nicht gleich unmittelbar, sondern nach und nach. Sie wurde zuletzt ganz blass, und er bemerkte, dass sie sich zwang, zu tun, als äße sie. Als er gegen Abend unerwartet aus seinem eigenen Zimmer in die Wohnstube kam, sah er, dass sie hastig etwas unter einer Zeitung verbarg. Und als er es zu sehen verlangte, weigerte sie sich und wurde sogar sehr heftig. Dann nahm er es selbst.

Es stellte sich heraus, dass es kleine Erinnerungen an den Vetter waren, einige verwelkte Blumensträuße, ein paar Ballschleifen mit darauf verzeichneten Daten, ein Knallbonbonvers und ähnliche Sachen, die sie in einer abgeschlossenen Schublade ihrer Schatulle verwahrt hatte. Er schalt sie wegen ihrer Kinderei, hauptsächlich aber, weil sie es vor ihm hatte verbergen wollen. Und abermals wiederholte sich nun die alte Szene. Nach einem schwachen Versuch, sich zu verteidigen, hörte sie ihn reuig an, warf sich ihm schließlich weinend um den Hals – und blieb dieselbe wie bisher.

Und doch fühlte er sich damals oft noch sehr glücklich. Anne Mariens Hingebung und Zärtlichkeit war in gewissem Sinne nie größer gewesen als gerade in diesen Jahren nach der Geburt der Kinder. Obwohl er so viel älter war als sie und bereits auf dem besten Wege zu ergrauen, weihte sie noch immer seiner Person selbst etwas von einem demütigen Kultus. Er selber war in jenen Jahren vielleicht noch verliebter in sie denn je zuvor. Die Geburten der Kinder hatten sie als Frau gereift, hatten sie üppiger und ihre Haut weißer gemacht. Mit Beschämung hatte er seither daran denken müssen, zu welchen Erniedrigungen seine Leidenschaft ihn oft verleitet hatte.

Ganz und ungeteilt besaß er sie trotzdem niemals. Selbst in den Augenblicken der Hingebung war er der Beschaffenheit ihrer Gefühle nicht immer sicher. Es gab Zeiten, wo er sogar das Empfinden hatte, nur ein bloßer Lückenbüßer zu sein. Langsam wurden ihm endlich die Augen völlig geöffnet.

Eines Abends, als sie aus einer Gesellschaft kamen und er selbst müde und abgespannt war, schmiegte sie sich an ihn in einem unbegründeten Zärtlichkeitsanfall, der ihn misstrauisch machte. Indem er in Gedanken die Ereignisse des Abends Revue passieren ließ, fiel es ihm ein, dass er sie ein paarmal mit einem seiner Kollegen zusammen gesehen hatte, dem Rat Lunding, einem hübschen jüngeren Mann mit einem angenehmen Unterhaltungstalent. Sie waren ihm in der letzten Zeit häufiger im geselligen Leben begegnet und hatten ihn auch ausnahmsweise bei ihrem alljährlichen Juristendiner als Gast im eigenen Hause gesehen.

Er fand jetzt Veranlassung, ihr zu erzählen, was von dem zweifelhaften Charakter dieses Mannes gesagt wurde, der sich namentlich in seinem Verhältnis zu Frauen offenbarte. Sie wurde ein wenig ernsthaft bei seinen Worten und dankte ihm für das, was er ihr gesagt hatte.

»Ich hatte übrigens eine Ahnung davon«, sagte sie. »Er hatte eine Art und Weise, mich anzusehen, die mir nicht gefiel.«

Ein paar Wochen später geschah es, dass er während einer wichtigen Gerichtsverhandlung nicht zum Frühstück nach Hause kommen konnte. Aus dem Fenster des dem Industrieverein schräg gegenüberliegenden Restaurants, in dem er in solchen Fällen zu speisen pflegte, sah er Anne Marie jetzt drüben auf der andern Seite der Straße mit ihrer Notenrolle im Muff daherkommen. Es wunderte ihn, da es wenigstens eine halbe Stunde zu früh für ihren Gesangsunterricht war, und trotzdem schien sie Eile zu haben. Er bemerkte außerdem, dass sie ihren neuen Hut aufgesetzt hatte, obwohl das Wetter dunkel war und nach Regen aussah.

Er rief den Kellner, um zu zahlen, und folgte ihr dann eine Weile in einiger Entfernung, indem er sich in dem Menschengewimmel auf der andern Seite der Straße verbarg. In der Frederiksbergstraße sah sie nach einer Uhr in einem Ladenfenster und mäßigte darauf ihren Gang. Einen Augenblick später tauchte Lundings hohe, blonde Erscheinung vor ihr auf derselben Seite der Straße auf. Er begrüßte sie mit lächelndem Antlitz, und obwohl sie sich wieder den Anschein gegeben hatte, als ob sie eilig sei, hielt er sie dennoch an. Ein paar Minuten standen sie in eifriger Unterhaltung da, Anne Marie mit stark geröteten Wangen, jedoch immer ein paar Ellen von ihm entfernt, auf dem Sprunge, weiter zu eilen.

Im selben Augenblick stieg eine Erinnerung in ihm auf. Anne Marie hatte ihm vor einiger Zeit bei Tische erzählt, dass sie Lunding auf der Straße begegnet war, und sie hatte bei dieser Gelegenheit – mit einer Hinterlist, die ihm eigentlich erst jetzt so recht klar wurde – ihre Verwunderung darüber geäußert, dass Lunding so früh vom Gericht kommen könne. In seiner Arglosigkeit hatte er ihr denn erklärt, dass Lunding augenblicklich bei dem öffentlichen Gericht angestellt sei, das zu einer festgesetzten, frühen Stunde aufgehoben werde.

Trotz alledem beschloss er, vorläufig nichts weiter bei der Sache zu tun. Er konnte sich nicht überwinden, davon zu sprechen. Außerdem wusste er, dass Lunding gerade ein Urlaubsgesuch für eine Reise ins Ausland eingereicht hatte. Er wollte abwarten.

Eines Abends, mehrere Wochen später, saßen sie im Theater in einer Balkonloge, von wo aus sie eine freie Aussicht über das ganze, ausverkaufte Parkett hatten. Während des ersten Aktes bemerkte er, dass Anne Marie so unruhig saß und das Opernglas mehrmals auf einen der Außenplätze in dem dunklen Teil des Parketts gerichtet hatte, und als er verstohlen dahin sah, entdeckte er Lunding, der dort vornübergebeugt saß und sich mit einer Dame auf dem Platz vor ihm unterhielt, mit einer Frau Ellinger, von der später bekannt wurde, dass sie ihn auf der Reise getroffen und sich schon hier auf ein Verhältnis mit ihm eingelassen hatte.

In der Pause, während der Anne Marie sehr still war, fragte er sie, ob sie Bekannte im Publikum bemerkt habe, worauf sie auf die natürlichste Weise Nein entgegnete. Als aber der Vorhang wieder aufgegangen war – und auch während des ganzen übrigen Teils des Abends –, wandte sie oft und mit wachsender Nervosität das Opernglas dem flüsternden Paar unten im Parkett zu, das die Finsternis in dem Zuschauerraum während der Vorstellung zu einer vertraulichen Annäherung ausnutzte.

Auf dem Heimwege bemerkte er leichthin:

»Assessor Lunding war heute Abend im Theater. Du weißt, er war verreist. Hast du ihn nicht gesehen?«

Sie zögerte einen Augenblick.

»Nein, wo saß er?«, fragte sie dann, als habe sie an etwas andres gedacht.

Es war das erste Mal, dass er sie auf einer offenen Unwahrheit ertappte; aber er konnte sich noch immer nicht entschließen, etwas zu sagen. Er empfand Mitleid mit ihr. Er glaubte sehen zu können, dass sie diesmal selbst unter ihrem Mangel an Aufrichtigkeit litt, und er begriff ja auch recht gut, dass, wenn sie log, es teilweise geschah, weil sie sein Vertrauen und seine Liebe zu verlieren fürchtete, wenn sie die Wahrheit sagte.

Nicht lange darauf war es, dass die Bürgermeisterstelle hier in der Stadt durch Todesfall ledig wurde, und hierin erblickte er einen Wink von oben. Er hatte kein Vertrauen mehr, durch Überredung auf Anne Mariens Natur einwirken zu können. Auch ein Versuch mit der Religion hatte sich damals noch als ganz fruchtlos erwiesen. Sie war für sie nur eine Zerstreuung mehr geworden. Sie ging freilich regelmäßig zur Kirche und zum Altar, war aber, wenn sie nach Hause kam, mehr von dem Pfarrer als von der Predigt, mehr von der Gemeinde als von dem Gesang der geistlichen Lieder erfüllt.

Jetzt dachte er sich, dass eine Zurückverpflanzung in den heimischen Erdboden mit den verhältnismäßig unschuldigen Kindheitserinnerungen, wie auch überhaupt das ruhige, einförmige Leben einer kleinen Provinzstadt ihr behilflich sein würde, den Sinn zu sammeln und den Verirrungen ihrer Gedanken und Gefühle ein Ende zu bereiten. In der Hoffnung, die letzten, armseligen Bruchstücke ihres Liebesglücks retten zu können, hatte er dies schwere Opfer gebracht.

So völlig umsonst!

Der Bürgermeister hatte auf einer Bank Platz genommen, die unter einem Ahorn außerhalb der Kirchhofsmauer an der südlichen Einfahrt zur Stadt stand. Er saß da, die Hände auf seinem Stockknopf, den Blick schwermütig auf den Fjord und die breiten Wiesen gerichtet. Und doch sah er nichts. Seine Gedanken konnten sich nicht von der Vergangenheit losreißen. Eine bittere Erinnerung zog die andere nach sich. Auch packte ihn wieder einmal das Bedürfnis, sich so recht in sein Unglück zu vertiefen. Namentlich jedes Mal, wenn Anne Mariens Krankheit eine Wendung zum Schlechteren zu nehmen schien, war es ihm ein Bedürfnis, von Neuem seinen ehelichen Bankrott gewissermaßen aufzustellen.

Aber jetzt kreischte die Friedhofspforte neben ihm, und ein Mann in Trauerkleidung, mit gesenktem Haupte, erschien auf dem Wege. Es war der Buchhalter der Sparkasse, ein Mann in den mittleren Jahren, der vor ein paar Monaten seine Frau verloren hatte und noch jeden Tag nach beendeter Kontorzeit hier heraus an ihr Grab ging.

Er grüßte ehrerbietig mit seinem florumwundenen Zylinderhut und blieb stehen.

»Sitzen der Herr Bürgermeister da! Ja, hier ist eine schöne Aussicht.«

»Eine prächtige Aussicht, ja. Und welch ungewöhnliches Wetter heute.«

»Ja, und ein großer Tag für die Stadt, Herr Bürgermeister. Es ist auch so hübsch mit all den vielen Flaggen. Vielleicht wundern Sie sich, mich hier um diese Zeit zu treffen, während alle andern Leute auf den Beinen sind, um sich den Staat anzusehen. Aber ich habe keine Lust dazu. Für mich ist das Leben aus. Mein Heim ist in dem Grab da drinnen.«

»Ich weiß es. Sie haben einen schweren Verlust erlitten, Herr Jensen. Vielleicht gerade nicht den allergrößten, der einem Manne widerfahren kann … aber trotzdem, leicht lässt sich das nicht verwinden. Ich verstehe es so gut.«

»Es lässt sich nie verwinden, Herr Bürgermeister!«

»Ach nein, das glaube ich auch. Aber es gilt, seinen Kummer zu bezwingen, Herr Jensen. Verliert man sich in ihn, so wächst er einem leicht über den Kopf.«

»Ach, Herr Bürgermeister! Für mich ist doch alles vorbei! Meine Frau und ich waren so unsagbar glücklich. Zwanzig Jahre lebten wir Seite an Seite, und ich kann wohl sagen, dass wir uns alles gewesen sind. Kinder hat uns der liebe Gott nicht vergönnt, aber trotzdem passten wir so ungewöhnlich gut zusammen. Wir hatten dieselben Interessen, denselben Geschmack in allen Dingen, schließlich auch dieselben Gewohnheiten, kann man wohl sagen. Wenn ich jetzt nach Hause komme, so ist alles leer, Herr Bürgermeister! Da ist nur der Kanarienvogel von meiner Frau, mit dem ich sprechen kann; und wenn ich die Lampe anzünde und mich mit einem Buche hinsetze, so lese ich bloß für mich allein, und daran habe ich keine Freude.«

Die Trauer des Witwers machte einen tiefen Eindruck auf den Bürgermeister, sie ließ ihn seine eigene, hoffnungslose Armut empfinden. Aus den Augen des Buchhalters, die von den Tränen zweier Monate geschwollen und entzündet waren, rollten große Tropfen in seinen ergrauten Backenbart hinab.

»Sind Sie nicht reichlich viel allein, Herr Jensen? Sie sollten sich gewiss ein wenig zerstreuen. Haben Sie denn den Handwerkerzug heute Mittag auch nicht gesehen?«

»Ja, den habe ich gesehen. Die Sparkasse schloss ja zur Feier des Tages schon um zwölf. Ich fand einen ganz ausgezeichneten Platz in der Schmiedestraße ... oben auf Weißgerber Hansens hoher Treppe, wissen Herr Bürgermeister. Es war ein unvergleichlich festlicher Anblick. Finden Herr Bürgermeister nicht auch?«

»Ja, der Zug war hübsch ... außerordentlich hübsch.«

»Und ein großer Mann, den wir heute feiern! Ein Wohltäter der Stadt!«

»Freilich! Freilich!«

»Herr Bürgermeister sind natürlich heute Abend auch auf dem Fest!«

»Nein, ich werde nicht hingehen. Meine Frau ist krank.«

»Ja, ja, was rede ich da für ungewaschenes Zeug. Man vergisst ganz. – Wie geht es denn der Frau Bürgermeister?«

»Es ist beim Alten. Aber mit Gottes Hilfe wird es bald ganz gut sein.«

»Gott sei Dank! Das ist erfreulich zu hören. Denn wenn man selbst Witwer ist und weiß, was es heißt, das Liebste zu verlieren, so –«

»Wer führt Ihnen denn jetzt den Hausstand, Herr Jensen?«, fragte der Bürgermeister ablenkend. »Sie können doch nicht ohne alle Hilfe sein.«

»Ja, vorläufig bin ich allein, ganz allein. Wenn ich nach Hause komme, so ist da alles leer, Herr Bürgermeister. Aber einen Menschen muss man ja im Hause haben, und nun hab ich zum Mai eine Haushälterin gemietet. Mamsell Broager, die Herr Bürgermeister vielleicht kennen.«

»Ja, freilich, ist das nicht die, die einmal Mamsell auf Krogstrup war?«

»Ja.«

»Und die seither hier in der Stadt auf Kochen ausgegangen ist?«

»Ja, die ist es. Herr Bürgermeister haben doch nichts Unvorteilhaftes über sie gehört?«

»Nein, im Gegenteil. Ihre Kochkunst ist ja sogar berühmt. Da haben Sie sicher einen guten Griff getan.«

»Das glaube ich im Grunde auch. Ich habe freilich gehört, dass es mit ihrer Gesundheit nicht weit her sein soll, und das hat mich allerdings ein wenig stutzig gemacht. Aber sie sieht doch frisch und gesund aus.«

»Ja, soweit ich mich ihrer erinnere, ist sie sogar ein ungewöhnlich großes und kräftiges Frauenzimmer.«

»Das ist sie. Sehr ansehnlich von Gestalt.«

Der Bürgermeister stutzte ein wenig über den Ton. Er betrachtete ihn genauer. Ja, ganz recht! Auf dem Grunde der vom Weinen geschwollenen, noch tränenfeuchten Augen fing er einen kleinen lüsternen Schimmer auf.

»Wie lange ist es eigentlich jetzt her, dass Ihre Frau starb, Herr Jensen?«

»Freitag werden es gerade zwei Monate. Zwei lange, schreckliche Monate.«

»Sie sollen sehen, die Zeit wird Ihnen schon besser vergehen, wenn Sie erst Mamsell Broager im Hause haben. Solange wir selbst leben, übt das Leben seine Macht auf uns aus.«

»Wieso meinen Herr Bürgermeister?«

»Ach, ich meine nur, Sie dürfen nicht so verzagt sein. Das Leben ist mildtätig. Vielleicht ist Ihnen noch viel Freude vorbehalten.«

Der Witwer sah ihn immer noch verständnislos und doch ein wenig scheu an.

Aber der Bürgermeister schwieg. Sein Armutsgefühl war plötzlich wie weggeblasen. Er begriff jetzt, dass der Mann mitten in seiner aufrichtigen Trauer um die Frau schon in Gedanken die Vorzüge der andern geprüft und genossen hatte. Ehe ein Jahr verstrichen war, würden die beiden Hochzeit feiern, und der kleine Mann würde der glücklichste Bräutigam unter der Sonne sein.

Der Buchhalter lüftete abermals seinen florumhüllten Hut und verabschiedete sich ehrerbietig.

Der Bürgermeister sah ihm verächtlich nach. Bald darauf erhob er sich und ging nach Hause.

Als der Bürgermeister nach Hause kam, war es fast dunkel geworden. Anne Marie empfing ihn mit Vorwürfen, weil er gegangen war, ohne ihr Lebewohl zu sagen. Sie schien überhaupt ziemlich erregt. Sie sagte auch selbst, dass sie sehr angegriffen sei. Obwohl sie, nachdem der Pfarrer dagewesen, wieder eine Stunde geschlafen hatte, fühlte sie sich unruhig, kraftlos und unsagbar müde.

Die Majorin saß im Korbstuhl neben dem Bett. Der Bürgermeister stand an der andern Seite und hörte schweigend ihre Klagen an. Eine graue Dämmerung erfüllte das Zimmer. Nur auf dem Fußboden vor dem Ofen leuchtete das eben angezündete Holzfeuer.

Mamsell Mogensen kam herein und meldete, dass angerichtet sei.

Als die Majorin und der Bürgermeister bei Tische saßen, begann die erstere sofort und mit großer Heftigkeit über den Zustand der Schwester zu sprechen. Sie sagte, Anne Mariens Niedergeschlagenheit und ihr Mangel an Widerstandsfähigkeit seien sicherlich nicht ausschließlich die Folge ihrer körperlichen Leiden, und sie fragte schließlich – und zwar ziemlich herausfordernd –, ob nicht zum Beispiel die Sehnsucht nach der Tochter einen ungünstigen Einfluss auf den Verlauf dieser Krankheit haben könne.

Der Bürgermeister umging die Antwort mit ein paar allgemeinen Redensarten. Worauf er anfing, sich bei der Schwägerin nach den sozialen und politischen Verhältnissen in Deutschland zu erkundigen und sie zu fragen, ob sie sich noch immer zufrieden in ihrem neuen Vaterland fühle.

Hierauf antwortete die Majorin, dass die großen Staaten jedenfalls den kleinen gegenüber den Vorzug hätten, dass man einander dort nicht absolut nach den gangbaren Mustern zuschneiden wolle, sondern seinen Mitmenschen das Recht zugestände, sich ihrer eigenen Natur gemäß zu entfalten.

»Und dies Vorrecht haben Sie wirklich als einen Vorzug empfunden.«

»Ja, unbedingt.«

»Ich muss sagen, das erstaunt mich ein wenig.«

»Weshalb?«, fragte die Majorin und errötete leicht.

»Ach – aber vielleicht habe ich Sie missverstanden. Welche Verhältnisse haben Sie dabei namentlich im Auge gehabt?«

»Alle Verhältnisse. Aber sicher ist namentlich die Ehe so ein Prokrustesbett, in dem viele von den besten Frauen der kleinen Staaten verbluten.«

Das brünette Gesicht des Bürgermeisters war förmlich länger geworden. Es hatte sich etwas Starres über seine Züge gelegt. Er fing an zu verstehen, was dahintersteckte.

»Es ist mir ja nicht unbekannt«, sagte er, ihr noch einmal von dem Braten anbietend, »wie man in dem modernen Europa die Ehe und ihre Pflichten auffasst. Ich muss jedoch gestehen, dass eine solche Befreiung von allen Banden, wie man sie dort anstrebt, nicht meine Sympathie hat. Und ich glaubte offen gestanden, liebe Schwägerin –, dass sie auch nicht die Ihre haben könne.«

»Ich ziehe sie dessen ungeachtet jener ehelichen Treue vor, die sich wie ein Strick um den Hals ihres Opfers legt.«

»Außerdem«, fuhr der Bürgermeister fort, als wenn er die letzte Äußerung nicht gehört hätte, »verstehe ich nicht, warum Sie nur die Frauen als Opfer des ehelichen Zwanges nennen. Hätten Sie die Männer mitgenommen, würde ich Sie besser verstanden haben. Die Ehe ist weit davon entfernt, eine ideale Einrichtung zu sein; das will ich Ihnen gern einräumen. In meiner doppelten Eigenschaft als Polizeibeamter und Richter habe ich nur zu oft Gelegenheit, das bestätigt zu sehen. Die Natur hat ja leider die Frau und den Mann so verschieden geschaffen, dass viel Kultur –, oder wenn Sie mir das Wort gestatten wollen – viel Selbstverleugnung auf beiden Seiten dazu gehört, um ein Zusammenleben völlig befriedigend zu gestalten.«

»Ach, wenn es weiter nichts wäre! Gerade in der Verschiedenheit besteht ja die Anziehungskraft. Es ist unser instinktives Bedürfnis, uns zu ergänzen, das in unserer Leidenschaft zum Ausdruck gelangt. Und je größer der Reibungswiderstand ist, umso mehr Wärme!«

In diesem Augenblick kam Mamsell Mogensen mit dem Nachtisch aus dem Anrichtezimmer, und der Bürgermeister suchte die Unterhaltung in eine andere Bahn zu lenken. Aber die Majorin hielt krampfhaft an dem Thema fest und zwang ihn, sich zu äußern.

So sagte er denn, dass er für die Leidenschaft, die sie erwähnt habe, große Ehrfurcht hege. Ohne im Übrigen auf irgendeine Weise ihre Begeisterung für den natürlichen Menschen zu teilen, wolle er einräumen, dass namentlich die erotische Passion eine große und heilige

Macht sei, der gegenüber man nur zu resignieren habe. Aber nach seinen Erfahrungen sei es weit seltener dies erhabene Gefühl, das die ehelichen Miseren hervorrufe, als die vielen kleinen Treulosigkeiten des Leichtsinns, die fortwährenden kleinen Betrügereien der Eitelkeit und der Gefallsucht. Und man müsste wohl sagen, dass namentlich die Frauen in dieser Beziehung die meisten Angriffspunkte böten.

Die Majorin lachte unbeherrscht.

Besitzen die Männer nicht etwa auch ihre Eitelkeiten? Machten sich nicht selbst die besten unter ihnen oft lächerlich und verächtlich in ihrer Jagd nach Auszeichnungen und Einfluss? Und fragten sie ihre Frauen oder Bräute um Erlaubnis? Es sei doch im Allgemeinen nur der sehr geringe Bruchteil eines Mannes, der für die Frau, die ihn liebte, übrig blieb. Wenn er nichtsdestoweniger verlange, sie ganz und ungeteilt zu besitzen und sie bis in ihre zufälligsten Gedanken, bis in ihre flüchtigsten Träumereien zu beherrschen, so sei dies eine Anmaßung, eine empörende Barbarei, genau so roh und unmenschlich wie die Frauenzwinger und die Keuschheitsgürtel des Mittelalters.

Die einzige Entschuldigung für solche Männer sei, dass sie in ihrer Lauheit keine Ahnung hätten von dem Born an Liebe, den eine Frau besitzen könne – der weit größer sei, als dass ihn der Mann selbst und eine große Schar von Kindern aufzunehmen imstande seien. Sie würde ganz einfach ersticken oder platzen, wenn sie nicht jedenfalls auf dem Wege der Fantasie von ihrem Überfluss verschenkte.

Der Bürgermeister antwortete mit einem leeren Lächeln, das seine ganze große, wohlbewahrte Reihe von Zähnen entblößte.

»Die Auffassung von Ihrem Geschlecht, die Sie hier entwickeln, scheint mir auf gefährliche Weise ins Absurde hinaus zu führen. Nach dieser Anschauung müsste ja die Dirne die ideale Frau sein. Was sie im Übrigen wirklich auf dem besten Wege zu werden ist, wenigstens in der Literatur.«

Die Majorin warf ihre Serviette auf den Tisch.

»Ach, diese Pfarrermoral hierzulande – wie gut ich sie kenne!«

Der Bürgermeister sah schnell zu ihr hinüber und schwieg.

»Gesegnete Mahlzeit!«, sagte er kurz darauf und erhob sich mit einer sehr kärglich zugemessenen Verbeugung.

Die Majorin blieb sitzen.

Sie bereute ihre Herausforderung nicht. Nicht nur war sie fest davon überzeugt, dass die Schwester sich nichts Ernstes vorzuwerfen habe, sie fühlte sich auch ganz sicher, dass Anne Mariens Entkräftigung nicht – wie der Doktor gemeint hatte – ihren Grund ausschließlich in den Nieren hatte, die ja immer schwach gewesen waren, sondern dass sie das unglückliche Opfer der Rachsucht eines wahnsinnig eifersüchtigen Mannes war.

Mamsell Mogensen hatte sich gleich entfernt, nachdem sie den Nachtisch angeboten hatte. Sie fühlte sich gekränkt, weil der Bürgermeister und die Majorin aufgrund ihrer Anwesenheit angefangen hatten, deutsch zu sprechen.

Draußen in der Küche machte sie sich dem Mädchen gegenüber Luft.

»Sie saßen da und zankten sich geradezu. Sie, die Deutsche, warf sich auf ganz ordinäre Weise in den Stuhl zurück, und der Bürgermeister sah in seinem Gesicht aus, als wenn er ein Herzleiden hätte, ganz aschgrau. Ich konnte sehen, wie seine Hände förmlich zitterten, als er von der Omelette nahm. Ich hab ihn nicht so aufgeregt gesehen seit damals, als Ingrid sich die Äpfel von dem Kämmerer seinem großen Jungen gebettelt hatt'.«

Der Bürgermeister hatte sich in sein eigenes Zimmer begeben, das ganz für sich am Ende der Diele lag. Dort brannte eine Lampe auf dem Schreibtisch zwischen den Fenstern; aber der größte Teil des Zimmers lag im Halbdunkeln. Es war ein großer, länglicher, solide ausgestatteter Raum, der die Verbindung zwischen der Familienwohnung und den Bürolokalitäten bildete.

Er ging auf dem weichen Teppich, der den Laut seiner Schritte dämpfte, im Zimmer auf und nieder. Sein Schatten glitt hin und her über die Bücherborde und den hohen weißen Kachelofen an der inneren Längswand.

Anne Marie hatte also die Schwester zu ihrer Vertrauten gemacht und sich über ihn beklagt. Natürlich, das hätte er voraussehen können. So wenig verstand sie sich selbst noch immer. Und was hatte sie denn erzählt? Und wie viel hatte sie verschwiegen?

Eine alte Uhr in der Ecke schlug sieben. Er blieb vor dem Schreibtisch stehen, wo Verhörsakten, notarielle Eingaben, Nachlassberechnungen und unbeantwortete amtliche Schreiben sich in letzter Zeit derartig aufgehäuft hatten, dass er sich darüber schämte.

Es gab fast nichts, das ihn mehr demütigte und peinigte, als dieses, dass er, der einstmals pünktlich bis zur Kleinlichkeit gewesen war, nachlässig, ja unzuverlässig geworden war. Er konnte sich fast nicht mehr zu seiner Arbeit sammeln. Sobald er allein war, gingen die Gedanken ihre eigenen Wege. Er hatte sogar die Beschämung erlitten, dass zwei von seinen Urteilen aus dem letzten Jahr von den übergeordneten Gerichten verworfen worden waren.

Über die Stadt hin schallte der schläfrige Stundenschlag der Kirchenuhr.

Er blieb in Gedanken stehen, die Hand auf der Stuhllehne, den Blick auf die Lampenkuppel gerichtet. Er erinnerte sich eines Abends vor zwei und einem halben Jahr, als Anne Marie hier an seinem Tisch gesessen und ihm geholfen hatte, das Urteil in dem großen Brandstiftungsprozess zu schreiben. Er selbst war im Zimmer auf und nieder gegangen und hatte diktiert.

Es war ungefähr zwei Jahre, nachdem sie hier in die Stadt gekommen waren. Er erinnerte sich, dass Anne Marie noch Trauer nach des kleinen Kay Tode getragen hatte.

Die große Hoffnung, mit der er hierher gekommen war, schien damals noch in Erfüllung gehen zu sollen. Und die Krankheit und der Tod des Knaben hatten ja dazu beigetragen, sie wieder zusammenzuführen. Die gemeinsame Sorge, der gemeinsame Kummer, die gemeinsame Hoffnung auf ein Wiedersehen hatten sie eine Zeit lang sehr innig miteinander verknüpft, und das Bewusstsein, wie teuer erkauft die Versöhnung diesmal gewesen war, umgab die Wiedervereinigung für sie beide mit einem Gepräge der Heiligkeit.

Im Grunde hatte er sich wohl niemals glücklicher gefühlt als diese ersten Jahre in der kleinen, toten Stadt, in der er sich außerhalb seines eigenen Heims wie in einem fremden Lande befand, dessen Sprache er nur so eben verstand. Anne Marie hatte gleichsam eine Läuterungsprobe durchgemacht. Die Trauer hatte ihr einen so schönen Ausdruck verliehen. Sie sagte es auch selbst, dass sie erst jetzt, wo sie den Ernst des Lebens kennengelernt hatte, seinen Wert so recht verstehe. Auch trug die Trauerkleidung noch dazu bei, ihrer dunkelblonden Erscheinung einen neuen und feinen Liebreiz zu verleihen.

Sie waren damals immer zusammen, gingen täglich zusammen nach dem Friedhof hinaus, hielten sich aller Geselligkeit fern und lebten ganz füreinander. Ihren Haushalt hatte Anne Marie ja immer musterhaft geführt. In diesen Jahren ging sie völlig auf in ihren Pflichten als Gattin und Mutter.

Des Abends, wenn Ingrid zu Bett gebracht war, pflegte sie sich mit ihrer Handarbeit hierher zu ihm zu setzen, weil die Einsamkeit im Wohnzimmer sie bedrückte. Ihre Anwesenheit störte ihn auch nicht; im Gegenteil, es erhöhte ihm nur die Gemütlichkeit, wenn sie dort auf dem Sofa saß, und er arbeitete nie leichter, als wenn er das Geräusch des einförmigen Prickelns ihrer Nadel hörte; oder wenn sie im Zimmer kramte, um seine Bücher zu ordnen oder nach dem Ofen zu sehen.

Einmal, als er seine rechte Hand verletzt hatte, erbot sie sich sofort, sein Sekretär zu sein. In jenen Tagen vernachlässigte sie sogar ihren Haushalt, um sich ihm ganz widmen zu können. Er hatte gerade das Material zu dem weitläufigen Brandstiftungsprozess gesammelt und war voll Ungeduld, die Sache zu erledigen und das Urteil zu schreiben. Sie mussten schließlich die Nacht mit zur Hilfe nehmen, um fertig zu werden, und in seinem Eifer dachte er nicht daran, dass er Anne Marie überanstrengen könne. Sie selbst sagte nichts; aber plötzlich fiel ihr die Feder aus der Hand und sie wurde ohnmächtig. Hinterher war sie ganz untröstlich, barg sich beschämt an seiner Brust und stammelte Entschuldigungen.

Er war auch während alles dessen so vertrauensvoll geworden, dass er nicht einmal mehr an die Möglichkeit eines Betruges glaubte. Am allerwenigsten dachte er an eine Gefahr in dem Verhältnis zu Doktor Bjerring. Anne Marie hatte oft von ihrem Unbehagen in Bezug auf seine Person gesprochen und war seinerzeit trotz seiner anerkannten Tüchtigkeit unzufrieden damit gewesen, ihn als Hausarzt zu bekommen. Erst an jenem Tage, als er bei seiner Heimkehr aus dem Gericht den Doktor dort auf einer Visite vorfand und sah, dass ganz gegen die Gewohnheit Konfekt und Wein aufgetragen war, fing er an, Unrat zu ahnen.

Es hatte dann auch nicht lange gewährt, bis er Anne Mariens Interesse an dem kleinen, verwachsenen Mann und seinem Schicksal konstatierte. Er bemerkte, wie oft sie nicht von ihm, sondern von seinen Patienten sprach, von Leuten, die er mit Erfolg kuriert hatte und von dem, was man in der Stadt Gutes und Böses über ihn zu erzählen wusste. Er machte ein paarmal die Beobachtung, dass sie in Sinnen verfiel, wenn sie seinen Namen hörte; und wenn sich draußen auf der Straße ein Wagen näherte, konnte er, hinter seiner Zeitung verborgen, in dem gespannten Gesichtsausdruck, mit dem sie sich dem Fenster zuwandte, lesen, dass sie daran dachte, ob er es wohl sei, der in seinem Doktorwagen vorübergefahren kam.

Nach der Erkrankung des kleinen Kay war Doktor Bjerring zum ersten Mal in ihr Haus gekommen. Er kam zu jener Zeit täglich, traf Anne Marie häufig allein, und hier – über dem Totenbett des Kindes – war der Keim zu diesem neuen Verrat gelegt worden.

Wahrscheinlich war sie sich aber doch erst später ihrer Gefühle bewusst geworden. Aber als das Trauerjahr um war und sie wieder anfingen, an der Geselligkeit des Städtchens teilzunehmen, war es jedenfalls nicht schwer für ihn gewesen, zu verfolgen, wie sich das Verhältnis ganz in Übereinstimmung mit den früheren entwickelte, wie sie seinen fadesten Schmeicheleien gegenüber widerstandslos wurde, von seinem törichten Gerede entzückt war und sich in der Fantasie ihren Schwärmereien immer zügelloser hingab. Gleichzeitig verbarg sie sich vor ihm und vor sich selbst wieder in einem Wust von kleinen Verschleierungen und Wahrheitsentstellungen, bis sie schließlich wirklich keinen Unterschied von Recht oder Unrecht mehr wusste.

Wie schon so oft, war er auch diesmal mit dem Gedanken umgegangen, sich von ihr scheiden zu lassen, aber er gab es auf, nicht des Skandals halber – was die Leute von ihm dachten, war ihm bis jetzt ziemlich gleichgültig –, aber aus Rücksicht auf Ingrid, die er ihr nach dem Gesetz nicht würde nehmen können und die in ihren Händen dem Untergang geweiht sein würde. Was würde ihm eine Scheidung außerdem auch wohl nützen? Sein Leben war doch rettungslos zerstört. Zukunft wie Vergangenheit waren ihm vergiftet. Jede gute Erinnerung war besudelt. Selbst vor der Erinnerung an seine Mutter musste er sich schämen. Nur eins konnte die Schuld sühnen und den Schmerz mildern, ja vielleicht schließlich Vergessen bringen – der Tod.

Der Bürgermeister hatte sich endlich auf seinen Schreibtischstuhl gesetzt und die Abendpost zur Hand genommen, die ein Bote zur Bürotür hereingesteckt hatte. Zwischen verschiedenen dienstlichen Schreiben in großen blauen und gelben Umschlägen griff er gleich nach einem kleinen Brief mit kindlicher Aufschrift. Er war von der Tochter. Sie schrieb:

»Lieber Vater!

Ich bedanke mich vielmals, dass ich Sonnabend nach Hause kommen darf, weil Tante Lise da ist. Nun wollte ich dich gern fragen, ob ich nicht schon Freitag kommen darf. Wir haben nur Rechnen, Geografie und Handarbeit, das macht nicht so viel aus. Fräulein Andersen hat es mir erlaubt, wenn du es nur auch willst. Grüße die süße Mutti tausend Mal. Ich freue mich schrecklich.

Deine liebe

Ingrid.«

Der Bürgermeister atmete missbilligend durch die Nase. Er bereute, dass er ihr überhaupt erlaubt hatte, nach Hause zu kommen. Die Bekanntschaft mit dieser Tante war offenbar ganz überflüssig. Von einer weiteren Pflichtversäumnis konnte auf keinen Fall die Rede sein.

Er hatte eben den Briefbogen hingelegt, um ihr sofort zu antworten, als Mamsell Mogensen hereingestürzt kam, leichenblass im Gesicht. Die alte Anstandsperson war so erschüttert, dass sie sogar vergessen hatte, anzuklopfen.

Sie bat ihn augenblicklich zu kommen. Die Frau Bürgermeister sei plötzlich sehr krank geworden. Sie liege wohl im Sterben.

Der Bürgermeister erschrak im ersten Augenblick selbst ernsthaft. Aber auf dem Wege zum Schlafzimmer fiel ihm ein, dass Anne Marie sie vor einiger Zeit des Abends alle auf ähnliche Weise erschreckt hatte, und zwar ohne anderen nachweisbaren Grund, als dass man den Doktor holen lassen sollte. Sie hatte wohl gewusst, dass Dr. Bjerring mit einer gewissen Frau Grabe, die bei Zollverwalters zu Besuch war und für die er sich, nach dem, was die Leute erzählten, lebhaft interessieren sollte, in einer Gesellschaft zusammen war. Diese Dame war, so viel er wusste, noch hier in der Stadt und nahm wahrscheinlich zu dieser Stunde ebenso wie Dr. Bjerring teil an dem Fest bei Jörgen Ovesen; und er vermutete, dass der Gedanke hieran Anne Marie wieder beunruhigt hatte.

Als er aber ins Schlafzimmer kam, sah er sogleich, dass hier wirkliche Not herrschte.

Anne Marie lag mit offenen, blinden Augen da und röchelte – erstarrt in einem Erstickungskrampf. Die Schwester stand über sie gebeugt und hielt ihre zitternden Arme. Das ganze Bett bebte.

»Ist zum Doktor geschickt?«, fragte er Mamsell Mogensen, die ganz verwirrt mit gefalteten Händen mitten im Zimmer stand.

»Ja, Jens Kristian ist hingelaufen.«

»Mamsell! Geben Sie mir das Eau-de-Cologne-Flakon da!«, kommandierte die Majorin. »Und einen Löffel!«

Sie ließ die Schwester mit der einen Hand los und badete ihre Schläfen und löste den Halsbund des Nachtkleides. Ein leiser, heiserer Schrei drang durch die zusammengeschnürte Kehle, und es erfolgte ein Erbrechen.

Bald darauf war der Anfall überstanden.

Schlaff und schweißbedeckt, mit geschlossenen Augen, sank Anne Marie ins Bett zurück. Es gingen noch einige Zuckungen durch ihren Körper, und sie atmete beschwerlich. Als sie die Stimme ihres Mannes hörte, machte sie einen Versuch, ihm die Hand hinzustrecken, aber sie vermochte es nicht; die Hand fiel tot auf die Bettdecke nieder, und gleich darauf versank sie in einen tiefen Schlummer.

Der Bürgermeister war so angegriffen, dass er sich an dem Fußende des Bettes festhalten musste. Er ahnte, dass dies der Tod war.

»Wie ist es nur gekommen?«, fragte er.

Die Majorin erzählte, Anne Marie habe während der letzten Stunde über heftige Kopfschmerzen und Beklemmungen in der Brust geklagt. Dann habe sie plötzlich einen Schüttelfrost bekommen und angefangen, sich zu erbrechen. Währenddessen sei dann der Krampf eingetreten.

Der Bürgermeister wandte sich mit der Uhr in der Hand nach Mamsell Mogensen um.

»Ob Jens Kristian weiß, dass der Doktor bei Jörgen Ovesen ist?«

»Ja, Frau Bürgermeister sagte es selbst, als sie fühlte, dass sie krank wurde.«

Danach fragte der Bürgermeister nicht weiter, und es vergingen wohl zehn Minuten, ohne dass überhaupt gesprochen wurde. Von der sonst so stillen Straße her drangen viele Fußtritte herauf. Es waren Leute, die hinaus wollten, um die Illumination an dem anderen Ende der Stadt zu sehen.

Da fing Anne Marie von Neuem an zu stöhnen. Die Augenlider hoben sich. Ein neuer Anfall war im Ausbruch.

»Kommt denn der Doktor noch nicht bald?«, rief die Majorin verzweifelt aus.

Der Bürgermeister zog mit zitternder Hand noch einmal die Uhr hervor.

»Ich begreife es auch nicht. Ich meine, er müsste schon hier sein können.«

»Vielleicht ist der Knecht doch fehlgegangen. Lassen Sie doch das Mädchen hinlaufen.«

Der Bürgermeister sagte, er wollte lieber selbst zu einem alten, pensionierten Kreisarzt gehen, der im Hause nebenan wohne, und ihn bitten zu kommen. Falls er zu Hause sei, könne er im Laufe von wenigen Minuten hier sein.

Er hatte jedoch kaum das Wohnzimmer verlassen, als es schellte. Er ging deswegen in sein eigenes Zimmer, um dort zu warten, bis das Mädchen geöffnet hatte.

Er hörte, wie Doktor Bjerring seinen Überrock ablegte und durch das Esszimmer hineinging.

Es verstrichen abermals zehn Minuten. Er war ein paarmal an der Tür, konnte sich aber nicht überwinden, nach dem Krankenzimmer zurückzukehren, solange dieser Mann da drinnen war und die Untersuchung währte. Er war außerdem auch körperlich so angegriffen, dass er sich einer Ohnmacht nahe fühlte. Jeden Augenblick setzte der Herzschlag aus, und er musste zu seinen Naphthatropfen greifen, um sich aufrecht zu halten.

Da vernahm er Fußtritte und es wurde an die Tür, die nach der Diele zu führte, gepocht.

»Herein!«

Es war Mamsell Mogensen.

»Der Herr Doktor möchte gern ein Wort mit dem Herrn Bürgermeister reden.«

»Bitte schön!«

Doktor Bjerring war in Gesellschaftskleidung und hatte in der Eile vergessen, eine Blume aus dem Knopfloch zu entfernen. Er sagte nichts weiter als: »Ja« und machte mit tiefem Bedauern eine Bewegung mit beiden Händen.

»Sie glauben nicht, dass noch Hoffnung ist?«, fragte der Bürgermeister.

»Leider nein, ich glaube es nicht.«

»Aber doch … vielleicht?«

»Nein, ich darf es Ihnen nicht verhehlen, Herr Bürgermeister, dass Ihre Frau Gemahlin kaum noch einige Stunden leben wird. Aber ich habe Sie ja darauf vorbereitet und Ihnen wiederholt gesagt, dass Sie die Krankheit Ihrer Frau Gemahlin wohl reichlich zuversichtlich beurteilten.«

»Ich weiß es. Sie haben sich keine Vorwürfe zu machen. Ich verstehe nur nicht … so plötzlich, wie es gekommen ist.«

»Es ist eine Blutvergiftung, die ich lange gefürchtet habe und die nun eingetreten ist. Sie kann in unglaublich kurzer Zeit tödlich wirken. Und die Frau Bürgermeister war ja außerdem schon von vornherein sehr entkräftet.«

»Und Sie meinen nicht, dass irgendetwas geschehen kann – nur zur Linderung?«

»Frau Bürgermeister hat ein beruhigendes Pulver erhalten, und im Übrigen habe ich angeordnet, dass ein warmes Bad bereit gehalten wird für den Fall, dass sich der Krampf wiederholen sollte, was ich übrigens nicht glaube. Etwas anderes ist leider nicht zu machen.«

Der Bürgermeister stellte keine weiteren Fragen. Er konnte merken, dass der Doktor voller Ungeduld war, zum Fest zurückzukehren, und für den Augenblick mit seinen Gedanken mehr bei der schönen Frau Grabe als bei seiner Patientin weilte. Und ein tiefes Mitleid mit Anne Marie erfüllte ihn, die um dieses Menschen willen das Glück ihrer Häuslichkeit und den eigenen Frieden geopfert hatte und nun einsam starb wie jemand, dessen Leben zum Fluch geworden war.

»Ich will Sie nicht länger aufhalten«, sagte er höflich. »Sie sind ja in Gesellschaft.«

»Ach, das macht nichts. Falls meine Anwesenheit nur irgendwelchen Zweck haben könnte, so –«

»Nein, nein. Nach dem, was Sie mir jetzt gesagt haben, verstehe ich, dass dies nicht der Fall ist.«

»Ich werde doch heute Abend noch einmal einsehen. Ich denke gegen elf Uhr.«

»Ja, da Sie doch hier vorüber müssen, so … Ich meine, auf dem Heimwege von dem Fest.«

»Ja, freilich.«

Als der Doktor gegangen war, kehrte der Bürgermeister in das Krankenzimmer zurück. Schon in der Wohnstube drang ihm ein scharfer Moschusgeruch entgegen.

Anne Marie lag im Halbschlummer, erwachte aber, sobald sie seine Nähe ahnte. Sie schlug die Augen auf und starrte ihn mit wilder Angst in dem starren Blick an. Sie konnte schon nicht mehr sprechen. Auch das Gehör war fast verschwunden. Das letzte Wort, das sie gesagt hatte, war während des Besuchs des Doktors der Schwester mit Aufbietung aller Kraft ins Ohr geflüstert worden. Das Wort lautete: »Ingrid«.

Die Majorin erhob sich sofort, um ihn mit Anne Marie allein zu lassen. Auf eine eigene scheue Weise ging sie in einem Bogen um ihn herum, der Tür zu.

Sie begab sich in ihr eigenes Zimmer, das neben der Essstube lag. Der Mond schien auf den Fußboden da drinnen, und sie zündete kein Licht an. Sie war in so heftiger Erregung, dass es ihr nicht möglich war, sich ruhig zu verhalten. Bald setzte sie sich auf das Sofa, bald ging sie im Zimmer auf und nieder, und schließlich warf sie sich ganz unbeherrscht über eine Stuhllehne und presste das Taschentuch gegen ihren Mund, damit niemand ihr Schluchzen hören sollte.

»Mörder! Mörder!«, schrie es unablässig in ihr.

Sie entsann sich nicht mehr, wann der Verdacht zum ersten Mal in ihr aufgetaucht war! Aber als sie bei Tische das leere, leichenartige Lächeln sah, mit dem der Schwager ihre Bemerkung über die Krähwinkelmoral beantwortet hatte, wusste sie, dass er absichtlich Anne Maries Leben zerstört hatte, um sich für eingebildete Kränkungen zu rächen. Mit Wissen und Willen hatte er sie getötet. Mit der hinterlistigen Grausamkeit eines Wahnsinnigen hatte er Tag für Tag seine Rachsucht gesättigt, indem er sie unter seiner Kälte und Verachtung leiden und sich quälen sah. Und er hatte gewusst, dass es der Tod für sie werden würde. Es war ein Schleichmord, der hier begangen worden war. Er hatte *gewusst*, dass Anne Marie nicht ohne Liebe leben konnte.

Sie erhob sich und zündete endlich Licht an. Sie wollte fort von hier. Und zwar noch diese Nacht. Sie hatte nicht den Mut, unter demselben Dach mit diesem Menschen zu sein, nachdem Anne Marie ihre Augen geschlossen hatte. Um sich nicht zu einer blutigen Vergeltung hinreißen zu lassen, wollte sie fort, sobald der Tod eingetreten war. Mit dem ersten Zug wollte sie nach der Stadt fahren, wo Ingrid in Pension war, um dem armen Kinde den letzten Gruß der Mutter zu bringen.

Der Bürgermeister saß auf dem Stuhl neben dem Bett; er hatte nicht gesprochen, und Anne Marie würde auch nicht mehr imstande gewesen sein, etwas durch das Gehör aufzufassen. Nur vom Gesicht war ihr noch etwas geblieben. Das war unablässig auf ihn gerichtet; aber die Augen hatten keinen Ausdruck mehr, der Blick konnte nicht mehr für sie flehen, und der bleischwere Finger des Todes drückte beständig die Lider wieder zu.

Ihre Hand – ihre früher stets so unruhige kleine Hand – lag jetzt leblos auf der Bettdecke. Die Linke, die ihm zunächst ausgestreckt war, hatte sie aufwärts gewandt; sie lag da wie eine stumme Bitte um Barmherzigkeit.

Aber der Bürgermeister war gar nicht aufmerksam geworden auf dies stumme Lebenszeichen.

Dahingegen hatte er Doktor Bjerrings Rosen erblickt, die noch am Kopfende des Bettes auf dem Tische standen. Ebenso fesselte die kleine silberne Schale mit Konfekt seinen Blick; er entsann sich, wie Anne Marie sie sich einmal angeschafft, als sie erfahren hatte, dass der Doktor Wert auf dergleichen Leckereien legte, die deswegen seither niemals im Hause fehlten.

Stunden gingen dahin. Bei ihrem schwindenden Lebenslicht spähte Anne Marie noch immer vergebens nach einem kleinen Schimmer ehemaliger Liebe oder auch bloß nach Verzeihung in seinem Gesicht. Zuletzt hatte er freilich ihre Hand genommen, und wie er so unbeweglich vornübergebeugt und fahl dasaß, glich er fast selbst einem Sterbenden.

Draußen auf der Straße war es wieder lebendig geworden; die Leute kehrten von der Illumination zurück. Sie sprachen begeistert von Leuchtkugeln und Raketen und bunten Lampen.

Anne Maries Atem war fast unhörbar geworden. Die Augenlider hoben sich nicht mehr. Der Mund stand ein wenig offen.

Als die Majorin und der Doktor um Mitternacht ins Zimmer kamen, war sie tot.

Das große Gespenst

Man hat sich an einem schönen Sommerabend auf einem Spaziergang oben auf einem Hügelabhang zur Ruhe niedergelassen und hört von hier aus eine Kirche in der Ferne die Vesperglocke läuten. Die Stille in der Natur, die heimkehrenden Viehherden, die goldene Fata Morgana des Himmels und dieses eben hörbare Glockengeläut, das hin und wieder einmal ganz wegbleibt, ruft eine eigenartige Schwermut, ein schwärmerisches Einsamkeitsgefühl wach, in dem sich eine unbestimmte Empfindung von Schuld regt. Es will einem schließlich scheinen, als habe man sich wirklich etwas Ernsthaftes vorzuwerfen. Man fängt allen Ernstes an, sein Gewissen zu erforschen, irgendeiner verborgenen oder vergessenen oder übersehenen Schuld nachzuspüren. Alle kleinen Übertretungen des Tages, jedes unbedachte Wort, das einem entschlüpft ist, jedes kleine Versäumnis oder Unrecht schwillt hier in der Dämmerungseinsamkeit fantastisch an und macht das Herz beklommen und unruhig. Aber dann wird die Aufmerksamkeit durch eine Schwalbe abgelenkt, die vorüberfliegt. Die Gedanken kommen zur Ruhe, und man sitzt eine Weile da und ergötzt sich an den kühnen Achten, die der kleine Vogel während seines nervösen Fluges in der Luft beschreibt. Aber sobald er außer Sicht ist, versinkt man unwillkürlich wieder in die gedrückte Stimmung, und allerlei unheimliche Schuldempfindungen steigen aus der Tiefe der Seele auf.

Bis sich wieder etwas zeigt, was die Sinne weckt und das Nachdenken aus dem Alpdruck der Stimmung befreit. Diesmal ist es ein kleiner Hirtenbube, der irgendwo in der Nähe mit Zurufen eine Herde Kühe über die Felder hintreibt. Und abermals sitzt man da und lächelt vor sich hin – mit einem schwermütigen, einem bitteren Lächeln. Eine Unruhe, ein düsteres Ohnmachtsgefühl ist im Gemüt zurückgeblieben. Man ertappt sich dabei, dass man mit Neid den kleinen barfüßigen Jungen verfolgt, der da so sorglos einhergeht und mit seiner Peitsche knallt – und doch ist man vielleicht selber noch vor kaum einer halben Stunde, eine Melodie vor sich hinsummend, munter des Weges gegangen und hat die Blumen am Grabenrande mit dem Stock abgemäht.

Und die Sonnenröte da draußen erblasst, und die Nacht kommt herangeschlichen. Einer nach dem andern tauchen die Sterne auf gleich himmlischen Spähern. Grau und öde liegt die Erde und dampft schwach in der Abendkälte. Man selber beginnt zu frieren, kann sich aber doch nicht überwinden, aufzustehen und nach Hause zu gehen. Man ist in der Gewalt seiner Stimmung. Man steht unter dem Bann der Ohnmacht. Der Abendstern, der an dem grünbleichen Himmel zittert, scheint so vertraulich da oben von der Ewigkeit her zu winken. »Kommet her zu mir, alle, die ihr mühselig und beladen seid!«, scheint er zu trösten. »Hier oben ist Ruhe und Friede!«

Während die Dunkelheit steigt, sitzt man widerstandslos da mit einem Gefühl unheilbarer Melancholie und lässt sich von dem Tode beschwatzen.

Wer weiß? Vielleicht geht man wirklich nach Hause und erhängt sich.

Es liegt hier unter dem bleichen Himmel des Nordens ein Basilisk und lauert auf die schwachen Augenblicke unseres Nachdenkens. Just wenn wir in unseren glücklichsten Träumen sitzen, schleicht sich das Ungeheuer über uns und lähmt uns mit seinem giftigen Stachel. Zuerst spüren wir vielleicht nur ein kleines kaltes Erschauern in der Seele, eine augenblickliche Schwere in den Gedanken. Aber bald legt sich die Finsternis um uns, und ehe wir es wissen, werden wir in den Schattenarmen des Todes gewiegt.

In einer einsam gelegenen Häuslerstelle draußen an der Grenze des Kirchspiels wohnten der alte Sören Konsted und sein Weib.

Sören war ein gottesfürchtiger Mann, eine stille, nach innen gekehrte Natur; unter Fremden konnte er einen etwas verzagten Eindruck machen, dafür behauptete er aber zu Hause seine hausväterliche Autorität mit alttestamentarischer Strenge. Mariane, seine Frau, war eine einfältige Seele, unterdrückt und abgestumpft durch ein Leben in Sklaverei. Beide waren sie Geschöpfe von Zwergenart, zusammengesunken und mit großen Gesichtern, in denen von dem ein wenig leeren Frieden zu lesen stand, der über so alte Menschen kommt, wenn der Kampf ums Dasein ausgestritten ist und das Leben ihnen keine Schwierigkeiten mehr zu überwinden bietet.

An einem Samstagabend im September war Sören, seiner Gewohnheit gemäß, früh zur Ruhe gegangen. Er hatte schon ein paar Stunden auf dem inneren Platz in dem breiten Bett gelegen und, das Gesicht der

Wand zugekehrt, geschlafen, als die Uhr zehn wurde und die Bornholmer Uhr in der Ecke mit einem rostigen Schnarren zum Schlagen ansetzte, wie ein alter Mensch, der sich räuspern muss, ehe er sprechen kann. Mariane ging zu dieser Zeit noch, halbentkleidet, umher und pusselte in der Stube und der anstoßenden kleinen Küche mit einem Lichtstumpf in einem Profit herum. Sie hatte ihn gerade auf den Esstisch zwischen den Fenstern hingestellt und war damit beschäftigt, ihren großen, fast kahlen Hinterkopf mit einem Tuch zu umwickeln, dessen Enden sie mit ein paar Nadeln über dem Scheitel befestigte.

Dies nächtliche Pusseln war eine alte Gewohnheit von ihr, aus der Zeit, als die Kinder noch zu Hause waren und sie gewöhnlich die halbe Nacht aufsitzen musste, um ihre Kleider auszubessern. Da war damals so viel, was geflickt und gestopft werden musste, und Sören duldete keine Nachlässigkeit. Jetzt waren alle Kinder fort, waren ihrer Wege in die Welt hinausgezogen. Nur die jüngste Tochter, Grete, war im Kirchspiel geblieben und diente auf dem Pfarrhof. Von den andern war der eine Korporal in Randers, die zweite Meierin in Heining, der dritte arbeitete als Zimmergesell in Viborg, und auf allen diesen fremden und fernen Stätten bewegte sich die alte Frau in ihrer einfältigen Fantasie, wenn sie so umherging und in der Einsamkeit pusselte.

Endlich hatte sie sich für die Nacht zurecht gemacht, netzte ein Paar Fingerspitzen und löschte das Licht aus. Bei dem blauweißen Schein des Mondes, der zwei leuchtende Fenstervierecke auf den dunklen Lehmfußboden zeichnete, setzte sie sich auf den Bettrand, zog die Strumpfschäfte halb über die adergeschwollenen Beine nieder, band ein altes, wollenes Tuch um den Magen und kroch in das Bett hinauf. Unter vielem Stöhnen gelang es ihr, die steifen Glieder unter dem Federbett zurecht zu legen, dann faltete sie die runzeligen Hände über der Brust und betete ihr Abendgebet:

»Nun sag ich dir Dank, lieber Gott, für Gesundheit und Wohlfahrt. Befrei uns von Sünden und bewahr uns vor Versuchungen, Amen! Regier du mein Herz und befrei meine Hände von dem Bösen. Um deines lieben Sohnes Jesu Christi willen. Amen! Dasselbe sag ich für dich, Per; für dich, Sophie; für dich, Hans Jörgen und für dich, kleine Grete. Gott im Himmel, nimm uns all' in deinen gnädigen Schutz.«

Mitten während dieser halblaut gemurmelten Anrufung war ein dunkler Körper vom Fußende des Bettes auf die Erde gesprungen. Es war die Katze, die oben auf dem Federbett gelegen und sich gewärmt hatte und nun das Bedürfnis empfand, sich zu strecken. Mit gekrümmtem Rücken und erhobenem Schwanz stand sie da unten in dem einen Lichtviereck und sprühte Funken aus ihren grünen Augen, wie eine dämonische Offenbarung. Schließlich fing sie an zu miauen.

Mariane beschwichtigte sie – Sören hatte im Schlafe ein ungeduldiges Grunzen von sich gegeben. Aber die Katze hungerte nach Mäusen. Der Mondschein da draußen lockte und erregte ihren Bluthunger. Sie setzte sich neben die Tür und blieb dort sitzen, den Schwanz standhaft um die Pfoten gekringelt, und jammerte kläglich.

Da half kein Drohen. Mariane musste aus dem Bett heraus und sie hinauslassen.

Während alles dessen war wieder eine Stunde vergangen. Die Bornholmer Uhr in der Ecke fing wieder an zu stöhnen wie ein alter Mann und hustete elf müde Schläge heraus. Draußen war es ganz still. Die Landstraße lag weit ab, und es rührte sich kein Wind.

Mariane hatte sich wieder unter dem Federbett zurechtgelegt, und jetzt, wo sie ärgerlich geworden war und ihre Gedanken sich mit der Katze beschäftigen konnten, fand sie bald Ruhe. Ihren eingebündelten Kopf sicher gegen den Rücken des Mannes gelehnt, als wenn er dort seinen natürlichen Ruheplatz hätte, schlief sie bald darauf ein zu ihren grauen und armseligen Träumen.

Zur selben Zeit ging ein junges Liebespaar engverschlungen den Feldweg an einem mit Buschwerk bestandenen Graben entlang: ein hübscher, gut gewachsener Bursche mit einem Rest von Haltung aus der Soldatenzeit her und ein redseliges kleines Mädchen, das auf eine eigene, tapfere Weise ihre Beine unnatürlich lang machte, um Schritt mit ihm halten zu können.

Es waren Grete, Sören Konsteds jüngstes Kind, das auf dem Pfarrhof diente, und ein Knecht dort aus dem Dorf – Niels Haid hieß er.

Grete hatte ihr Kopftuch abgenommen. Sie schwenkte es während des Gehens in der Hand und guckte ihrem Bräutigam verliebt in das Gesicht hinauf, wobei sie ununterbrochen schwatzte und lachte. Sie hatten sich ganz kürzlich verlobt, und aus gewissen Gründen mussten sie ihre Verbindung vorläufig noch geheim halten, und jetzt hatten sie sich drei Tage nicht gesehen, daher war da ja so viel zu erzählen und so viel aufgesparte Zärtlichkeit, die Luft haben musste.

Zu beiden Seiten erstreckten sich große Stoppelfelder, über denen das weiße Mondlicht wie ein Reif lag. Auf dem Wege, wo sie gingen, herrschte dahingegen Schatten von den Dornbüschen am Grabenrande; hier konnten sie gehen, ohne gesehen zu werden, falls draußen auf der Landstraße jemand kommen sollte. Im Notfalle konnten sie sich auch in den Büschen verstecken. Und es galt, vorsichtig zu sein. Sie wussten, wie strenge die Pfarrersleute das nächtliche Schwärmen verurteilten.

Niels Haid war einer der schönsten Burschen im Kirchspiel, und Grete hatte ihn lange im Geheimen geliebt. Sie war krank vor Kummer geworden, wenn sie von ihm hörte, dass er bald mit dem einen, bald mit dem andern von den Mädchen, die sich nicht schämten, sich anzubieten, gut Freund geworden sei. Obwohl sie wusste, dass es eine Vermessenheit war, und sie selber auch nicht geglaubt hatte, dass es etwas nützen könne, hatte sie es in ihrer Herzensnot nicht lassen können, den lieben Gott zu bitten, dass er ihr seinen Sinn zuwenden möge. Als dann Niels vom Dienen nach Hause kam, war das Unglaubliche geschehen. Ganz von selber waren seine munteren Augen an den andern vorüber und zu ihr hin geglitten. Eines Tages, als sie sich vor der Tür des Kaufmanns begegneten, hatte er ihr seine Meinung gesagt.

Niels erklärte die Sache so, dass er nun vernünftig geworden sei und nicht mehr nach dem Äußern gehe. Die schönsten Mädchen würden in der Regel die schlechtesten Frauen – sagte er ganz offenherzig; und Grete war gar nicht böse geworden. Sie hatte ihr Leben lang so viel über ihr fuchsrotes Haar und ihre Sommersprossen hören müssen, dass sie nahe daran war, sich für ein reines Ungeheuer zu halten. Ihr einziger Vorzug, das wusste sie, war, dass sie ein ordentliches Mädchen war und ein Mensch, der arbeiten konnte.

Eine Schönheit war sie nun auch wirklich nicht, und ein wenig stiefmütterlich hatten die Natur und das Schicksal sie im Ganzen behandelt. Sie hatte den einfältigen und demütigen Sinn der Mutter geerbt und hatte bisher mehr von der Trübsal des Lebens als von seiner Freude kennengelernt. Daher vermochte sie auch noch nicht, ihrem Glück und ihrer Dankbarkeit einen ganz natürlichen Ausdruck zu verleihen, sondern war leicht ein wenig ausgelassen und albern in ihrem Benehmen Niels gegenüber.

Dass sie ihre Verlobung nicht gleich veröffentlicht hatten, war eine Folge ihres ausdrücklichen Wunsches. Sie war vorläufig viel zu glücklich, um an den Triumph des Neides zu denken, der ihrer unter den anderen Mädchen der Gegend harrte, auf der anderen Seite aber hatte sie der Gedanke beunruhigt, was ihre Eltern und namentlich, was die Pfarrersleute wohl dazu sagen würden. Niels erfreute sich ja nicht des besten Rufes von früher her. Sie hatte es deswegen für das Richtigste gehalten, dass er sich erst einige Male bei den Mittwochszusammenkünften im Pfarrhause blicken lassen sollte, damit man sehen könne, dass es ihm ernst sei mit seiner Besserung. Übrigens hatten sie gerade heute Abend beschlossen, dass sie jetzt Ringe kaufen wollten.

Plötzlich zuckte sie zusammen und blieb stehen. Es war ihr, als hätte sie Schritte ganz in der Nähe gehört.

»Es kommt jemand«, sagte sie und duckte sich.

Niels sah sich um.

»Da ist niemand.«

»Herrjemine, was wurd' ich bange«, sagte sie.

Sie gingen nun weiter, aber Grete war nachdenklich geworden.

»Es ist sonderbar ... denn ich hab ganz deutlich ein Paar Holzschuhe gehört«, sagte sie nach einem längeren Schweigen. Und ein wenig später, als Niels schon eine ganze Weile von anderen Dingen geredet hatte, fügte sie hinzu: »Hast du gehört, was die Leute sagen, dass Jesper spukt?«

»Wer sagt das?«

»Hans Madsens Trine. Sie soll ihn Sonnabend Nacht in seinem Leichenhemd quer über Per Ousen seine Koppel haben gehen sehen.«

»Ach was, Unsinn! Du glaubst doch nich' so was?«

»Nein, nein – das weiß ich ja doch.«

»Siehst du, das is man bloß, weil Jesper ein so unglückliches Ende genommen hat. Denn müssen die alten Weiber immer gleich Geschichten machen.«

Der, von dem sie sprachen, war der Schmied des Dorfes, der kürzlich gestorben war, und über den sich vorher allerlei Gerede in der Gegend verbreitet hatte. Er war mit einer liederlichen und versoffenen Person verheiratet gewesen, und da er selbst ein ordentlicher und strebsamer Mann war, so hatten sie in beständigem Unfrieden gelebt. Dann war die Frau gestorben, und von dem Tage an war er schwermütig geworden und hatte schließlich selbst zu trinken angefangen. Die Leute meinten, er habe Gewissensbisse gehabt, weil er seine Frau zuweilen reichlich hart angefahren und ihr wohl auch hin und wieder eine Ohrfeige verabreicht habe. Eines Morgens fanden sie dann die Schmiede geschlossen. Er hatte sich drüben im Holzschuppen erhängt.

Ein paar Stunden waren sie nun hier im Schatten am Grabenrande entlang auf und nieder gegangen. Wohl zum zwanzigsten Mal erreichten sie das Ende des Weges, dort wo er in die Landstraße mündete; aber jetzt blieb Grete stehen. Der Mond stand schon am westlichen Himmel, sie wagte nicht, länger draußen zu bleiben. Hier mussten sie sich trennen.

»Nu muss ich nach Hause, Niels«, sagte sie verzagt.

»Hat es solche Hast?«, fragte er.

»Ja, ich muss nu gehen.«

»Na ja, – wenn es denn sein muss.«

Aber es war schwer, von ihm zu lassen. Sie hatte beide Arme um seinen Hals geschlungen, und er presste sie fest an sich.

»Ach, süßer Niels«, sagte sie.

»Du sollst es bald gut bei mir haben.«

Endlich gelang es ihnen denn, sich das letzte Gute Nacht zu sagen. Niels blieb auf dem Wege stehen, während Grete über die Landstraße dahineilte und weiter an dem Graben entlang, drüben auf der andern Seite, um auf einem Umwege ungesehen nach dem Pfarrhof zurückzugelangen. Ein einziges Mal wagte sie sich auf das Feld in das Mondlicht hinaus, um ihm mit ihrem Kopftuch zuzuwinken, und Niels schwenkte als Antwort seinen Holzschuh, den er gerade ausgezogen hatte, um etwas Erde herauszuschütteln.

Erst als sie ganz verschwunden war, kam er auf die Landstraße hinaus und ging nun nach Hause, nach dem Hof, wo er diente. Grete hörte seine festen Soldatenschritte sich auf dem harten Wege entfernen. Sie war stehen geblieben, um sie bis zuletzt verfolgen zu können, und das Herz im Leibe sang ihr vor Dankbarkeit und Freude.

Aber das Unglück war in dieser Nacht auf den Beinen.

Der Pfarrhof lag in einer Talsenkung am linken Ende des Dorfes. Es war eine von diesen alten herrenhofartigen Amtswohnungen, die jetzt im Begriff sind zu verschwinden, ein Wirtschaftshof mit weitläufigen

Stallungen und Scheunen, mit Schafhürden und Schweinekoben, mit Schuppen und Wagenremise, das Ganze umsäumt von einem Park von mehreren Tonnen Landes.

Es gehörte noch immer ein gutes Stück Ackerland zu der Pfarre, aber der jetzige Inhaber hatte die Wirtschaft an zwei von den Bauern im Dorfe verpachtet. Die großen Wirtschaftsgebäude standen entweder ganz leer oder wurden von den Pächtern als Speicher benutzt. Der Pfarrer und seine Frau waren ein altes Ehepaar, alle Kinder waren von Hause, so waren denn keine andern Dienstboten auf dem Hofe als Grete und ein alter Mann, der den Garten besorgte, Holz hackte und dergleichen mehr.

Gretes Kammer lag für sich hinter der Küche. Das Fenster ging nach dem Küchengarten oder »Kohlgarten«, wie er genannt wurde, und auf diesem Wege war sie in letzter Zeit häufig am Abend hinausgeschlichen, um ihren Bräutigam zu treffen. Sie hatte schwere Anfechtungen aus dem Grunde gehabt. Sie hielt große Stücke auf die Pfarrersleute, von denen sie nur Gutes erfahren hatte, und immer hatte sie sich auch selbst gelobt, dass es das letzte Mal sein sollte. Jetzt fürchtete sie obendrein, dass die Pfarrersfrau angefangen habe, Unrat zu ahnen. Neulich, als sie vergessen hatte, Salz an die Grütze zu tun, hatte ihre Herrin gesagt: »Ich glaube, du hast Heiratsgedanken, Grete.« Die Worte hatten sie so erschreckt, dass ihr schwarz vor den Augen geworden war.

An diesem Abend war sie seit halb zehn Uhr von Hause fort gewesen. Zu der Zeit war sie, mit einem Licht in der Hand, in ihre Kammer gekommen, und da hatte sie Niels' leises, flötendes Gezwitscher da draußen vom Gartenzaun her gehört – das verabredete Signal, auf das sie ängstlich und doch mit einer saugenden Sehnsucht jeden Abend wartete.

Sie war gerade mit ihrer Abendarbeit fertig geworden und war auch drinnen im Zimmer gewesen und hatte Gute Nacht gesagt – es war ihr daher ganz unmöglich, der Versuchung zu widerstehen. Zum Zeichen, dass sie ihn gehört hatte und kommen wolle, löschte sie schnell das Licht aus; und wenige Minuten später kroch sie durch das Fenster. Damit niemand sie zusammen sehen sollte, suchten sie jeder seinen Weg nach der Feldgrenze hinaus, wo sie ihr Stelldichein hatten, und hier vergaß sie allmählich ihre Anfechtungen, und zwar so gänzlich, dass sie von den Pfarrersleuten und dem Pfarrhof schwatzen konnte, ohne dass deswegen auch nur eine Wolke ihren Glückshimmel verdunkelt hätte.

Aber jetzt, wo sie allein war, gewann das Gewissen wieder Macht über sie. Im selben Augenblick, als das letzte Geräusch von Niels' Schritten auf der Landstraße verhallte, wurden ihr die Beine so schwer. Sie ging langsam über einen Brachacker, der an den Pfarrgarten stieß und sich an dem Zaun entlang schlängelte an der Seite, die am entferntesten von dem Schlafzimmer der Pfarrersleute lag.

Als sie die langen, mondweißen Mauern zwischen den Bäumen hindurchschimmern sah, stand sie still, um zu lauschen. Aber da drinnen war alles ruhig, alle Lichter waren ausgelöscht. Man hörte keinen anderen Laut als ein leises Klappern der Schnur an der Flaggenstange auf dem Blumenrasen vor der Gartenstube.

Sobald sie wieder Luft schöpfen konnte, kroch sie über den Zaun. Ja, sie wurde so kühn, dass sie auf Socken ganz in den Garten hineinschlich an eine Stelle, wo ein Baum mit Sommeräpfeln stand. Lange stand sie und betrachtete die großen, gelben Früchte. Eigentlich durfte sie sie gar nicht anrühren. Trotzdem suchte sie den größten und reifsten aus, den sie erreichen konnte, und steckte ihn in ihre Tasche. Der war für Niels. Für sich selbst nahm sie einen von denen, die im Grase lagen. Sie merkte jetzt, dass sie hungrig geworden war, und sie fing gleich an zu essen.

Im Schutz der Mondschatten, die sich auf den Rasenflächen rundeten, ging sie langsam denselben Weg zurück, den sie gekommen war, schlich durch den Küchengarten und ging an ihr Fenster, das sie angelehnt hatte stehen lassen.

Ein Ruck durchfuhr sie. Sie war kurz davor, einen lauten Angstschrei auszustoßen. Das Fenster war geschlossen und der Haken von innen befestigt.

Die Angst befiel sie wie ein Krampf. Sie stand einen Augenblick ganz starr, die Ellenbogen gegen den Körper gepresst, und starrte mit runden Augen vor sich hin. Und doch hatte sie längst vorausgesehen, dass es so kommen würde.

Sie war im Grunde gar nicht überrascht. Sie hatte sich nur nie so recht die Folgen einer Entdeckung klargemacht, weil sie in der letzten

Zeit überhaupt eine Scheu gehabt hatte, alle ihre Gedanken ganz zu Ende zu denken.

Als sie nach Verlauf von ein paar Minuten wieder zu sich kam, ging sie mit schleichenden Schritten weiter – erst an dem geschlossenen Hoftor vorüber und dann an dem Stallgebäude entlang. Ihr war eingefallen, dass ihre Herrschaft vielleicht obendrein noch aufsaß und auf ihre Heimkehr wartete. Und das traf zu. Von einer zwischen den Wirtschaftsgebäuden gelegenen Pforte aus, von der sie den Hofplatz übersehen konnte, sah sie, dass noch Licht im Wohnzimmer war.

Sie hatte sich in ihrer Angst an eine unsinnige Hoffnung angeklammert, vielleicht hatte der alte Jens Madsen – der Knecht –, der ausgewesen war und bei der Heimkehr zufällig das offene Fenster sah, ihr nur einen Streich spielen wollen. Aber die zwei Fenster, die ihr mit einem blutroten Schein von den Gardinen entgegenleuchteten, gaben ihr Gewissheit. Der Pfarrer wie auch seine Frau gingen sonst regelmäßig Schlag zehn zu Bett. Und die Uhr musste über zwölf sein.

In ihrer Verzweiflung floh sie auf das Feld hinaus und fing an, in einem Kreis rund herum zu gehen, bis sie laut stöhnte. Ach Gott! Was sollte sie tun? Was sollte sie nur einmal tun? – Zu Niels konnte sie nicht gehen und ihn um Rat fragen, da er die Kammer mit einem anderen Knecht teilte. Und nach Hause zu den Eltern wagte sie erst recht nicht zu kommen. Was würde der Vater sagen?

Sie sah ihn vor sich, so wie er sie empfangen hatte, als sie vor einem Jahr von der Pfarrersfrau gedungen war. Auf seine sonderbare Weise hatte er ihr die Hand auf die Schulter gelegt und gesagt: »Gott hat dir eine große Wohltat erwiesen, Grete. Mache dich dessen nun auch verdient!« Sie entsann sich, dass diese Worte sie ein wenig gekränkt hatten. Sie fand, sie hatte keine Ermahnung nötig gehabt. Aber sie hatte einen zu guten Glauben von sich selbst gehabt, und das strafte sich. Nun war das Unglück da.

Aber wie hatte sie sich auch nur so schändlich vergehen können. Sie begriff es gar nicht mehr. Die Pfarrersleute waren doch immer so über alle Maßen gut gegen sie gewesen. Noch neulich hatten sie ihr ohne jegliche Veranlassung eigengemachtes Zeug zu einem Kleid geschenkt. Nie hatte sie ein böses Wort von ihnen gehört. So zum Beispiel neulich, als sie das Unglück gehabt hatte, den Henkel von der Mundtasse des Pfarrers abzuschlagen. Die Pfarrerin war ja freilich sehr böse geworden und hatte gehörig gescholten, aber der Pfarrer selbst hatte auch nicht ein böses Wort gesagt, hatte sie nur so tief betrübt angesehen mit seinen herzensguten Augen. Konnte man sich wohl bessere Menschen denken? – Und so hatte sie ihnen nun alle ihre Wohltaten gelohnt!

Sie hatte sich in ihrer Verwirrung immer weiter vom Pfarrhof entfernt. Ohne es zu wissen, hielt sie noch immer den halb verzehrten Apfel in der Hand. Als sie ihn entdeckte, warf sie ihn schluchzend von sich. Eine Diebin war sie auch!

Sie setzte sich schließlich auf einen Erdwall nieder und hielt sich die Schürze vor die Augen. Sie kam sich wie der schuldbeladenste Mensch in der Welt vor.

Was sollte sie nun machen? Nach dem Pfarrhof zurückkehren wollte sie nicht. Was konnte das auch nützen? Sie würden sie natürlich auf der Stelle fortjagen. Wie oft hatte sie die Pfarrersfrau nicht sagen hören, wenn von einem Mädchen die Rede war, das des Nachts auslief, so eine Person würde sie auch nicht einen Augenblick in ihrem Hause dulden. Mit Schande würde sie aus ihrer Stellung weggejagt werden. Schon morgen würden die Leute herumgehen und über sie reden. Die Frauen im Dorfe würden ordentlich zu reden haben, würden sich allerlei Gewerbe beieinander machen, um etwas zu erfahren. Ohne und die lange Jörgine und die andern Mädchen, die sie um ihren Dienst beneidet hatten, die konnten jetzt lachen. Sie konnte sie deutlich sehen, wie sie vor den Haustüren standen und die Köpfe zusammensteckten und so recht aus Herzensgrund lachten.

Aber das alles konnte noch angehen. Weit schlimmer war es mit ihren Eltern und Geschwistern. Wenn sie an die dachte, ward ihr Inneres zu einer einzigen Wunde. Sie war namentlich bange vor dem Vater, der so ehrliebend war, und der so stolz auf seine Kinder gewesen war, um des Erfolges willen, den sie alle gehabt hatten. Nun war es aus mit dem Staat!

Und am allerschlimmsten war es fast, dass morgen gerade Sonntag sein musste. Wenn der Pfarrer aus der Filialkirche heimkehrte, pflegte er ihr immer einen Gruß von den Eltern zu bringen, die dort den Gottesdienst besuchten. Wie würde dieser Gruß diesmal lauten? ... Sie konnte sich deutlich vorstellen, was an diesem Vormittag geschehen würde, wenn der letzte Gesang gesungen war und der Pfarrer sich –

seiner Gewohnheit gemäß – draußen in der Vorhalle aufstellte, um allen Kirchenbesuchern die Hand zu reichen, wenn sie fortgingen. Zu allerletzt würden auch ihre Eltern kommen, der Vater mit dem großen Gesangbuch unterm Arm und hinter ihm die Mutter in ihrem grünen eigengemachten Kleide und dem Fransenschal. Und der Pfarrer sieht sie betrübt an und sagt: »Liebe Freunde! Es tut mir herzlich leid, euch sagen zu müssen, dass eure Tochter des Vertrauens nicht würdig gewesen ist, das wir ihr erzeigt haben. Wir können sie daher nicht länger in unserm Haus behalten.« – Auch die Gesichter der Eltern sieht sie deutlich. Der Vater hat seine dicken Brauen in die Höhe gezogen; um seinen Mund bebt es, und er sagt nicht ein einziges Wort. Und hinter ihm steht die Mutter gesenkten Hauptes, niedergedrückt von Kummer und Scham. –

Sie sprang auf und ging laut weinend noch weiter fort. Aufs Geratewohl lief sie über die Felder hin. Sie wünschte, dass sie tot wäre. Nie wieder konnte sie eine glückliche Stunde haben. Und was würde Niels sagen? Auch über ihn würde es hergehen. Und dann würde er sie vielleicht verstoßen, und er war ja in seinem guten Recht dazu. Denn sie hatte ja noch weit grässlichere Sünden auf ihrem Gewissen. –

Sie war plötzlich wieder stehen geblieben, von einer noch schrecklicheren Angst gepackt. Es war ihr eingefallen, wie sie Niels heimlich an sich gelockt hatte, indem sie zu Gott um seine Liebe flehte. Aber war es nicht so, dass, wer sich mit einer vermessenen Bitte an Gott wandte, sich dem Teufel verschrieb? Ja! Sie wusste, dass sie einmal davon gehört oder gelesen hatte.

Und nun war die Strafe gekommen! Nun bekam der Teufel seinen Lohn!

Mehrere Stunden trieb sich das arme Mädchen auf den Feldern umher und wagte nicht heimzukehren. Zweimal war sie sogar in der Nähe des Pfarrhofes, um zu sehen, ob noch Licht im Wohnzimmer war. Das erste Mal floh sie sofort beim Anblick der beiden roterleuchteten Fenster, und zwar, obwohl es ihr in Wirklichkeit ein kleiner Trost und eine Beruhigung war zu wissen, dass man sie noch erwartete. Das zweite Mal – eine Stunde später – war es überall dunkel und da war es ihr, als sei sie damit für immer aus der Gemeinschaft der Menschen ausgeschlossen. Diese lange Reihe dunkler Fenster, dieser große, schweigende, mondweiße Hofplatz wirkten auf sie wie ein Gottesurteil.

Sie stand einen Augenblick da und starrte um sich. Ohne es selbst zu wissen, nahm sie Abschied von dem allen. Dann ging sie still von dannen.

Sie ging weiter und weiter, bis sie vor Ermattung auf einem umgekippten Pflug irgendwo draußen auf einem entlegenen Felde niedersank. Der Mond war im Begriff unterzugehen. Blutrot und aufgedunsen hing er über dem dampfenden öden Moor draußen im Westen. Die Finsternis würde bald kommen. Der Himmel war schon voll von Sternen.

Müde und schwerfällig, halb träumend saß sie da, den Kopf zwischen den Händen, und starrte auf das flache Land hinaus. Da draußen im Nebel wohnten ihre Eltern.

Sie konnte gerade den dunklen Dachfirst von dem Heim ihrer Kindheit über dem Dampf entdecken. Auch die alte Pappelweide konnte sie sehen, und sie musste daran denken, dass dahinter das Loch mit dem schwarzen Moorwasser lag, vor dem sie als Kind so bange gewesen war. Erst jetzt verstand sie diese sonderbare Angst. Sie war eine Vorahnung davon gewesen, wie es ihr ergehen würde.

Ganz still saß sie da und beschloss zu sterben. Was blieb ihr auch wohl weiter übrig? Von Gott und Menschen verstoßen, konnte sie nicht leben. – Aber auch um der Eltern und der Geschwister willen würde es am besten sein, wenn sie sich aus der Welt schaffte. Dann würden die Leute nicht hässlich gegen sie sein und sich nicht über die Schande freuen, die ihnen widerfahren war, sondern sie würden ihnen Teilnahme erweisen und tröstende Worte sagen. Und Niels, der würde sie wohl bald vergessen. Er hatte einen so leichten Sinn, und da waren ja mehr als genug, die ihn haben wollten. Welches Glück würde ihnen auch wohl beschieden sein? Es hätte ja nie etwas anderes als Unglück aus einer so sündigen Liebe kommen können.

Wenn sie nur nicht diese Angst vor dem Wasser gehabt hätte! Aber das Ganze würde ja nur die Sache eines Augenblicks sein. Sie hatte gehört, man brauche nur langsam bis 35 zu zählen. Dann stieg das Blut einem vor die Augen, und dann war es vorbei. Denn es gab keine Hölle – das hatte der Pfarrer selbst gesagt. Es war nur ein ewiges Auslöschen für die Verdammten. Und gerade das war es, was sie sich jetzt einzig und allein wünschte.

Sie hatte die Augen nicht von dem dunklen Dachfirst da draußen im Moornebel gewandt. Aber der Blick war halbwegs erloschen. Sie fühlte sich schon wie jemand, der dieser Welt nicht mehr angehört. Die Ewigkeit hatte für sie schon begonnen. Sogar rein körperlich hatte sie ein Gefühl, nicht mehr zu existieren.

Aber indem sie nun suchte, sich zum letzten Abschied von dem Heim und von den Eltern zu sammeln, kam sie nach und nach wieder zu sich. Unzählige halbvergessene Dinge aus den glücklichen Tagen der Kindheit wurden in diesen Augenblicken wieder so eigentümlich lebendig in ihr und gaben sie dem Leben zurück. Sie sah sich selbst als kleines Kind auf der steinernen Türschwelle sitzen und mit ihren vielen Schneckenhäusern spielen. Sie dachte an ihren ersten Schultag, auf den sie sich so sehr gefreut hatte, der aber zu einer so großen Enttäuschung für sie geworden war, weil die großen Jungen sie ihres roten Haares wegen »Fuchs« genannt und sie gefragt hatten, ob sie nicht bange sei, dass es aufbrennen könne. Sie erinnerte sich, dass sie weinend nach Hause gekommen war; aber die Mutter hatte sie mit einem Süßmilchkuchen getröstet. – Dann dachte sie an damals, als sie fieberkrank daniederlag, und alle Menschen glaubten, dass sie sterben müsse. Aber der Vater hatten jeden Abend an ihrem Bett gebetet, so dass sie sich erholte.

So wechselte ein Bild nach dem andern vor ihren Augen. Die Erinnerungen schlugen eine Engelswacht um ihre wildschweifenden Gedanken. Und plötzlich legte sie den Kopf in ihre Hände nieder und fing wieder an zu weinen. Sie wollte doch so ungern sterben.

Da zuckte sie heftig zusammen. Es war ihr, als habe sie Schritte hinter sich gehört. Sie erhob den Kopf, wagte aber nicht, sich umzusehen. Es waren dieselben gespensterhaften Holzschuhschritte, die sie schon einmal in dieser Nacht vernommen zu haben glaubte. »Der Schmied«, stöhnte es in ihr.

Sie sprang auf und lief fort.

Draußen in der kleinen Häuslerstube der Eltern hatten die leuchtenden Fensterabzeichnungen des Mondes sich vom Fußboden an die Wand hinauf begeben und von dort weiter hin bis nach den Fenstern selbst. Der allerletzte, matte Schimmer erstarb gerade oben auf dem Fensterbrett. Hinten im Bett schliefen die beiden Alten mit Keuchen und Schnauben.

Gegen drei Uhr erwachte Mariane; es war ihr, als hätte sie jemand wimmern hören. Sie legte sich auf den Rücken herum und lag so eine Weile und lauschte. Als sie dann aber eine Schmeißfliege an dem einen Fenster summen hörte, meinte sie, dass es dieser Laut sei, den sie im Traum vernommen und für Weinen gehalten habe. So wandte sie sich denn um und schlief weiter.

Eine Einbildung war es nun aber dennoch nicht gewesen. Draußen auf der steinernen Schwelle vor dem Hause saß eine vor Kälte zitternde Gestalt und kroch ganz zusammen. Es war Grete, die hier Zuflucht vor den Halluzinationen der Todesangst gesucht hatte. Sie saß, die Schürze gegen den Mund gedrückt, da; aber nicht immer gab sie sich Mühe, den Laut ihres trockenen jammernden Weinens zu unterdrücken. Ein paarmal ließ sie sich sogar hinreißen, nach der Mutter zu rufen – ganz leise freilich, nur mit einem Flüstern nach der Mauer hin, und doch mit einer winzigen Hoffnung, gehört zu werden, gleichzeitig aber auf dem Sprunge, bei dem geringsten Laut von da drinnen zu entfliehen.

Vom Hausgiebel her kam die Katze geschlichen. Sie bemerkte sie nicht, bis sie sich mit schmeichlerischer Vertraulichkeit an ihren Beinen scheuerte. Anfangs starrte sie sie mit verwirrtem Schrecken an und wagte nicht, sie anzurühren. Sie wusste nicht gleich, ob es nicht am Ende wieder eine böse Geistererscheinung war. Aber als die Katze zu spinnen anfing, nahm sie sie in ihren Schoß und presste die Wange gegen ihren warmen Körper, ja in ihrem Bedürfnis nach dem Mitwissen eines lebenden Wesens fing sie an, mit ihr zu plaudern, wie mit einem kleinen Kinde, flüsterte ihr zu, dass sie die Eltern und Geschwister bitten müsse, nicht böse auf sie zu sein, sagte, dass sie sie alle zusammen grüßen und ihnen erzählen solle, dass sie so unglücklich gewesen sei.

Plötzlich schleuderte sie das Tier von sich. Sie hatte den Vater da drinnen husten hören – und im selben Augenblick entfernte sie sich in wilder Flucht vom Hause.

Schon bei dem zweiten Hahnenkrähen, noch ehe es hell geworden war, ward Mariane von Unruhe ergriffen, sie stand auf, um ihr langes Tagewerk in Angriff zu nehmen. Sören dahingegen blieb liegen, weil es Sonntag war. Er befolgte überhaupt genau das Gebot der Pflicht, den

Feiertag heilig zu halten, und ließ sich in letzter Zeit sogar den Morgenkaffee ans Bett bringen.

Erst um sieben Uhr stand er auf. Nachdem er sich rasiert und das Haar gekämmt hatte, zog er seine Feiertagskleider an, um zur Kirche zu gehen. Schlag neun Uhr machte er sich, das große Gesangbuch unterm Arm, auf den Weg.

Mariane konnte ihn diesmal nicht begleiten, weil sie einen Schinkenknochen auf dem Feuer hatte. Sie war außerdem jetzt auch schlecht zu Fuß; der Weg zur Kirche fing an, ihr beschwerlich zu werden, und sie suchte gern einen Vorwand, um zu Hause zu bleiben. Sören dahingegen war der gewissenhafteste Kirchgänger der Gemeinde. Es war sein Stolz, sagen zu können, dass er seit Jahren keinen Gottesdienst versäumt hatte.

Bald nachdem er gegangen war, begegnete Mariane etwas, worüber sie später nicht gern sprach. Von dem Hause, das einsam auf den großen Moorwiesen lag, führte ein Steig an einen kleinen, halb zugewachsenen See, nur zwanzig Schritt entfernt. An einer in das Gestrüpp von hohem Röhricht und Schilf ausgehauenen Stelle war eine kleine Waschbrücke angebracht, und Mariane kam gerade mit Wäsche gegangen, die gespült werden sollte, als sie plötzlich stehen blieb. Drinnen in dem Schilf rührte sich etwas. Es war, als wenn ein großes Tier dort überrascht worden sei und nun entfloh.

Die alte Frau kehrte schweigend um und ging mit ihrer Wäsche nach dem Hause zurück. Sie konnte leicht bange werden, wenn sie so allein zu Hause war. Sie sprach nie darüber, denn sie wollte natürlich nicht eingestehen, dass sie abergläubisch war; und hinterher schämte sie sich dann auch ihrer Furcht. Aber in ihrer Einsamkeit murmelte sie oft ein hastiges Gebet oder vielleicht eine Beschwörung vor sich hin, wenn sie etwas sah oder hörte, was sie sich nicht erklären konnte.

Als Sören nach Hause kam, fragte er gleich in der Tür nach Grete.

Mariane sah ihn einfältig an. Grete? Was war das für ein Unsinn? Es war ja allerdings ihr freier Sonntag – sagte sie –, aber das Kind kam ja nie vor nachmittags nach Hause.

»Na, ich fand ja auch gleich, dass es so schnurrig war«, sagte Sören und erzählte nun, dass der Pfarrer nach ihr gefragt habe und förmlich erstaunt darüber gewesen sei, dass sie nichts von ihr gesehen hatten.

Mariane meinte, der Pfarrer habe sich natürlich geirrt.

»Er hat am Ende gedacht, dass er Abendgottesdienst abgehalten hätt'.«

»Ja, so wird es wohl sein«, sagte Sören.

»Na, dann woll'n wir man in Gottes Namen einen Happen essen.«

Nach der Mahlzeit gönnte sich Sören eine kurze Ruhe. Dann tranken sie wieder Kaffee, und als Mariane in der Küche fertig geworden war und sich ein wenig zurecht gemacht hatte, begann die gewöhnliche Hausandacht, die zum Sonntag gehörte. Mit einstudierter Feierlichkeit nahm Sören am Tischende Platz, verschiedene aufgeschlagene Bücher vor sich: die Bibel, das Gesangbuch und Mallings Predigtensammlung. Mariane setzte sich mit einem Strickstrumpf auf die Bank unter den Fenstern.

Sören Konsted war keineswegs ein Scheinheiliger. Seine Frömmigkeit war ernsthaft gemeint und durchaus aufrichtig. Aber in aller Unschuld empfand der kleine Mann eine eitle Freude darüber, der Verkünder des heiligen Wortes in seinem Hause zu sein. Deshalb war er nun auch ein wenig unzufrieden damit, dass Grete noch nicht gekommen war. Es war ein wenig dürftig, keine anderen Zuhörer als Mariane zu haben. In alten Zeiten, als alle Kinder zu Hause waren und die Stube füllten, hatte er sich weit mehr erbaut gefühlt.

Er strich sich mit der Hand über sein rasiertes Kinn und begann den Text des Sonntags aus dem Gesangbuch zu verlesen. Er bediente sich hierbei eines salbungsvollen, schleppenden Kanzeltones, eine Anleihe von dem vorhergehenden Pfarrer des Kirchspiels, der überhaupt sein bewundertes Vorbild als Verkünder gewesen war. Seine dicken Brauen zogen sich während des Lesens ununterbrochen auf und nieder, und nach jedem Punktum schloss er die Augen auf Hühnerweise mit einem stummen »Amen«. Zuweilen konnte er freilich auch ganz aus seiner Rolle fallen, zum Beispiel, wenn er sich die Nase mit den Fingern schneuzte oder eine unvorschriftsmäßige Pause machte, um sich von einem Aufstoßen zu befreien. Aber dergleichen Unterbrechungen störten die Andacht nicht, weder für ihn selber noch für Mariane, geschweige denn für die Katze, die oben auf dem Fensterbrett zwischen den Blumentöpfen saß und sich sonnte, und die mit ihrem verschlossenen Gesicht voll Aufmerksamkeit zu lauschen schien.

Sören legte das Buch hin und faltete die Hände, um ein Gebet zu sprechen. Im selben Augenblick ertönten draußen Schritte. Mariane wandte sich nach dem Fenster um und sah, dass es der Pfarrer war.

»Gott bewahre uns!«, rief sie aus. »Is' Grete was passiert?«

Der Pfarrer war ein kleiner, schwarzhaariger Mann mit einem Gesicht, das nichts als Bart und Brille war. Er blieb in der Tür stehen, die Hand auf der Klinke und sah sich mit einem unruhigen und suchenden Blick um.

»Ist Grete nicht hier?«, fragte er mit leiser Stimme.

Sören war aufgestanden.

»Nein, sie ist nicht gekommen«, sagte er, ohne seine Angst merken zu lassen. »Wollen Herr Pastor sich nicht setzen?«

Es ward einen Augenblick still im Zimmer. Der Pfarrer ging auf einen Stuhl zu und setzte sich schwerfällig hin. Jetzt musste also alles erzählt werden!

Es war nicht leicht für ihn, es zu sagen. Er war selbst so ergriffen, dass es ihm schwer wurde, sich zu einem geordneten Bericht zu sammeln. Auch wusste er nur, was er aus dem Knecht herausgebracht hatte, der ihm als Gretes Bräutigam bezeichnet worden war. Niels Haid war gleich am Morgen nach dem Pfarrhof beschieden worden, er hatte ihr Stelldichein eingestanden und auf glaubwürdige Weise erzählt, dass sie sich um Mitternacht in bestem Einvernehmen getrennt hatten. Es sei daher nach allem zu urteilen, allein die Entdeckung und die Furcht vor den Folgen, die ihr Verschwinden veranlasst habe.

Er suchte, so gut er konnte, die beiden Alten zu trösten, die die Unglücksbotschaft ohne ein Wort hingenommen hatten. Er sagte, Grete habe möglicherweise bei irgendeiner Freundin Zuflucht gesucht. Wie verkehrt sie sich auch benommen habe, so sei ihr Versehen doch nicht derartig, dass man es der Jugend nicht verzeihen könne – das wisse Grete auch sehr wohl.

»Wenn die erste Angst sich gelegt hat, wird sie hoffentlich zur Besinnung kommen«, sagte er und meinte hiermit das Nachdenken und die Vernunft, auf die ihr Vertrauen in Augenblicken der Angst und der Reue zu setzen, er den Leuten im Allgemeinen nicht zu empfehlen pflegte.

Die alten Eltern hörten ihm gar nicht mehr zu. Schweigend und gleichsam ausgelöscht saßen sie da und starrten. Erst als der Pfarrer aufstand, um zu gehen, überkam sie die Unruhe von Neuem. Sören sagte: »Wollen Herr Pastor nich 'n Schluck Bier haben? Mariane, lauf doch hin und hol –«

Aber der Pfarrer lehnte dankend das Anerbieten ab. Er drückte ihnen herzlich die Hand und sagte, er würde sich bald wieder nach ihnen umsehen. Dann entfernte er sich eiligst.

Weitere Hoffnung, Grete am Leben zu finden, hatte er in Wirklichkeit nicht. Es war dies einer der Punkte, über die sich zu verwundern er in seiner Eigenschaft als Seelsorger beständig Gelegenheit hatte, nämlich, dass die Menschen dem Tode gegenüber so geringe Widerstandskraft besaßen. Er verstand das nicht. Gerade in dem scheinbar so frischen, lebensfrohen dänischen Volk, dessen tägliches Leben so ruhig verlief, gehörten die Selbstmorde sozusagen zur Tagesordnung. Hier war ein Seelenrätsel, das er oftmals vergebens zu ergründen bemüht gewesen. Selbst hier in seinem eigenen freundlichen und fruchtbaren Kirchspiel, wo niemand in irdischem Sinne Not litt, ja, wo die meisten im Überfluss saßen, selbst hier gab es nicht viele Häuser, in denen sich nicht irgendwo auf dem Boden oder in einem Wirtschaftsraum eine dunkle Ecke fand, um die die Bewohner am liebsten einen Umweg machten, weil sie eine blutige Erinnerung barg. So zum Beispiel neulich noch mit dem Schmied Jesper. Ein strebsamer und allgemein geachteter Mann, noch verhältnismäßig jung, den Gott eben erst von einer unglücklichen Ehe erlöst hatte. Plötzlich geht er hin und entleibt sich auf die unheimlichste Weise in seinem Holzschuppen. Warum? – Niemand verstand es.

Er blieb einen Augenblick oben auf dem Gipfel des Hügels stehen und sah wehmütig über das Land hinaus. Es war Abend geworden. Im Osten und Westen ertönte von seinen beiden Kirchen herab die Vesperglocke. Unter munteren Zurufen wurde das Vieh von der Wiese heraufgetrieben. »Welch ein Friede!«, dachte er. »Welch ruhiges Glück!«

Da drüben auf dem großen, reichen Gehöft, dessen zahlreiche Fenster wie eine Reihe blanker Goldmünzen schimmerten, lebte seit vielen Jahren das glücklichste Ehepaar. Sie waren munter und gesund und hatten viele Kinder, die alle gut geraten waren. Da befiel die Frau plötzlich eine tiefe Schwermut, und eines Abends ging sie in den Milchkeller hinab und schnitt sich den Hals mit einem Brotmesser durch. Und aus welchem Grunde? Niemand verstand es.

Nach des Pfarrers Heimkehr wurden sogleich Leute ausgesandt, um nach Grete zu forschen. Man durchsuchte noch am selben Abend sämtliche Mergelgruben und andere Wasserlöcher in der Nähe des Dorfes mit Brandhaken. Am folgenden Morgen wurden die Nachforschungen fortgesetzt, und da fand man in der Nähe des Hauses ihrer Eltern ein geblümtes Kopftuch, das sich als das ihre erwies. Es hing zwischen dem Röhricht am Rande des Sees, als sei es dort bei einer hastigen Flucht hängen geblieben und zurückgelassen.

Jetzt fand man auch den Abdruck ihrer Schuhe in dem lehmigen Schlamm. Man konnte diese Spuren über die Felder nach beiden Seiten hin verfolgen, und es war klar, dass sie lange das Haus umkreist, und dass sie einen Schlupfwinkel in der Nähe der Waschbrücke gehabt hatte, wo das Röhricht auf einer größeren Strecke ganz niedergetreten war.

Der See wurde gründlich durchsucht, und Gretes Bräutigam leitete selbst die Arbeit. Der große, starke Bursche weinte wie ein Kind. Er war ganz untröstlich und sprach fortwährend davon, dass er Grete folgen wolle.

In der kleinen Häuslerstube war den ganzen Tag ein Aus- und Einlaufen von Bekannten, die kamen, um ihre Teilnahme zu beweisen und ihre Hilfe bei den Nachforschungen anzubieten. Einige kamen auch schlecht und recht aus Neugier oder weil sie dachten, dass bei einer solchen Gelegenheit doch etwas »abfallen« müsste. Trotz ihres Kummers und ihrer Scham vergaßen Sören und Mariane auch nicht, was der Anstand erforderte. Die Kaffeekanne und die Tabakstüte kamen nicht vom Tisch. Sören war schweigsam und verlegen, während Mariane so sonderbar umherschwankte, fast wie eine Betrunkene.

Indessen kam ein umherwandernder Wollhändler ins Dorf und erzählte, dass noch am Morgen ein wahnsinniges Mädchen drüben im benachbarten Kirchspiel gesehen worden sei. Zuerst hatten ein paar Aalfischer sie des Nachts im Mondschein erblickt, während sie am Bach entlang streifte; als sie sich ihr aber näherten, war sie entflohen. Später hatte ein Mann einen Schimmer von ihr drüben in den Wäldern gesehen, wo sie verwirrt und mit aufgelöstem Haar umhergelaufen war, als werde sie verfolgt.

Es wurde sofort eine Mannschaft nach dem benachbarten Kirchspiel hinübergesandt, und man stellte nun eine geordnete Jagd auf alle

Hecken und Gestrüppe an. Aber auch dieser Tag verlief trotzdem ohne Ergebnis. Erst am nächsten Vormittag fand man Gretes Leiche in einem kleinen See tief drinnen im Walde. Sie lag dort in seichtem Wasser und hatte die Schürze über das Gesicht geworfen, ehe sie sich hineingestürzt hatte.

Bei dem Begräbnis einige Tage darauf hielt der Pfarrer eine Rede, die einen starken Eindruck auf das ganze große Gefolge machte. Er war selber tief bewegt und sprach wie immer milde und liebevoll. Wie er selber sagte: Er gehörte nicht zu diesen finsteren Verdammnispredigern, die in eines jeden Sünders Grabe den Absturz zur Hölle sehen. Er nannte überhaupt nicht oft diese Marterstätte, die man auch nicht mehr mit Erfolg einer modernen, aufgeklärten Gemeinde gegenüber anwenden konnte.

Dahingegen sprach er viel vom Gewissen und von dem entsetzlichen Grauen des Sündenbewusstseins. Mit schonender Anspielung auf die letzten Leidenstage des unglücklichen Mädchens suchte er seinen Zuhörern die Hölle zu vergegenwärtigen, die sich die Menschen in ihren eigenen Herzen schaffen durch Ungehorsam gegen die göttlichen Gesetze, gegen die innere Stimme, die Gottes eigene, mahnende Stimme sei, und die allein uns vor Verirrung schützen könne.

Sturmlied

Aus Magister Globs Papieren

Ich habe in der letzten Zeit oft darüber nachgedacht, ob ich der Leserwelt nicht eine zuverlässige und offenherzige Darlegung meines inneren Menschen schulde. Heutzutage, wo sich die Literatur mehr und mehr zu einer öffentlichen Beichte, einem freiwilligen Pranger für den Schriftsteller und sein Lebensschicksal entwickelt, tut ein Skribent, dem das Urteil des Publikums nicht gleichgültig ist, sicherlich klug daran, alle altmodische Vornehmheit aufzugeben und dem Leser einen ungenierten Einblick in die Geheimkammer seines Herzens zu gewähren.

So bin ich denn zu der Erkenntnis gelangt, dass ich um meiner selbst willen der Leserwelt eine Auseinandersetzung der Gründe schulde, weshalb ich mit bald vierzig Jahren und in einer anständigen Lebensstellung nicht geheiratet habe. Man möchte sich sonst vielleicht die unvorteilhafte Meinung von mir bilden, dass ich keine Frau hätte bekommen können oder – was schlimmer wäre – dass ich ein unglücklich Verliebter bin, kurz, eine tragische Gestalt, die unter der Maske der Sorglosigkeit ein finster verzweifeltes Inneres verbirgt.

Freilich würde ich ganz anders auf die Gewogenheit des bücherkaufenden Publikums und namentlich der Leserinnen zählen können, falls ich – so wie geehrte Kollegen – die Welt ein blutendes Herz ahnen ließe und die Mörderin meines Glückes als himmlische Rosamunde darstellte, unter deren Seidenfüßchen ich wimmerte, oder als dämonische Messalina, deren Wollust und Falschheit ich angesichts des Volkes mit dem Gebrüll eines verwundeten Löwen entschleierte. Dessen ungeachtet will ich der Versuchung widerstehen, mich in Positur zu setzen, sei es als Lamm oder als Leu. Ich will es wagen, mich als der zu zeigen, der ich bin, ein ruhig dahinlebender Durchschnittsmensch, ein Philister, wenn man will, dessen Herz nicht nur für den Augenblick ohne wunde Stellen ist, sondern das überhaupt niemals darauf erpicht war, zu entflammen; ein wohlzufriedener, teetrinkender Junggeselle, der in seiner geborgenen Einsamkeit seinen Spaß daran hat, die erotischen Bocksprünge seiner Mitmenschen zu beobachten, und der hin und wieder, wenn Bibliothekdienst, Schulunterricht und die Arbeit an seinem lange angekündigten großen griechischen Wörterbuch es gestatten, sich ein paar nächtliche Stunden abstiehlt, um kleine Beobachtungen und Betrachtungen niederzuschreiben.

Ich will nun hier wahrheitsgemäß und gewissenhaft über ein Geschehnis berichten, das nicht nur bestimmend für mein Verhältnis zu dem andern Geschlecht wurde, sondern überhaupt auf entscheidende Weise dazu beigetragen hat, meine Lebensanschauung zu entwickeln und zu reifen. So wird es denn eine Erzählung werden, mit der ich die Ansprüche der Zeit an die Literatur so einigermaßen zufriedenzustellen hoffe. Nichts ist heutzutage so begehrt wie Lebensanschauungen. Sobald sie auf den Gassen ausgeschrien werden (und man kann ja oft vor prophetischen Verkündigungen sein eigen Wort nicht hören), stürzen die Leute an die Fenster und fragen nach dem Preis. Ich gebe zu, dass ich auch in dieser Beziehung zu lange des Publikums berechtigte Forderung nach Offenherzigkeit überhört habe.

Hiermit breche ich das salomonische Siegel vor meinem Munde und lege unvorbehalten meine persönliche Anschauung über den lieben Gott und seine Weltordnung dar, auf dass ich durch fortgesetztes Schweigen nicht in den Verdacht gerate, überhaupt keine solide Lebensanschauung zu besitzen, oder – was schlimmer ist – ein gärender Geist zu sein, schmerzlich umhergeschleudert von Stimmungsstürmen und Eingebungen des Augenblicks, oder – mir schaudert's! – eine unverstandene, schwergebärende Sphinx, die in der düsteren Wüste der Einsamkeit Weltanschauungen für das kommende Jahrtausend ausbrütet.

Ich weiß sehr wohl, dass ich leichter Anerkennung bei unsern doktorgelehrten Literaturkritikern finden würde, falls ich – wie mehr oder weniger geehrte Kollegen – mich in einen solchen schlaflosen Grübler vermummte, in einen tiefsinnigen Windmacher, qualvoll mit zu großen Gedankenfrüchten geschwängert. Trotzdem will ich auch dieser Versuchung widerstehen und für Zeit und Ewigkeit darauf verzichten, zu einem poetischen Seher von Gottes und der Rezensenten Gnade erhöht zu werden. Offengestanden, ich ziehe es vor, zu sein, was ich bin: ein Mensch, der vor allen Dingen Klarheit des Gedankens und maskulines Gleichgewicht des Gemütes liebt – ein Pedant, wenn man will, für den die Ernährungs- und Erneuerungsprozesse seines geistigen Lebens ruhig und regelmäßig verlaufen ohne irgendeine durch geistige Gärung hervorgerufene Blähung mit dazugehörigem Angst-Geschwängertsein, mit Stimmungskolik und dem unaufhörlichen Wurmkneifen der Reue, und der sich auf alle Fälle nicht erlaubt, das Wort zu ergreifen, ohne sich vergewissert zu haben, dass der Pulsschlag normal und die Zunge nicht belegt ist.

Und hiermit beginne ich nun meine Erzählung.

Verzeihen Sie mir, geehrter Leser, dass ich Sie in eine traurig öde, westjütische Landschaft versetze, in eine kahle Heide, über die sich schwere Wolken mit feierlich jütischer Bedächtigkeit hinbewegen. Quer durch dieses finstere Land streckt sich in schnurgerader Linie eine Reihe Telegrafenstangen und an diesen entlang eine leere Landstraße, die zu beiden Seiten in die Reiche des Himmels selbst hineinzuführen scheint.

Es ist ein Tag zu Ende Oktober um Sonnenuntergang. Ein einsames Gefährt kriecht auf dem endlosen Wege dahin.

Es ist ein schwerbeladener Frachtwagen. Vorn sitzt der Kutscher auf einem Brett und baumelt mit dem einen Bein draußen über dem Rad. Sein Kopf ist auf die Brust gesenkt. Von Zeit zu Zeit lässt er seine Stimme erschallen und singt von einer schönen Maid namens Gine. Im nächsten Augenblick aber hängt der struppige Kopf wieder vornüber wie bei einem geschlachteten Schaf. Er kommt aus der Kreisstadt, wo Jahrmarkt gewesen ist, und hat ein Dutzend Kaffeepunsche in den verschiedenen Wirtschaften der Stadt eingesackt.

Neben ihm auf dem Wagenbrett sitzt als einziger Passagier ein bleicher, junger Mann und kriecht in einem grauen Mantel zusammen. Es ist ein wunderlicher Bursche von einigen zwanzig Jahren mit dunklem Flaum um den Mund und einem Kneifer auf der sokratischen Nase. Wer er ist, und was dieser fremde Vogel zu einer so rauen Jahreszeit in einer öden jütischen Heidegegend zu tun hat, soll vorläufig verschwiegen werden. Es wird im Übrigen aus der Erzählung hervorgehen. An dieser Stelle muss sich der geehrte Leser an der Aufklärung genügen lassen, dass die geheimnisvolle Persönlichkeit, die ich Herr Petersen nennen will, ein frischgebackener Magister ist, der Kopenhagen, Bücher und Freunde, Cafés und das Menschengewimmel der Osterstraße verlassen hat … jedoch nicht, um den Versuchungen der Hauptstadt den Rücken zu kehren und als moderner Anachoret bei in sich gekehrten Betrachtungen Frieden in der Einsamkeit der Wüste zu suchen. Gott bewahre, nein! Er würde kein Kind seiner Zeit sein, wenn er nicht, im Gegenteil, das Leben zwischen den Schieferdächern zu leer und stimmungsverlassen und kleinlich fände, nicht nach mächtigen Erlebnissen und seelenerschütternden Katastrophen zur Begleitung des Rasens der entfesselten Elemente dürstete – nach Himmelreich und Hölle in *einem* Schluck.

Nun, ganz umsonst hatte er bisher nicht gelebt. Er war sogar verlobt gewesen, hatte die Liebe eines anmutigen jungen Mädchens, eines achtzehnjährigen Rotkopfes, der Tochter eines geachteten Buch- und Papierhändlers in Kristianshafen, gewonnen. Aber von diesem wirklich tragischen Liebesverhältnis, das eine Zeit lang sein Herz mit der süßesten Unruhe und seine Schreibtischschublade mit Gedichten anfüllte, soll später erzählt werden.

Wie er nun so dasaß und vor dem kalten Wind zusammenkroch, während sein melancholischer Blick suchend über die große, trübselige Landschaft streifte, wo man nur selten eine menschliche Wohnung erblickte, rollte ein leichtes Zweispännergefährt von hinten schnell an ihm vorüber. Infolge des Lärms, den der Sturm verursachte, hatte er es nicht kommen hören. Auf dem Kutscherbock saß ein einsamer, pelzgekleideter Herr, ein Mann in mittleren Jahren mit schönen Gesichtszügen und einem dichten, leicht gelockten Vollbart.

»War das ein Geistlicher?«, fragte er den Frachtfuhrmann, der mit Mühe die Augen aufgemacht hatte, um das Fuhrwerk zu betrachten. »Nee«, erklärte dieser, während ihm der Speichel am Kinn hinabtrieb. Es sei Gutsbesitzer Lindemark von Großhof. Aber Lindemark gehörte übrigens auch zu den Frommen. Und da sei wohl hauptsächlich die Frau dran schuld, die er bekommen hätt', sagten die Leute.

Ob sie denn sehr gottesfürchtig sei.

Der Kerl grinste über das ganze Gesicht.

Nee, nach der Richtung hin fehlte ihr nichts. Sie hielt' es wohl mehr mit den weltlichen Lüsten, sagten die Leute. Lindemark müsst' seine Augen überall haben.

Ob sie hübsch sei?

Da hätt' er keinen weitern Verstand von, wollt' er man sagen. Übrigens würd' sie immer die schöne Frau Lindemark genannt. Und wenn er seine Meinung sagen sollt', so sei sie, den Deubel auch, wohl wert, dass man einen Knopf aufmachte.

Mit einem sinnenden Blick verfolgte der junge Kopenhagener den davonrollenden Wagen. Zu seinem Ärger konnte er es nicht lassen, diesen Ehemann zu beneiden, der nach einem wohlangewandten Tage zu seinen traulichen Stuben, einem wohlbesetzten Abendbrottisch, seinem guten Bett und seiner schönen Frau mit den »weltlichen Lüsten« heimkehrte, während er selbst die Nacht in irgendeiner elenden Heideschenke zubringen musste, zwischen feuchten Betttüchern und muffigen Federbetten, die ihm natürlich eine Erkältung auf den Hals schaffen würden. Und in seiner beständig niedergeschlagenen Stimmung begann er, sich selbst voller Hohn zu zerfleischen, weil er einem Einfall nachgegeben und allen Ernstes gemeint hatte, das große Glück, das Märchen selbst, habe ihm hier in diesem entlegenen Winkel des Landes, wo wohl kaum richtige Menschen wohnten, ein Stelldichein gegeben.

Wie der Vogel, wenn es Abend wird, nach seinem Nest fliegt, so kehrten seine Gedanken zurück zu einem Hause am Kristianshafener Marktplatz, wo zwei große Lithografien von dem Kronprinzenpaar im Ladenfenster hingen. Ein halbes Jahr lang hatte er seinen täglichen Gang in diesem Hause gehabt, ward dort stets mit Sehnsucht erwartet und mit Küssen empfangen. Noch vor acht Tagen war er auf dem Flur von zwei zärtlichen Frauenarmen umfangen worden. Er dachte daran, dass die Familie jetzt Dämmerstunde nach dem Mittagessen im Wohnzimmer hielt. Er sah Katharinas Vater mit seiner Zigarre im Schaukelstuhl sitzen und duseln, die Mutter in der Sofaecke mit einem Strickzeug und dort am Fenster Katharina selbst in ihrem dunkelgrünen Kleid mit Schnurbesatz und dem schwarzen Samtkragen, der um ihren weißen Hals lag wie eine zärtliche kleine Schlange. Sie sitzt mit der Hand unter dem Kinn, beleuchtet von der Straßenlaterne da draußen. Die rotgeweinten Augen haben einen leeren Ausdruck, wie bei jemand, der müde vom Denken ist und doch keine Ruhe für seine Gedanken finden kann. Nacht und Tag hat sie gegrübelt, ohne verstehen zu können, was geschehen ist, dass er wirklich von ihr fortgereist ist und niemals wieder zurückkommt.

Zum ersten Mal war sie ihm eines Tages aufgefallen, als sie zusammen mit einer Freundin vor dem Schaufenster eines Modenwarenhändlers stand und sich etwas »wünschte«. Ihre allerliebste kleine Gestalt, ihre Grübchen und die frischen Wangen hatten gleich einen so starken Eindruck auf ihn gemacht, dass er so wie die Mädchenjäger in den altmodischen Volkskomödien sie seither auf Straßen und Gassen mit ehrerbietigem Hutabnehmen und feurigen Blicken verfolgte. In seiner zunehmenden Verliebtheit dehnte er schließlich seine Nachstellungen bis in den Laden des Vaters aus, wo er als flotter Kunde auftrat, bis die wilde Jagd in Zucht und Ehren mit einer regelrechten Verlobung und dem Segen der Eltern endete.

Das brave und recht wohlhabende Ehepaar, das keine andern Kinder hatte, zeigte sich sehr glücklich über die Aussicht, einen akademisch gebildeten Mann zum Schwiegersohn zu bekommen. Die Mutter, eine derbe und muntere Kristianshafenerin, machte gar oft das junge Mädchen mit der niedlichsten Schamröte erröten, indem sie in seiner Gegenwart von ihrer Sehnsucht nach der Großmutterwürde redete. Aber auch der würdige Vater erzeigte ihm so viel Freundlichkeit, wie sie ein von seiner Verantwortung stark belasteter Buch- und Papierhändler einem jungen Menschen mit ziemlich buschmannartigen Anschauungen über die höchsten Dinge gegenüber sich gestatten konnte. So gab er auf den Sonntagsausflügen der Familie nach Charlottenlund und dem Tiergarten seine Einwilligung dazu, dass die beiden jungen Leute hin und wieder ein wenig für sich umherschwärmten, wenn sie sich nur nicht weiter entfernten, als dass sie zurückgerufen werden konnten. Ebenso erlaubte er ihnen, des Abends allein in der dunklen Essstube zu sitzen, wo ein kleines Sofa ohne Lehne stand. Er verlangte nur, dass die Tür zum Wohnzimmer angelehnt stehen sollte. Dafür aber hustete er rücksichtsvoll, wenn es unversehens einmal geschah, dass ein Kuss zu kräftig schallte.

Indessen wurde der junge Magister sich klar darüber, dass seine Verliebtheit nicht die große und tiefe Leidenschaft, die schwindelnde Benommenheit war, die er als das königliche Recht der Jugend vom Leben forderte. Wenn er da drinnen auf dem kleinen Sofa mit Katharina auf dem Schoß saß, fühlte er sich zwar glücklich und legte schmachtend seinen Kopf zur Ruhe auf ihren festen Jungfrauenbusen. Hinterher aber, wenn er gedankenvoll heimwärts schritt zu seiner Mansarde unter den fliegenden Wolken, und namentlich, wenn er dort oben zwischen den fantastischen Schatten an den schrägen Wänden saß und sich gewohnheitsgemäß in sein Seelenleben vertiefte, erwachten die Gewissensbisse und machten ihn schamvoll. Da war es, als wenn der Wind, der in der nächtlichen Stille draußen an seinem Fenster vorüberstrich, mit seinem klagenden Sausen Rechenschaft von ihm forderte für das kleinbürgerliche Alltagsglück, dem er sich ergeben hatte. Da gaukelte seine Fantasie ihm verlockende Bilder vor von großen, stolzen Frauen, deren Liebe war wie ein blitzschwangeres Unwetter von glück- und todbringender Qual – Himmelreich und Hölle im selben Umfangen.

Außerdem wollte er ja Dichter werden, Sänger, der Dolmetscher und Verherrlicher der Leidenschaft selbst. Konnte er es da verantworten, schon jetzt sein Flügelpferd in der Box des Ehestandes anbinden zu lassen? Oft wiederholte er sich die Herausforderung seines Lieblingsdichters Liebmann an den dänischen Spießbürgergeist, diese derben Lieder, in deren Trotz und Jubel so viel von der Jugend der Jetztzeit den glücklichen Ausdruck für sein eigenes stürmisches Sehnen fand. So das Gedicht »Der dänische Parnass«:

Hurra, mein Pegasus!
Hallo, mein lustig Füllen!
Witterst du bergwürzigen Atem?
Siehst du hier auf der Hochebene grasen
Feierlich Seite an Seite
Die milchweißen Stuten?
Stille, mein brünstiger Brauner!
Fein sollst die Disteln du fressen!
Fromm sollst die Landstraß' du messen,
Erstrebst einen Platz zwischen ehrwürdigen Skalden und Herren du gar!
Wähle, willst einen Schimmer von Ehre du retten, o Gaul,
Musst abwärts du hinken mit hängendem Maul,
In den Sumpf hinab zu der quakenden Frösche Schar,
Da liegt Dänemarks Parnass schon manch liebes Jahr!

Nun wollte es außerdem der Zufall, dass einer seiner Freunde, ergriffen von einer unglücklichen Liebe zu einer bereits verlobten Dame, die er in einem Badeorte kennengelernt hatte, von der Sommerreise zurückkehrte. Mit geheimer Ehrfurcht und voller Neid war er Zeuge, wie der Freund von Tag zu Tag mehr von seiner Leidenschaft verzehrt wurde und weder essen noch trinken konnte. Voll Schamgefühl dachte er an seinen eigenen gesunden Schlaf und seinen tadellosen Appetit und empfand es als bittere Demütigung, dass er mit seinen dreißig Jahren noch nicht in das große, heilige Mysterium der Liebe eingeweiht war, sondern außerhalb stand wie jemand, der nicht als würdig befunden war.

Acht Tage war er jetzt umhergereist, um sich dies Schwellen der Seele in Glück oder in Leid, das ihm bisher versagt war, gleichsam mit einem Todessprung zu ertrotzen. Und stets hatte er den Weg verfolgt, woher der Westwind kam – dieser ruhelose Wind, der Nacht für Nacht verlockend vor seinem Fenster geflüstert hatte wie der geheime Gesandte des Märchens. Bisher hatte er jedoch noch nichts weiter erlebt, als was einem jeden Reisenden beschieden sein kann. Und nun saß er hier in der zunehmenden Dämmerung, durcheist von dem Seenebel, und sah die roten Wolken, die sich über dem Sonnenuntergang gelagert hatten, mehr und mehr verblassen. Und immer wieder kehrten seine Gedanken zurück zu dem kleinen traulichen Buchhändlerheim, dem er so undankbar den Rücken gewendet hatte. In Gedanken küsste er seine verlassene Braut, indem er sich bewegten Sinnes des kleinen Gedichts »Geständnis« erinnerte, das er nach einem der Sonntagsausflüge der Familie in den Tiergarten an sie geschrieben hatte:

Weißt du noch, wie tief die Nacht war?
Überm Moor der Mond hinsegelt.
Unterm Dornenbusch des Abhangs
Gabst du mir die Hand zum Küssen.
Reichtest mir die Wang', die weiche –
Gabst des Mundes Blütenschmuck mir,
Presstest dann mit roten Lippen
Mir des Jugendglückes Siegel auf.
Alles um uns her ward stille,
Hinter Wolken sich der Mond versteckte;
In dem Duft der Heckenrosen
Brachen wir der Liebe erste Blüte.

Nach einer weiteren Stunde Schneckenfahrt erreichte der Wagen eine Heideschenke, und hier musste der Kandidat übernachten. Es war stockfinster geworden. Und der Sturm hatte mit der Dunkelheit zugenommen. Mit Hui und Ho und Hurrihiriuh warf er sich über den einsamen alten Kasten, der in den Augen des jungen Kopenhageners einer Sammlung baufälliger Viehhäuser, nicht aber einer Herberge für Menschen glich.

Drinnen in dem niedrigen Reisestall beleuchtete eine schläfrige Laterne eine Reihe dampfender Pferderücken. Als er vom Wagen heruntergekommen war, fand er mit Mühe den Weg nach der Schenkstube. Hier saßen außer dem Wirt drei reisegekleidete Heidebauern, die Halstücher ganz bis über das Kinn heraufgezogen. Sie saßen um einen Tisch und spielten Karten. Scheinbar zu sehr von dem Spiel in Anspruch genommen, um ihn zu beachten, sah keiner von ihnen von den Karten auf. Selbst der Wirt, ein hünenmäßiger Graubart in wollenen Hemdsärmeln und Lederweste, antwortete kaum auf sein Guten Abend.

Der Kandidat, der bisher nie in dieser Gegend gewesen war und die westjütische Fähigkeit, seine Neugier zu verbergen, nicht kannte, fühlte sich gekränkt durch diese Gleichgültigkeit. Er räusperte sich stark und fragte, mit Würde in der Stimme, ob er hier übernachten könne.

»Een, twe ... vier, söben ... elf, twölf ... eenundtwintig!« Ohne zu antworten, zählte der Wirt den Wert seiner Stiche nach, löschte eine Kreidezahl auf dem Tisch aus und schrieb eine andere stattdessen. Erst als dies alles gewissenhaft besorgt war, wendete er sich nach dem Fremden um und fragte langgezogen: »Was?«

»Ich wünsche zu wissen, ob ich hier übernachten kann.«

»Ach – so!«

Der Mann wandte sich nach der andern Seite, wo eine Tür nach der Küche angelehnt stand.

»Sidsel-Lone? ... Hier is 'ne Mannsperson, de Loschi hebben will«, rief er. Dann netzte er sein Monstrum von Zeigefinger, um zu einer neuen Runde zu geben.

Der Kandidat blieb an der Tür stehen, seine schwere Reisetasche in der Hand. In hilfloser Erbitterung sah er sich in dem niedrigen, spärlich erleuchteten Raum um, wo es nach Fusel und altem Pfeifentabak stank.

Hätte sich nun wenigstens die Küchentür geöffnet und eine jugendliche Sidsel-Lone mit apfelroten Wangen hereingelassen, ein frisches

Schenkmädel, mit dem ein erfahrener Gesell in Ermangelung von etwas Besserem ein flottes kleines Reiseabenteuer hätte erleben können! Stattdessen aber schlurfte in einem Paar ausgetretenen Pampuschen ein altes Frauenzimmer herein mit einer Figur wie ein Teigtrog und einem so mürrischen und runzligen Gesicht wie jene sauertöpfische Hexe im Märchen, bei deren Blick das Bier schal wurde und die Milch in den Brüsten der Frauen gerann.

Sie hatte ein Licht in der Hand, eine dünne Unschlittkerze, die sie am Ofenfeuer anzündete und darauf mit ihren nassen Fingern schneuzte, so dass es spritzelte. Dann latschte sie weiter und ließ ihn durch ein Gemurmel verstehen, dass er ihr folgen solle.

Sie gingen über die Diele zurück und kamen in einen kleinen Verschlag, wo ein Bett, ein hölzerner Stuhl und ein gemalter Tisch standen. Dem Kopenhagener schauderte es. Er musste an eine Gefängniszelle denken. Die Tapete an der Wand war halb von Feuchtigkeit verzehrt, so dass die rohe Mauer überall hervorgrinste. Ein Ofen war nicht da, und es roch erstickend nach Schimmel und Moder. Außerdem wollte es ihm ganz bestimmt scheinen, dass er in dem Augenblick, als die Tür aufging, etwas Lebendiges in ein Loch unter dem Fenster hatte verschwinden sehen. Beabsichtigte man wirklich, ihn hier unterzubringen?

Er wandte sich an die Alte, um zu protestieren. Aber im selben Augenblick schlug seine verzweifelte Stimme um und wurde zu Galgenhumor. »So! Dies also ist mein Wigwam! Naja! Warum auch nicht? Sehr nett! Wirklich stilvoll! Sagen Sie mir doch, ganz im Vertrauen, sind hier wohl nicht gar zu viele Ratten einquartiert! Eine einzelne kann ja ganz unterhaltend sein. Ich lege jedoch keinen Wert darauf, die lieben Tiere familienweise auftreten zu sehen.«

Die Alte war taub oder tat wenigstens so. Mit ihrem Licht steckte sie eine dünne Kerze an, die in einem Leuchterknecht auf dem Tisch stand, worauf sie wieder hinausschlurrte, ohne auch nur einen Muck gesagt zu haben.

Der Kandidat warf sich auf den hölzernen Stuhl nieder und zerfloss in schwarzer Melancholie. Dies war also das Ergebnis seiner Märchenfahrt! Zum Narren gehalten! Er, der in diesem Augenblick auf dem weichsten Kanapee hätte sitzen können, das entzückendste junge Mädchen um seinen Hals, er saß hier als das elendeste aller Geschöpfe.

Draußen auf dem Gange wurden schwere Holzschuhschritte vernehmbar. Die Tür ging auf, ohne dass angeklopft worden wäre, und der flusspferdartige Idiot stampfte auf seinen Hufen herein.

Da packte ihn die Wut. Er fuhr vom Stuhl auf und rief:

»Ist es wirklich Ihre Absicht, dass ich in diesem Loch schlafen soll? Sie müssen doch ein besseres Zimmer haben?«

»Ein besseres Zimmer! Mir deucht doch, dass hier is, was da sein soll! Seh er sich man mal richtig um, mein Freund! Sehn Sie! Da is 'n Spiegel und 'n Waschkumm, sollt' ich meinen. Und auch 'n Nachtpott«, sagte er, nachdem er sich gebückt und unter das Bett geguckt hatte. »Hier fehlt nichts nich. Und das Bett, das lassen Sie man sein. Wenn es auch alt is, so is es doch schön zum Schlafen. Ich mach manch liebes Mal meinen Mittagsschlaf da in!«

»So – also auch das noch!«

»Wo is der Mann denn eigentlich her?«

»Aus Kopenhagen.«

»Denn sind Sie wohl Handlungsreisender. Wie?«

»Ja, ich bin Probenreiter. Ich reise in Humbug und neumodischen Hirngespinsten. Handgesponnen ... garantiert waschecht.«

Das Meerungeheuer glotzte ihn dumm an mit seinen großen Wasseraugen.

»Wa–as ...?«

Jetzt aber hielt der Kandidat mit einem lauschenden Blick inne. Er hatte drinnen von der andern Seite der Wand einen knurrenden Laut aufgefangen. Es war ein tiefes Schnarchen.

»Wer schläft da drinnen?«, fragte er.

»Der Leutnant.«

»Ein Leutnant?«

»Ja, der Dünenassistent. Er hat sich reichlich viel eingetüllt. Da hat er sich ein bisschen hingelegt und die Glieder gestreckt.«

»Darf ich mir die Frage erlauben, ist es hier Sitte, dass Ihre besoffenen Gäste sich auf die Betten legen?«

»St! St! Lassen Sie ihn das ja nich' hören. Ich will Ihnen nämlich sagen, er is nich' so ganz richtig in' Kopf. Es burrt ihm hier!«

Er klopfte sich mit dem Mittelfinger gegen die Stirn.

»Na, also auch das noch! Es wird hier ja allmählich ganz gemütlich. Sagen Sie mir doch, soll dieser Mensch mit den Burrkäfern über Nacht auch hier bleiben?«

Der Schenkwirt wollte antworten, aber im selben Augenblick ertönten Stimmen draußen aus der Dunkelheit, wo kurz zuvor ein Wagen in den Reisestall gerasselt war. Die Haustür wurde aufgerissen, und der Sturm fuhr über die Diele und in das Zimmer hinein mit einer solchen Gewalt, dass es einen Augenblick ganz dunkel wurde. In der halbgeöffneten Tür erschien nach einer Weile der Oberkörper eines großen, rotköpfigen Mannes in Reisepelz und mit Hundefellkapuze.

»Seid Ihr hier, Wirt? … Ach, langen Sie mir einen Augenblick eine Laterne heraus, Sören Iversen.«

»Soll geschehen, Hansen! Willkommen aus der Stadt! … Da is doch nichts passiert?«

»Ich weiß nich' recht! Es war mir beinah, als ob das Handpferd ein bisschen lahmte. Lindemark is wohl hier? Ich sah seine Füchse da drüben stehen.«

»Ja, Lindemark sitzt in der blauen Stube.«

Der Wirt folgte dem Fremden hinaus und zog die Tür hinter sich zu. Der Kandidat war wieder allein. Er blieb mitten im Zimmer stehen und versank in Gedanken, seinen Kneifer in der Hand. Lindemark. So hieß ja der geistlich aussehende Gutsbesitzer, der in einem leichten Jagdwagen an ihm vorübergefahren war, und von dem der Frachtfuhrmann erzählt hatte. Und der Mann hielt sich hier auf?

Er lebte wieder auf. Sollte doch noch Hoffnung sein, dass er eine menschliche Aufenthaltsstätte für die Nacht ergattern konnte?

Als er den Wirt über die Diele zurückstampfen hörte, setzte er entschlossen den Kneifer an seinen Platz, öffnete die Tür, bestellte eine Tasse Kaffee und fragte dann, ob es eine andere Gaststube gebe als die, in der er schon gewesen war, denn in diesem Falle wünsche er seinen Kaffee dort zu trinken.

»Ja, ja, das ließe sich wohl machen!«, sagte der Wirt und zeigte auf eine Tür am Ende des dunklen Ganges, wo das Licht durch ein Schlüsselloch herausschimmerte.

Mit Hilfe dieses Leitsternes gelang es ihm, die Tür zu finden. Er klopfte an und fand ganz richtig einen Herrn da drinnen und erkannte ihn auch sofort an dem dunklen, leicht gelockten Vollbart. Das Zimmer war ziemlich groß, aber so niedrig, dass ein großer Mann so eben aufrecht unter dem Deckenbalken stehen konnte. An der einen schmalen Wand entlang lief eine Bettbank, und davor standen ein runder Tisch unter einer Hängelampe und einige hölzerne Stühle. Das übrige war ein leerer Raum und ein altmodischer Ofen auf einem hohen aufgemauerten Fuß; außerdem ein paar große Spucknäpfe aus Holz.

Gutsbesitzer Lindemark saß auf einem der Stühle am Tisch und las in einer Zeitung. Das Lampenlicht fiel gerade auf sein wettergebräuntes Gesicht. Und dem Kandidaten fiel abermals der milde Ausdruck auf. Er war ein sehr schöner Mann. In seinem Blick lag etwas fast Verklärtes und gleichzeitig schwer Ernsthaftes und Einsames, wie man es wohl bei Leuten vereint findet, die kürzlich einen großen Kummer gehabt haben.

Der Kandidat sagte Guten Abend und setzte sich an die andere Seite des Tisches. Nach einer Weile aber stand er auf und stellte sich vor, worauf der Gutsbesitzer – ein wenig überrascht – ebenfalls seinen Namen nannte.

»Kommen Sie aus Aalborg?«, fragte er.

»Ich habe in Aalborg übernachtet. Ich bin aus Kopenhagen.«

Es folgte eine Pause. Der Gutsbesitzer schien sich wieder hinter seiner Zeitung verschanzen zu wollen, und es fiel dem Kandidaten ein, dass er das Letzte vielleicht ein wenig zu selbstbewusst gesagt hatte. Um das wiedergutzumachen, warf er eine Bemerkung über die Größe und eigentümliche Schönheit der Gegend hin.

»Sind Sie zum ersten Mal hier an der Westküste?«

»Zu meiner Schande muss ich es gestehen. Aber es ist seit vielen Jahren mein höchster Wunsch gewesen, diese merkwürdige Gegend zu besuchen – die Sahara des Nordens, wie unser großer Dichter Liebmann sie genannt hat, ein Name, den ich sehr bezeichnend finde.«

»Sind Sie Journalist?«

»Nein, ich bin Philologe … Das heißt ...«

»Ach, Sie sind Gelehrter!«, sagte der Gutsbesitzer plötzlich interessiert und legte die Zeitung hin. »Freilich ist die Gegend schön und eigentümlich. Aber ganz so wüstenartig, wie unsere Schriftsteller sie in ihren Beschreibungen machen, ist sie nun doch nicht. Es ist in den letzten Jahren sehr viel zur Bepflanzung hier an der Westküste geschehen. Falls Sie sich für dergleichen interessieren und auf Ihrer Reise an

Großhof vorüberkommen – es ist eine gute Meile von hier nach Westen zu –, so möchte ich Sie bitten, bei mir hereinzusehen. Da wohne ich nämlich, und es soll mir ein Vergnügen sein, Ihnen zu zeigen, was ich selber in verhältnismäßig kurzer Zeit zum Wachsen gebracht habe.«

Der Kandidat neigte den Kopf zum Dank, während ihm das Blut vor verlegener Freude in die Wangen schoss. »Da hätte ich schon einen Anbiss!«, dachte er. »Jetzt gilt es nur, ruhig zu sein.«

Im selben Augenblick sprang die Tür zu der Diele auf. Die Haustür war geöffnet worden, und der Sturm jagte wieder heulend durch das ganze Haus. Der große, dicke Mann mit der Hundefellmütze kam nach einer Weile hereingestampft und sagte in fließendem Jütisch Guten Abend. Er hatte eine Peitsche in der Hand und hängte sie zusammen mit der Mütze und seinem Mantel an einen Riegel neben der Tür.

»Guten Abend, Hansen«, sagte Lindemark. »Ich glaubte Ihre Stimme schon vor einiger Zeit draußen zu hören.«

»Ja, zum Teufel auch! Als ich den Panneruper Hügel hinunterfuhr, konnte ich sehen, dass die Kracke lahmte. Aber was für ein fremder Mensch ist denn das da?«

»Darf ich vorstellen?«, fragte Lindemark. »Kandidat Petersen aus Kopenhagen – Gutsbesitzer Hansen auf Sandhof.«

»Kandidat? – Sind Sie Pastor?«

»Herr Petersen ist Gelehrter und ist hierhergekommen, um die Gegend zu studieren. Unter anderm wünscht Herr Petersen, unsere Aufforstungen zu sehen.«

»Dann sind Sie auch gerade an den rechten Mann gekommen. Lindemark, der hat was vorzuzeigen, was sich anzugucken lohnt. Da sollen Sie mal Kulturen sehen!«

»Na, na, Hansen, machen Sie nun nicht zu viel aus der Sache. Dann wird Herr Petersen ja nur enttäuscht.«

»Unsinn, Lindemark. Ich sag' es so, wie es is, junger Mann! Sie können – verdammt und verflucht – die ganze Westküste abgrasen, ohne was Ähnliches zu sehen. In zehn, zwanzig Jahren können wir, weiß Gott, hier in den Wald fahren und Feste mit Hornmusik und Singemädchen abhalten, so wie bei Kopenhagen. Das wird 'ne Zeit, wo es sich zu leben verlohnt!«

Er warf sich schwer auf einen Stuhl am Tisch nieder, mitten zwischen die beiden andern Herren, die im selben Augenblick in einen betäubenden Spiritushauch eingehüllt wurden. Obgleich ihm sonst nichts anzumerken war, konnte man doch deutlich merken, dass er nicht ganz unbeschädigt von seinem Jahrmarktsbesuch in der Kreisstadt zurückgekehrt war. Die Augen waren groß und glasig, und über dem Bart glühten die Wangen wie ein paar rote Rübenscheiben.

»Haben Sie denn die Bröndlunder verkauft?«, fragte Lindemark und nahm die Zeitung wieder auf.

»Ja, weiß Gott, die bin ich losgeworden!«

»Und was haben Sie denn dafür gekriegt?«

»Darüber woll'n wir lieber nich' reden. Es war keine Fahrt in der Sache heut. Solche Preise, die er einem bot, der Jud'. Er sollt' gehängt werden!«

»Ich sah Sie heut Vormittag in munterer Gesellschaft im Hotel sitzen. Simon Nathan war wohl auch dabei. Ich glaube, Sie waren schon beim Grog angelangt!«

»Ja, da waren ein paar Handlungsreisende aus Nathans Bekanntschaft. Und ich hatt' so gottserbärmliches Zahnweh. Es war wirklich nich' zum Aushalten.«

»Verzeihung, kann Grog gegen Zahnschmerz helfen?«, fragte der Kandidat interessiert. Er war vor einigen Tagen durch Unruhe in einem Zahn geängstigt worden.

»Ob das helfen kann? Wo sind Sie eigentlich her, mein Lieber, dass Sie das nich' wissen? Ein steifer Grog ist ein unfehlbares Mittel. Ich brauche nie was anderes. Wenn ich nur das leiseste Murren verspür', trink' ich bloß ein Stücker vier, fünf glühheiße Gläser Grog, eins gleich nach dem andern hinter die Binde gegossen – und das Zahnweh is weg, hast mich nich' gesehen!«

»Aber wo bleiben Sie selbst denn ab, Hansen?«, fragte Lindemark und sah über den Tisch zu dem Kandidaten hinüber.

»Was –? Wo ich ableib'? ... Ach so, Sie woll'n witzig sein, Lindemark. Sie woll'n witzig sein! Da sollten Sie sich lieber nich' 'auf einlassen. Denn dabei kommen Sie doch man immer schlecht weg. Nee, das lassen Sie man, Lindemark! Das lassen Sie man!«

Die Trunkenheit gewann mehr und mehr die Übermacht in ihm. Ihm schwoll der Kamm, aber er musste jeden Augenblick des Hicksens wegen mit dem Krähen innehalten. Gleichzeitig machte er einen Versuch nach dem andern, eine große hölzerne Pfeife anzuzünden. Er strich Streichholz auf Streichholz an und paffte zwischen jedem Hicksen, ohne zu bemerken, dass der Deckel geschlossen war.

Der Wirt kam jetzt mit Kaffee für ihn und den Kandidaten herein. Unterm Arm hielt er eine Literflasche Kognak, die er mitten auf den Tisch stellte »zur gefälligen Benutzung« – wie er sagte.

»Ja, das mag nu' ganz gut sein«, sagte Gutsbesitzer Hansen und strich ein neues Streichholz an. »Aber wisst Ihr auch, Sören Iversen, dass hier einer sitzt und neidisch is, wenn man 'n Schluck nimmt!«

Im selben Augenblick verstummten alle. Die Tür zum Nebenzimmer hatte sich leise geöffnet, und dort im Dunkeln stand eine sonderbar aussehende Gestalt, die die Hand schirmend vor die Augen hielt, geblendet von dem Schein der Hängelampe. Es war ein Mann in den Vierzigern, groß und mager, fahl wie ein Asiate und wunderlich gekleidet in einen abgetragenen Jagdanzug von ausländischem Schnitt. Die langen Beine waren bis ans Knie mit Gamaschen umwickelt, und um den sehnenstarken Hals lag ein rotes, geblümtes Tuch mit einer Schnippe am Rücken herunter.

Der Mann stand eine Weile da und musterte die Gesellschaft schweigend. Als er den fremden Kopenhagener entdeckte, huschte ein scheuer Ausdruck über sein Gesicht. Dann wandte er sich ab und langte nach einer Flinte, die neben der Tür an der Wand hing.

»'n Abend, Hacke!«, sagte der dicke Gutsbesitzer Hansen. »Kommen Sie her und setzen Sie sich zu uns!«

Der Mann antwortete nicht. Den Rücken den Herren am Tische zugewendet, untersuchte er seine Flinte und hängte sie dann über die Schulter.

»Warum so spanisch, Hacke! Kommen Sie doch her, Mensch! Ich spendier' 'ne Runde.«

Der Jägersmann drehte den Kopf herum.

»Aber ich kenne doch den Herrn da nicht.«

»Jetzt werde ich vorstellen. Das da ist Leutnant Hacke –«

»Von Hacke«, verbesserte Lindemark spöttisch hinter seiner ausgebreiteten Zeitung.

»Jawohl … von Hacke. Dünenassistent hierorts. Und Geschwisterkind von dem Minister. Dass Sie das wissen! Und das ist Herr Magister … äh … äh …«

Der Leutnant führte seine Hand an seinen großen, buschigen Schnurrbart und verbeugte sich kavaliermäßig mit zusammengeschlagenen Absätzen.

»Ist mir eine Ehre«, sagte er.

»Wirt!«, rief Hansen. »Bier über die ganze Linie!«

»Danke, für mich nichts«, sagte Lindemark sehr bestimmt, worauf auch der Kandidat aus Klugheit dankend ablehnte. Er hatte bereits gewittert, dass Lindemark und der Leutnant keine Freunde waren. Gleich beim Eintreten des letzteren hatte er gesehen, dass sich ihre Blicke begegneten wie ein paar sich kreuzende Klingen, die Funken sprühen. Außerdem war Herr von Hacke offenbar der verrückte Kerl, dem es »im Kopfe burrte«, von dem der Wirt erzählt hatte.

»Na, dann könnt Ihr meinetwegen auch dasitzen und Maulaffen feilhalten«, sagte Herr Hansen. »Kommen Sie, Hacke! Setzen Sie sich aufs Sofa und machen Sie sich's bequem. Sie sehen, weiß Gott, so aus, als wenn Sie einen Aufstrammer nötig hätten. Hat es wieder nicht seine Richtigkeit mit dem Schädel? Indianer auf der Dachanlage – wie?«

In ernstem Schweigen ließ sich der Leutnant in die eine Ecke der Bettbank nieder und legte die Flinte von sich auf das Polster. Hier in der Beleuchtung nahm seine Kleidung und seine ganze Gestalt sich so jammervoll aus, dass der Doktor unwillkürlich Mitleid mit ihm bekam. Die scheuen und unruhigen Augen hatten einen geistesabwesenden Ausdruck wie bei einem Kind, das im Dunkeln bange geworden ist. Im Übrigen aber fehlte es ihm nicht an Haltung. Es lag eine gewisse Festivitas in der Weise, wie er mit seiner langen, knöcherigen, nervös zitternden Hand jeden Augenblick über seinen Schnurrbart strich, bald nach der einen, bald nach der andern Seite.

»Prost, Euer Königliche Hoheit!«, sagte Herr Hansen, als das Bier kam. »›Anstoß!‹, wie der Deutsche sagt. Haben Sie übrigens die letzte Neuigkeit gehört? Der Herr Doktor hier ist herübergekommen, um Lindemarks Aufforstungen zu studieren. Was sagen Sie dazu, Hacke? Spaßig, was? … Ich will Ihnen nämlich erzählen, Herr … Herr … Herr Kopenhagener, dass Herr von Hacke so eine Art Wilder ist. Er ist wutentbrannt über all die Zivilisation, die wir hier machen. Wenn er es bewältigen könnte, dann schüf er ganz Vendsyssel in eine große Wildnis um, in der man umhergehen und Löwen und Hyänen jagen könnte und kleine wilde Mädchens! Ich will Ihnen nämlich sagen, Herr von Hacke, der schwärmt für diesen Naturzustand ... für die Urzeit ... Sie wissen wohl, damals, als die Damen ohne Hosen gingen!«

Er hatte die ganze Zeit, während er sprach, den Bierkrug an den Mund gehalten, um zu trinken. Aber jetzt, wo er endlich so weit war, musste er den Krug hinsetzen, um in ein Gelächter loszuplatzen.

Der Leutnant starrte stumm vor sich hin und schien nicht zuzuhören. Aber der Lärm, den die Stimme des Mannes verursachte, war ihm offenbar eine Pein. Es waren noch mehr leidvolle Runzeln auf seiner Stirn zum Vorschein gekommen, und die roten Augenlider zwinkerten nervös.

Nachdem Herr Hansen endlich das Bier gekostet hatte, bekam er von Neuem sein Hicksen. Sein dicker Bauch hüpfte auf und nieder, und er konnte kein Wort herausbringen. Währenddessen las Lindemark seine Zeitung, und der Leutnant streckte seine Beine von sich und fing an zu gähnen.

»Zum Teufel auch! Warum sagt Ihr kein Wort«, brachte Herr Hansen endlich halberstickt heraus. »Wollen wir es uns nich' ein bisschen gemütlich machen? Geben Sie uns eine gute Geschichte zum Besten, Hacke ... Nein, lassen Sie das, Leutnant! Lassen Sie das Rollen mit den Guckaugen! ... Erzählen Sie lieber dem Herrn Doktor die Geschichte von Plevna ... von ihr, von Ihrer Musecka, die den Krieg als Tamburschläger mitmachte und in der großen Trommel ein Kind zur Welt brachte ... Können Sie sich das vorstellen, Herr Kopenhagener ... mitten auf dem Marsch, während Herr Hacke aus Leibeskräften auf das Kalbfell lostrommelte, damit man ihr Schreien nicht hören sollte. Die Geschichte ist gut, wie? ... Oder auch die aus Asien, Sie wissen ja, als Sie Löwenfrikassee zum Frühstück bekamen. Und Tigerfrikadellen mit gestobten Affenfingern.«

Er schlug mit der Faust auf den Tisch, dass Gläser und Tassen klirrten, und fiel mit einem brüllenden Gelächter in den Stuhl zurück.

Der Leutnant griff sich verzweifelt mit beiden Händen an den Kopf.

»Sie brauchen so viele Worte, Herr Hansen. ›Zwei sind genug‹, sagt die Schrift. Fragen Sie Gutsbesitzer Lindemark.«

Als er seinen Namen hörte, erhob Lindemark den Kopf. »Wovon reden Sie?«

Der Leutnant verneigte sich mit ironischer Höflichkeit.

»Ich war so frei zu äußern, dass Ihr Freund sicher in der andern Welt wegen Wortvergeudung büßen müsse. Wenn mein Gedächtnis mich nicht im Stich lässt, stehen in einem gewissen Buche bemerkenswerte Worte geschrieben –«

Herr Hansen fiel ihm in die Rede.

»In der andern Welt! Sonderbar, wie Sie sich in letzter Zeit mit der andern Welt beschäftigen, Sie kleiner Hacke! Wo hapert es bei Ihnen?«

Herr von Hacke erhob ablehnend den Krug.

»Herr Gutsbesitzer Hansen! Darf ich Sie bitten, Ihrer Frau Gemahlin meinen Respekt zu vermelden!«

»*Meiner* Frau?«, kicherte der andere und schielte zu Lindemark hinüber. »Da hab ich mir die Hosen vollgeschissen! Sie wissen wohl nich', mit wem Sie reden, Hacke!«

Aber plötzlich wurde er unsicher. Das Grinsen verschwand von seinem Gesicht, und der Unterkiefer sank herab, als sei er auf einmal nüchtern geworden. Mit seinem ganzen Gewicht legte er sich drohend über den Tisch.

»Dass Sie sich unterstehen … Das will ich Ihnen aber sagen, Hacke … wenn Sie anfangen, mit meiner Frau zu schäkern, dann –«

»Lassen Sie das! Lassen Sie das!«, unterbrach ihn der Leutnant mit ausgestreckter Hand. »Schonen Sie meine Trommelfelle, ich bitte Sie darum! *Die* sind nicht aus Kalbfell, mein Herr!«

Dann wandte er sich nach dem Fremden um.

»Beabsichtigen Herr Kandidat sich hier längere Zeit aufzuhalten?«

»Nein, ich bin im Grunde nur auf der Durchreise hier.«

»Wahrscheinlich gefallen Ihnen die Lokalitäten nicht. Sehr begreiflich. Ich kenne sie aus Erfahrung. Ich will Sie darauf vorbereiten, dass im Bettstroh eine reichliche Einquartierung von Mistkäfern ist. Aber so ist das Leben hier … In allen Verhältnissen. Sie verstehen? Man muss sich an den vertraulichen Umgang mit Mistkäfern gewöhnen. *Que faire? Il faut être souple avec la pauvreté?* – Sie sind Kandidat, nicht wahr?«

»Philologe – ja.«

»Sehr interessantes Studium. Wie alt sind Sie, mit Erlaubnis zu fragen?«

»Zweiundzwanzig.«

»Ein beneidenswertes Alter! Hat man die Vierzig erreicht, so ist der Rest nur eine Vorbereitung darauf, von den Maden verzehrt zu werden. Trostreiche Aussichten, nicht wahr?«

Er schloss die Augen mit einem schmachtenden Ausdruck. Dann begann er, eine Melodie vor sich hinzuträllern. Der Spiritus fing an, in ihm zu wirken.

Lindemark war von Unruhe befallen. Das konnte man namentlich an seinen Füßen hören, die sich fortwährend auf dem sandbestreuten Fußboden hin- und herbewegten. Dann sah er auch jeden Augenblick nach der Uhr, und schließlich stand er auf und trat ans Fenster, um zu sehen, ob der Mond nicht endlich aufgegangen sei, so dass er weiter kommen konnte.

Als er zurückkam, fragte er den Kopenhagener, ob er ihm nicht das Vergnügen machen und mit nach Großhof kommen und dort übernachten wolle. Sie könnten dann gleich am Morgen zusammen hinausgehen und seine Anpflanzungen sehen und was er ihm sonst zu zeigen habe. Es sei hier in der Schenke ja wirklich nicht gemütlich, und er habe reichlich Platz auf seinem Wagen.

Das war eine Überrumpelung, und der Kandidat war einen Augenblick unschlüssig. Seine Freude über die Einladung würde größer gewesen sein, wenn sie gekommen wäre, ehe Herr von Hacke erschienen war. Er war in Anspruch genommen von diesem eigentümlichen Menschen und fühlte sich in großer Versuchung, hier zu bleiben, um seine nähere Bekanntschaft zu machen. Er sagte sich, dieser schäbige Weltmann sei doch endlich einmal eine eigenartige Figur, die er vielleicht einmal in einem Roman würde verwenden können. Er hatte Gutsbesitzer Hansens Andeutungen nicht bedurft, um zu verstehen, dass dieser ergrauende Leutnant mit dem kriegerischen Bart kein Leutnant Buddinge aus dem Lustspiel war, sondern wirklich ein abenteuerliches Leben hinter sich hatte.

Die Aussicht, ein trauliches Zimmer und ein Bett ohne Mistkäfer zu bekommen, gab jedoch den Ausschlag bei ihm.

»Aber kann ich es wirklich verantworten, Umstände zu machen?«, sagte er pflichtschuldigst.

»Natürlich können Sie das! Hier in Vendsyssel machen wir niemals viele Umstände. Binnen Kurzem haben wir den Mond, dann können wir fahren.«

Der Leutnant, der hingegangen war, um seine kleine Jagdpfeife aus der Tabaktonne zu stopfen, die nach alter, jütischer Schenkensitte zur freien Benutzung für die Gäste auf dem Ofen stand, war von hier aus diesem Wortwechsel mit gespitzten Ohren gefolgt. Er kehrte dem Tisch den Rücken zu, einmal aber drehte er den Kopf herum und betrachtete den Kandidaten mit einem finstern Blick.

Währenddessen benutzte Herr Hansen die Gelegenheit, in aller Unbemerktheit einen Scherz vorzubereiten. Während die andern beschäftigt waren, goss er den Inhalt aus dem halbgeleerten Krug des Leutnants in den Spucknapf, der zu seinen Füßen stand, und füllte ihn mit Kognak aus der Flasche. Dann saß er mit unschuldiger Miene da und machte einen neuen Versuch, seine große hölzerne Pfeife anzuzünden.

Der Leutnant am Ofen trällerte eine Melodie vor sich hin. Es war ein Bruchstück von einem höchst unzüchtigen Lied.

»Kennen Sie das, Herr Lindemark?«, fragte er. »Da Sie sich anscheinend hier am Ort als barmherziger Samariter etablieren und sich der Erziehung der Jugend widmen wollen, sollten Sie sich auf die Volksdichtung legen:

Wenn Ludwig auf dem Meer sich wiegt
Sich Lies' in Thorwalds Arme schmiegt.«

Als er an den Tisch zurückkehrte, verriet sein Wesen eine unheimliche Erregung. Mit einem Gelächter warf er sich in die Ecke der Bank zurück und legte ungeniert eins seiner gamaschenbekleideten Beine auf das Polster.

»Verzeihen Sie, Verehrtester!«, sagte er und sandte dem Kandidaten einen bösen Blick zu. »Ich sehe, Sie gehen mit einem hohen Kragen. – Ich will nicht gerade behaupten, dass es Sie kleidet, aber es ist eine äußerst praktische Mode für gewisse Leute. Die Vorsehung hat ja ihre ausgelassenen Launen. Sie bringt zuweilen einen lächerlichen Stempel statt eines Halses unter dem Kopf von Leuten an – so wie unter den Kohlköpfen.«

»Jetzt kann es wohl genug sein, Leutnant Hacke«, fiel Lindemark ihm ernsthaft in die Rede. »Sie strengen sich über Ihre Kräfte an, um geistreich zu sein.«

Das Blut stieg dem Leutnant zu Kopf. Aber er beherrschte sich, machte eine Bewegung mit der Hand und sagte:

»Stets zu Diensten! ... Wahrscheinlich ist es überhaupt höchst vermessen von meiner Person in meiner jetzigen inferioren Stellung, mich in Ihrer Gegenwart, Herr Gutsbesitzer Lindemark, so frei zu äußern. Ein so verdienstvoller Mann! Fast ein Justizrat! Es muss zu meiner Entschuldigung gereichen, dass meine Familie mehr als zweihundert Jahre König und Vaterland in den höchsten Stellungen und mit der allerhöchsten Anerkennung gedient hat.«

Jetzt griff Hansen nach seinem Krug und sagte:

»Lasst uns Frieden halten, Hacke! Lasst uns gemütlich sein und nicht zanken! Warum trinken Sie nichts? Sie sind ja ganz trocken im Halse. Nehmen Sie doch 'n Schluck Bier. Prost!«

Der Leutnant griff um den Henkel seines Kruges.

»Stehe zu Diensten! Haben Sie die Güte, Ihrer Frau Gemahlin meinen respektvollen Gruß zu vermelden. Auf Ehre, ich meine das aus aufrichtigem Herzen. Haben Sie die Güte, Frau Hansen zu sagen, dass ich vor ihrem Seidenfüßchen im Staube liege.«

»So, tun Sie das, Hacke! Dann können Sie das ja beweisen, indem Sie das Glas auf das Wohl meiner Frau leeren. Prost!«

»Prost Herr Hansen! Sie und ich, wir verstehen einander. Da ist kein Grund, die Augen gen Himmel zu erheben. Wir halten die Nase hübsch am Erdboden, so wie die Schweine. Was sind wir Menschen, Herr Hansen? Was ist eine Frau? Vierzehn Ellen Gedärme, die obendrein nicht gut riechen. Prost!«

Er hob den Krug an den Mund. Aber auf halbem Wege hielt er mit einem Ruck inne. Der Kognakgeruch hatte den heimtückischen Anschlag verraten. Beim Anblick seiner wilden Augen verstand Lindemark sofort den Zusammenhang. Er kannte aus Erfahrung Herrn Hansens tückische Streiche und sandte ihm einen ungehaltenen Blick zu.

Es sah so aus, als ob der Leutnant in seiner Wut ihnen den Krug mit Inhalt an den Kopf werfen wolle. Aber nachdem er sich einen Augenblick besonnen hatte, geschah gerade das Gegenteil. Er setzte ihn an den Mund und goss den Inhalt hinunter.

»Aber Mensch! Sind Sie verrückt!«, schrie Lindemark und sprang auf, um ihm den Krug zu entreißen. Es war jedoch zu spät. Er hatte ihn bis auf den Grund geleert. Und nun schlug er ihn mit all seiner

Kraft gegen die Tischplatte, so dass er in viele Stücke zersplitterte, die über den Fußboden hinflogen.

Sie waren alle sprachlos. Selbst Herr Hansen hielt in seiner Verdutztheit mit dem Gekicher inne.

»Was wollen Sie denn?«, fragte der Leutnant und maß die Gesellschaft mit einem Blick, der vor Verachtung Blitze schoss. »War das etwa nicht die Absicht? Sind die Herren bange davor, einen Betrunkenen zu sehen?«

Im selben Augenblick steckte der Wirt seinen grauen Kopf zur Tür herein, um zu melden, dass es angefangen habe, hell zu werden.

»Heda! Schenkvater! Staatsautorisierter Schnapsschenker!«

Aber der Kopf war wieder verschwunden und die Tür geschlossen.

Lindemark und sein Gast erhoben sich. Auch Herr Hansen hatte es plötzlich eilig, fortzukommen.

»Vergessen Sie nun auch nicht, Ihrer Frau Gemahlin meinen ehrerbietigsten Gruß zu vermelden«, rief von Hacke höhnend hinter ihm drein. »Sagen Sie ihr, ich hätte auf ihre Gesundheit getrunken in Anbetracht dessen, dass sie einen Ehemann von vierzehn Liespfund hat. Möchte sie das überleben! Salut!«

Er hatte, während er sprach, seine Flinte von der Bank genommen und feuerte sie nun mit gestrecktem Arm auf den Ofen ab.

»Salut!«, wiederholte er, und abermals knallte ein Schuss, während die Hagelkörner ringsumher auf den Fußboden rasselten und die Stube sich mit Pulverdampf füllte.

Der Wirt stürzte herein. Draußen in der Küche heulte ein Hund, und das ganze Haus kam auf die Beine.

»Was sind das für Geschichten! … Treiben Sie hier jetzt wieder Ihre Narrenspossen, Hacke?«

Der alte Graubart war außer sich vor Wut. Herr Hansen, der jetzt wieder völlig zur Vernunft gekommen war, flüsterte ihm zu:

»Schweigen Sie, Sören Iversen! Wir müssen sehen, wie wir ihn an die Seite schaffen. Er wird jetzt ganz kollerig.«

Und zu dem Leutnant selbst sagte er, indem er ihn vorsichtig am Ärmel zupfte: »Seien Sie nun vernünftig, Hacke! Es war ja gar nicht böse gemeint. Kommen Sie jetzt, alter Freund, dann machen wir einen kleinen Spaziergang und lüften uns ein wenig.«

Er wollte ihn unter den Arm fassen. Aber Hacke war jetzt ganz unregierlich und schrie:

»Rühr mich nicht an – du Stinktier! Zur Hölle mit euch allesamt! … Wo ist er abgeblieben, dieser junge Seidenaffe? Friede mit ihm! Lasst ihn sich belustigen! Glück auf zur Arbeit! … Sagt ihm, meinen Segen hätt' er! Freilich! Meinen Segen!«

Seine Augen waren ohne Blick; und nun sank der Kopf langsam hintenüber, während er mit immer schwächer werdender Stimme die letzten Worte wiederholte. Plötzlich wurde er leichenblass und brach zusammen.

Der Wirt und Herr Hansen eilten bestürzt herzu. Der letztere sprengte ihm ein wenig Bier ins Gesicht und löste das rote Halstuch. Auch Lindemark kam herbei, um zu helfen, während der Kandidat schreckerstarrt an der Tür stehen blieb.

»Um Gottes willen! Er ist doch nicht tot?«, rief Lindemark aus.

»Legen wir ihn aufs Bett«, sagte Herr Hansen. »Dann wird schon Leben in ihn kommen. Habt Ihr nicht ein paar Tropfen, Wirt?«

Sie trugen ihn fort. Der Wirt umfasste ihn mit den Armen. Aber der lange Körper hing schlaff herab. Herr Hansen musste den Kopf in die Höhe halten, Herr Lindemark die Beine.

Ein paar Minuten später kam Herr Hansen zurück und meldete dem Kandidaten, der nicht gewagt hatte, mitzugehen, sondern noch dastand und zitterte, dass der Leutnant wieder zum Leben zurückgekehrt sei. Es sei nur eine Ohnmacht gewesen.

»Er ist wohl ein sehr leidenschaftlicher Mensch«, sagte der Kandidat. »Und sehr unglücklich.«

»Er, Feuer und Flamme durch und durch. Und gefährlich für Frauenzimmer, obwohl er kein Jüngling mehr ist. Unter uns … da ist namentlich eine gewisse Dame hier in der Gegend … Sst!«

Im selben Augenblick kam Lindemark von der Diele herein. Er meldete, dass der Wagen jetzt vorgefahren sei.

Bald darauf waren sie alle fort. Der Leutnant hatte Tropfen bekommen und war eingeschlafen. Der Wirt ging in der Stube umher, wo der Pulverdampf noch unter den Deckenbalken hing. Er untersuchte die Wand hinter dem Ofen und fand hier Hagelkorn bei Hagelkorn.

»Den Deubel auch!«, fluchte er. »Auch das Bild hat er zerknallt! Das soll ihm ein teurer Spaß werden, wahrhaftiger Gott, das soll es!«

Gutsbesitzer Lindemark und sein Gast hatten eine gute Meile zu fahren. Der Sturm hatte zugenommen, und der Mond, der hinter den Wolken verborgen saß, leuchtete nicht stärker, als dass man so eben den Nebenweg erkennen konnte, auf den die Pferde von selbst eingebogen waren. Wenn Lindemark in der Schenke eingekehrt war, so war das ausschließlich der Dunkelheit halber geschehen und weil man bei dem starken Wind hier nicht mit Laternen fahren konnte.

Er und der Kandidat wechselten im Anfang nicht viele Worte. Dazu waren sie, jeder auf seine Weise, zu sehr erfüllt von der Szene in der Schenke.

»Es tut mir leid, dass Sie Zeuge eines so unheimlichen Auftrittes werden mussten«, sagte Lindemark schließlich. »Gutsbesitzer Hansen hat eine unglückliche Neigung, Skandalszenen zu arrangieren.«

»Ihr Freund, Leutnant von Hacke, ist wohl ein sehr eigentümlicher und höchst exzentrischer Mensch«, äußerte der Kandidat vorsichtig.

Lindemark besann sich eine Weile auf die Antwort.

»Herr Hacke gehört zu den unglücklichen Menschen, die – wie man zu sagen pflegt – auf schlechtem Fuß mit dem Leben stehen oder, richtiger, mit sich selbst. Ich habe aufrichtiges Mitleid mit ihm. Wenn Sie ihn meinen Freund nennen, muss ich Ihnen jedoch widersprechen. Über den gesellschaftlichen Verkehr hinaus, wie ihn die Verhältnisse in einer so entlegenen Gegend einem sozusagen aufzwingen, habe ich absolut nichts mit Herrn von Hacke zu schaffen.«

»Er scheint eine sehr bewegte Vergangenheit gehabt zu haben. Wenn ich eine Äußerung von Gutsbesitzer Hansen richtig verstanden habe, hat er als junger Leutnant an dem Russisch-Türkischen Krieg teilgenommen.«

»So erzählt er selbst, und es verhält sich auch wohl so. Aber Herr Hacke ist im Übrigen im Besitz einer Münchhausen'schen Fantasie. Es wird ihm oft sehr schwer, seine eigenen Erlebnisse von den Taten anderer zu unterscheiden, und in den meisten Fällen glaubt er sicher selbst an das, was er erzählt.«

»Aber wie ist so ein Mann nur einmal hier gestrandet? Und als Dünenassistent?«

»Ja – was soll man sagen? – Das ist eine äußerst untergeordnete Stellung, die im Grunde nirgends hingehört. Der Platz wurde vor zwei Jahren für ihn geschaffen, um ihn unterzubringen. Der ehemalige Ministerpräsident ist sein Onkel. Nun, ich sage ja nichts dazu. Er war damals in jeder Beziehung so weit herunter, wie ein Mensch aus guter Familie nur kommen kann, wenn er nicht ganz zugrunde gehen soll.«

»Wohnt er dort im Krug?«

»Nein, er hat sich bei einem Bauern draußen in den Dünen einquartiert, wo seine Familie für ihn bezahlt. Im Übrigen aber glaube ich wohl, dass er meistens in der Schenke abschließt, wenn er den Tag über ohne Ziel und Zweck in der Gegend umhergestreift ist.«

»Es wundert mich«, sagte der Kandidat, »dass ein solcher Mann sich in dies Leben findet.«

»Ich sage Ihnen ja, dass er damals sehr weit herunter war, geistig wie auch körperlich. Es blieb ihm wohl nur die Wahl zwischen dieser ›Verbannung‹, wie er selbst den Aufenthalt hier nennt, und einem Ort, wo er überhaupt jeglicher Freiheit beraubt sein würde.«

»Wie meinen Sie das?«

»Die Irrenanstalt.«

»Hat man daran gedacht, ihn einzusperren?«

»Es würde sicher das Beste für ihn gewesen sein, wenn man Ernst daraus gemacht hätte. Er ist, wie gesagt, ein sehr unglücklich gestellter Mensch, der nie zu Frieden und Einverständnis mit sich selbst – und folglich auch nicht mit andern – kommen wird.«

Der Kandidat schwieg, um keinen Verstoß zu begehen.

Er war ganz empört und dachte: »Da sitzst du, zahme Krähe, so jesuitisch nachsichtig, und krächzst über diesen wilden, heimatlosen Vogel, der einsam auf der Heide umherschweift mit seiner Menschenverachtung und seinen finstern Gedanken.«

Er ließ den Blick über das heideschwarze Wüstenland hinwandern – doppelt wild und düster jetzt in dem spärlichen Licht des Mondes, der gerade über einem Wolkenrand hervorguckte. Wahrlich! Der Westwind hatte ihn doch nicht genarrt, und er schämte sich seines früheren Kleinmuts. Tod und Teufel! Hier saß er ja mitten im Märchenland, in dem Reich der Verzauberung, wo die Natur selbst die Sprache der Leidenschaft redete und alles endlos groß war, ohne Grenzen.

Er entsann sich Liebmanns »Sturmgesang am Strande« und sagte sich selbst diese Strophen auf:

Gar mancher preiset dein Sankt-Hans,
Wenn du zu kurzem Sommertanz
Aufheftest dir das Nebelkleid
Mit des Südens geborgter Herrlichkeit.
Nein, lieber sing' ich dir zu Ehr',
Wenn des Nordwinds Zuchtrut' braust daher,
Hin über Berg und Tal und Bach
An einem schwarzblauen Wintertag.

Er wurde in seiner Andacht durch Lindemark gestört, der ihn mit der Peitsche auf ein sich drehendes Strahlenrad aufmerksam machte, das in gewissen Zwischenräumen über den nördlichen Himmel hinfegte.

»Das ist das Lögstruper Blinkfeuer«, erklärte er. »Und da haben wir Großhof.«

Er zeigte nach Südwesten, wo man ein einsames Licht gewahrte. In dem Schein des Feuerrades erkannte man auch die erste Dünenreihe, und durch den Sturm konnte man soeben das hohle Dröhnen des Meeres hören.

Dann donnerte es unter den Pferdefüßen. Sie fuhren über eine Brücke. Ein wenig Wasser rieselte durch das Schutzbrett in einem Schleusenwerk, und als es dem Kandidaten klar wurde, dass dies ein Glied in Herrn Lindemarks so hochberühmtem Aufforstungswerk sein müsse, erfasste ihn eine sanfte Wehmut. Jetzt war er also wieder außerhalb des freien Tummelplatzes der Elemente und fand sie wieder mit Eisen und Riegel gebunden, als Sklaven in der Tretmühle der Zivilisation.

Zehn Minuten später rollte der Wagen über einen großen Hofplatz. Eine Stalltür, die sich auftat, wurde vom Sturm mit einem Knall wie ein Kanonenschuss gegen die Wand geschlagen, und ein Knecht kam mit einer Laterne herbeigeschlendert.

Auf der Diele wurden sie von einem rundbäuchigen Dienstmädchen empfangen, das den Fremden dumm anglotzte, ohne ihm beim Ablegen behilflich zu sein. Irgendwo hinter einer geschlossenen Tür oberhalb der Treppe bellte ein Hund mit grober Stimme. Nach einer Weile erschien eine ältere Haushälterin mit schwarzer Haube und weißer Schürze.

»Ich bringe einen Gast mit«, sagte Lindemark zu ihr. »Das Südfremdenzimmer ist wohl in Ordnung? Sorgen Sie dafür, dass dort geheizt wird. – Ist meine Frau unten?«

»Die gnädige Frau sitzt im Wohnzimmer.«

Er führte seinen Gast in ein Zimmer, das seinen Eingang direkt von der Diele aus hatte. Es wurde Licht da drinnen angesteckt, und als der Kandidat sich umsah, fühlte er sich von aufrichtiger Dankbarkeit gegen seinen Retter erfüllt. Wie einladend war es hier nicht? Ein breites Mahagonibett mit schneeweißen Vorhängen. Ein Teppich auf dem Fußboden. Zwei silberne Armleuchter auf der Spiegelkonsole. Ein kleiner Bücherschrank mit eingebundenen Büchern. – Er drückte Lindemark die Hand.

Nach einer Weile, als er ein wenig ausgepackt und sich zurechtgemacht hatte, kam sein Wirt zurück und führte ihn ins Wohnzimmer.

Hier saß Frau Lindemark in einem niedrigen Lehnstuhl unter einer Lampe mit einem großgeblümten Schirm. Sie war eine blonde Dame Mitte der Dreißiger. Sie hielt ein Buch auf dem Schoß und verbarg nicht ihr Missvergnügen darüber, in ihrer Lektüre gestört zu sein. Lindemark stellte vor, und seine Frau grüßte schweigend, ohne dem Fremden die Hand zu reichen oder auf seine vielen Entschuldigungen, dass er hier komme und Umstände verursache, zu antworten. Mit ihren großen, grauen Augen maß sie ihn von Kopf zu Fuß mit einem gleichsam verdächtigen Blick.

Es enttäuschte den Kandidaten, dass sie nicht größer war. Er hatte sie sich in grandiosem Stil vorgestellt. Sie war nicht einmal üppig, eher mager. Dabei war sie blass und hatte blaue Ringe unter den Augen.

Lindemark rollte einen Lehnstuhl heran. Sein Wesen trug das Gepräge starker Nervosität.

»Bitte schön – nehmen Sie Platz!«

Der Kandidat setzte sich, und nach einer längeren Pause bemerkte endlich Frau Lindemark:

»Es ist eine ungewöhnliche Jahreszeit, die Sie zu Ihrem Ausflug gewählt haben. Touristen pflegen den Sommer hier vorzuziehen.«

»Allerdings, meine gnädige Frau – aber – ich rechne meine Reise nicht zu den gewöhnlichen Touristenausflügen.«

»Nein – das ist wahr – Sie sind Gelehrter.«

»Nun, auch gerade nicht in dieser Eigenschaft habe ich mich auf diese Reise begeben.«

»Sind Sie etwa Schriftsteller? Oder Journalist?«

Der Kandidat errötete.

»Journalist bin ich auf alle Fälle nicht.«

»Wie? Sie sind Dichter?«, fragte Lindemark und blieb in der Tür zu dem Nebenzimmer stehen. Und es war offenbar kein Freudenausruf.

»Nein – nein!«, rief der Kandidat verwirrt. »So war es nicht gemeint!«

Die Haushälterin war währenddessen hereingekommen. Auf eine eigene schüchterne Weise näherte sie sich dem Stuhl ihrer Herrin und richtete flüsternd eine Frage in Bezug auf das Abendbrot an sie. Frau Lindemark aber wies sie ab.

»Fragen Sie meinen Mann!«, sagte sie kurz.

Worauf die Alte wie ein begossener Pudel Lindemark folgte, der in sein eigenes Zimmer gegangen war, um dort eine Lampe anzuzünden.

Als Frau Lindemark allein mit dem Kandidaten geblieben war, nahm sie das Buch von ihrem Schoß und begann, darin zu blättern. Es war ein gewöhnliches Leihbibliothekexemplar mit einem Nummerzettel auf dem Rücken, und es machte einen peinlichen Eindruck auf den künftigen Dichter, das Allerleutebuch in so intimer Berührung mit ihren schönen, weißen Händen zu sehen. Er dachte bei sich, dass so liebreizende Frauenhände beständig eine feine Duodezausgabe mit Goldschnitt oder – am allerliebsten – einen Band seiner eigenen Zukunftswerke in Elfenbein-Maroquin mit handgedruckter Vergoldung umfassen sollten.

»Kennen Sie diesen Roman?«, fragte sie.

»Welchen, gnädige Frau?«

»Es ist Bitschkoffs ›Nathalia‹.«

»Ja, er ist im vergangenen Jahr bei Schubothe erschienen. Iversen hat ihn übersetzt. Es ist schon die zweite Auflage herausgekommen.«

»Wie finden Sie ihn?«

»Ich habe ihn mit großem Vergnügen gelesen. Da sind namentlich einige ganz vorzügliche Naturbeschreibungen. Aber die Russen sind wohl auch unübertroffen in Bezug auf die Wiedergabe der Natur. Da ist eine Szene während eines Gewitters, wo Nathalia den Geliebten in einem verlassenen Bauernhaus erwartet. Wie der Regen gemacht ist!«

»Entsinnen Sie sich auch des Kapitels, das dann folgt?«

»Welches meinen Sie?«

»In der Nacht … draußen auf der Steppe. Mein Gott, können Sie sich dessen nicht erinnern?«, sagte sie ungeduldig. »Martin Petrowitsch kehrt von seiner Reise heim.«

»Martin Petrowitsch! … Ach ja, ihr böser Stiefvater, freilich! Das ist da, wo er mit seinem Wagen in den Fluss hinabstürzt und ertrinkt. Nathalia und ihr Freund haben die Nägel in der Brücke gelöst, nicht wahr? Jetzt entsinne ich mich der Stelle ganz deutlich. Die unendliche Steppe … die Stille in der halbdunklen Nacht mit den Blitzen ringsherum am Horizont … das Rummeln des einsamen Wagens. Ja, das ist meisterhaft! Es rieselt einem förmlich kalt den Rücken hinab in dem Augenblick, wo er die Brücke erreicht und die Pferde die Hufe auf die nachgebenden Planken setzen und vornüber stürzen.«

»Ja, und was ist dann das Ganze?«, sagte sie mit einem Achselzucken und legte das Buch weg. »Ein Roman! Eine Dichtung? … Die Wirklichkeit nimmt sich anders aus. Heutzutage würde eine misshandelte Frau wie Nathalia sich damit begnügen, an einen so entscheidenden Schritt zu *denken* … vielleicht auch ein paarmal wirklich den Entschluss zu fassen, ihn zu wagen. Aber Ernst daraus zu machen … die Verantwortung und die Folgen auf sich zu nehmen … Nein, dazu fehlt uns modernen Menschen der große, rücksichtslose Mut.«

»Ich glaube, Sie beurteilen unsere Zeit nicht ganz gerecht. Ich bin überzeugt, dass wir im Begriff sind, in eine große und glänzende Epoche einzutreten, in eine Zeit der Wiedergeburt und Befreiung, wo Schranken gebrochen und Fesseln zersprengt werden. Die Zeit der großen Gedanken und der starken Gefühle ist zweifelsohne im Begriff, zurückzukehren.«

Frau Lindemark betrachtete ihn aufmerksam. Und es lag etwas seltsam Weichendes in ihrem Blick.

»Würden denn *Sie* es tun können?«

»Was? – Gnädige Frau?«

»Falls nun – wie da in dem Roman – Ihr ganzes Glück, die Erfüllung ihres höchsten Wunsches, davon abhinge, ob Sie den Mut besäßen, eine Handlung zu begehen, die im bürgerlichen Urteil als empörend, als abscheulich betrachtet wird –«

Der Kandidat lächelte breit.

»Einen Mord, also.«

»Nennen Sie es, wie Sie wollen. Vergeltung oder Notwehr. Nathalia wurde ja von dem Stiefvater nachgestellt, der sie eingesperrt hält, um sie an der Flucht zu hindern. Bedenken Sie das!«

»Merkwürdigerweise habe ich gerade jetzt auf der Reise in dem letzten Heft der ›Zukunft‹ eine Abhandlung gelesen, in der eine ähnliche Frage mit wirklicher Überlegenheit und sehr unterhaltend behandelt wird.«

»Eine Abhandlung, sagen Sie. Wo war das?«

»Im Oktoberheft der ›Zukunft‹ – der neuen Monatsschrift. Der Artikel handelt von den konventionellen Vorurteilen und ist – wie gesagt – höchst interessant und sehr lebhaft geschrieben. Ich habe das Heft hier, und wenn Sie Lust haben, es zu lesen –«

»Sie haben es hier –?«

Sie hatte noch mehr sagen wollen, aber im selben Augenblick kam ihr Mann aus seinem Zimmer. Und es war, als ob der Schall seiner Schritte sie zusammenfahren mache.

Auf seine verlegene Weise rieb Lindemark die Hände und sagte:

»Jetzt soll es guttun, etwas zu essen! Ob wohl bald gedeckt ist, Astrid?«

»Frage die Steensen!«, antwortete sie und wandte das Gesicht ab.

Der Kandidat saß schweigend da, während er sie beide verstohlen ansah und seine Beobachtungen machte. Er war nicht im Zweifel darüber, dass er das Glück gehabt hatte, in eine eheliche Tragödie hineinzuplumpsen, die sich der Katastrophe näherte. Nur begriff er nicht, dass ihm Lindemark unter diesen Verhältnissen sein Haus geöffnet und ihn Zeugen des Elends hatte werden lassen.

Jetzt kam die Haushälterin herein und bat zu Tische. Gleichzeitig schlüpfte ein großer, gelbbrauner Pudel durch die halbgeöffnete Tür hinter ihr herein. Beim Anblick des Fremden senkte das Tier den Kopf und begann auf eine unheimliche Weise zu knurren. Die Haushälterin musste ihn schließlich am Halsband nehmen, damit er nicht auf den Kandidaten losfahren sollte. Lindemark schalt ihn aus. Aber das machte das Übel nur schlimmer. Sobald er sich näherte, zeigte er die Zähne und gab ein grobes Bellen von sich. Erst als Frau Lindemark ihn zu sich rief, wurde er ruhig. Das große, schwerfällige Tier schlich hinter ihren Stuhl, und als sie nach einer Weile ins Esszimmer ging, folgte er ihr auf den Fersen, boshaft nach beiden Herren schielend, die hinterdreinkamen.

Nie hatte der Kandidat an einer sonderbareren Mahlzeit teilgenommen. Sie setzten sich an einen gutgedeckten Tisch voll von soliden Schlachtereigerichten, und auf ländliche Weise langte man selbst zu. Frau Lindemark aber rührte die Speisen kaum an und zeigte sich auch ganz gleichgültig dafür, ob ihr Gast etwas bekam. In einer eigenartig erhöhten Geistesabwesenheit überließ sie dem Gatten ihre Hausfrauenpflichten und sorgte nur für den Hund, der sich neben sie gesetzt hatte und eine jede ihrer Bewegungen mit den Augen verfolgte. Verschiedene Male im Laufe der Mahlzeit hielt sie mit ihrer Gabel ein großes Stück Fleisch über ihn und ließ es, nachdem sie ihn eine Weile gefoppt hatte, in seinen offenen Rachen fallen, wo es unter gewaltigem Schmatzen seinen Rest bekam.

Während der Kandidat sich den Anschein gab, als sei er davon in Anspruch genommen, dem zu lauschen, was ihm Lindemark von seinen Aufforstungsversuchen erzählte, hatte er sie beständig unter geheimer Beobachtung und ward dabei immer mehr von ihrer Person gefesselt. Er sagte sich selbst, dass, wenn sie auch nicht die Juno war, als die er sie sich vorgestellt hatte, sie doch keine gewöhnliche westjütische Landmannsfrau sei. Er fand sie jetzt sogar hübsch, jedenfalls von höchst interessantem Äußern. Mit ihrem schwarzen, schlichten Gewand, das keinen andern Schmuck hatte als breite Leinenaufschläge um Hals und Handgelenke und dazu eine dicke, silberne Kette, die wie ein Gürtel um die schlanke Taille geschlungen war, erinnerte sie an die düsteren und stolzen Frauengestalten der Sagen, was offenbar auch beabsichtigt war. Auch das Haar war nicht nach der augenblicklichen Mode in Puffen oder in einem Knoten im Nacken aufgesteckt, sondern glatt gescheitelt und in zwei dicken Flechten um den Hinterkopf gelegt. Namentlich aber waren es die Augen und das bleiche Antlitz, die ihrer Person das Gepräge verliehen – diese großen, nebelgrauen, von einem bläulichen Schatten umrandeten Augen mit dem müden Blick.

Nach dem Essen, als sie wieder ins Wohnzimmer zurückgekehrt waren, bat Lindemark seinen Gast, ihn einen Augenblick zu entschuldigen. Der Verwalter sitze in seinem Arbeitszimmer und warte auf Befehle für den nächsten Tag. Frau Lindemark setzte sich auf ihren früheren Platz an den Tisch mit der Lampe, worauf sich der Kandidat hinter einen Lehnstuhl ihr gegenüber an der andern Seite des Tisches stellte.

Sobald Lindemark gegangen war, begann er vorsichtig davon zu reden, wie mit Arbeit überlastet ihr Mann zu sein schien, und bedauerte sie, weil sie seine Gesellschaft sicher oft entbehren müsste.

Als sie nichts erwiderte, wurde er kühner und sprach nun von ihr selbst, fragte, ob sie das Leben hier in den Dünen nicht ein wenig beengt und einsam empfinde.

»Ich habe erwartet, dass Sie danach fragen würden«, sagte sie in geringschätzigem Ton und wandte sich ab. »In den zehn Jahren, die ich hier gewohnt, haben mir alle Menschen die gleiche Frage gestellt. Das wirkt auf die Dauer ein wenig komisch.«

Der Kandidat wurde verlegen.

»Verzeihen Sie, meine gnädige Frau! Aber ist das nicht auch eine Frage, die einem hier sozusagen auf die Zunge gelegt wird? Trotz der Schönheit der Gegend – die niemand mehr bewundern kann als ich – würde ich mir denken können, dass die Barschheit der Natur und der beständige Wind auf die Dauer ein wenig niederdrückend wirken können. Wenn ich eine Äußerung Ihres Herrn Gemahls bei Tische nicht missverstanden habe, stammen Sie selbst nicht hier von der Westküste, sondern sind in der fruchtbaren Gegend von Vejle mit den herrlichen Waldungen und dem weithin berühmten Grejstal beheimatet.«

»Ich verabscheue Wälder! Ich hasse das Grejstal. Wenn ich nur den Namen höre, wird mir schon übel!«

»Gnädige Frau geben den weiten Aussichten … dem freien Horizont den Vorzug.«

Sie hörte nicht nach ihm hin.

»Sie reden vom Sturm. Aber ich liebe gerade den Sturm … und am meisten, wenn er so recht wild tobt. Ich entbehre das gewaltige Orchester, wenn es nur eine einzige Stunde schweigt. – Aber das verstehen Sie natürlich nicht.«

»Ach ja, gnädige Frau. Ich versichere Sie –«

»Einsam sagen Sie. Aber hier ist man ja gerade niemals allein. Der Wind und das Meer haben dem, der zu hören versteht, immer genug zu erzählen. Und die Rede ist bedeutend mehr wert als das Geschwätz der Menschen über die kleinen Begebenheiten des Tages. Und die

Wolken? Warum spricht man niemals von denen? Sind sie nicht prächtig, wenn sie über die Heide dahergejagt kommen gleich Riesen mit flatternden Mänteln?«

»Auf Ehre, meine gnädige Frau! Ich teile ganz Ihre Ansicht. Und – gestatten Sie mir, es zu sagen – ich finde nicht nur die Natur, sondern auch die Menschen in dieser Gegend bedeutend interessanter als in unserm seeländischen Idyll. Hier draußen auf den freien, weiten Strecken – das zu erfahren hatte ich bisher nie Gelegenheit – erhalten die Persönlichkeiten schärfere und eigentümlichere Konturen.«

Frau Lindemark sah mit einem forschenden Ausdruck zu ihm hinüber.

»Denken Sie an Gutsbesitzer Hansen? Mein Mann erzählte, Sie hätten ihn in der Bjirgstedter Schenke getroffen.«

»Ach – nein – nicht gerade an ihn. Aber wir trafen bei derselben Gelegenheit einen andern Herrn hier aus der Gegend – Leutnant von Hacke, den Dünenassistenten.«

Sie wurde schweigsam. Und ohne die Stellung zu verändern, wandte sie den Blick nach oben, wie jemand, der lauscht. Der Kandidat, der sie mit Augen, die ihm wie auf Stängeln aus dem Kopfe standen, beobachtete, sagte sich selbst, dass ihr Mann ihr diese Begegnung also gänzlich verschwiegen hatte.

»Ja, der Ärmste hat wohl eine Art Zuflucht dort bei den Wirtsleuten«, sagte Frau Lindemark schließlich.

»Es war ein sehr eigentümlicher Mensch«, fuhr der Kandidat fort. »Ich halte es für ein wirkliches Erlebnis, seine Bekanntschaft gemacht zu haben.«

»Freilich, Leutnant von Hacke ist etwas ganz für sich. Aber das Leben hat ihm übel mitgespielt. Unsere Zeit ist nicht günstig für dergleichen Persönlichkeiten.«

»Er hat sich wohl ein Gutteil in der Welt herumgetrieben?«

»Ja, freilich! Der Trieb nach Abenteuern hat ihm von Kindesbeinen an im Blut gelegen. Schon als er noch zur Schule ging, rannte er von Hause fort, um in fremde Kriegsdienste zu gehen. Noch nicht zwanzig Jahre alt, bekam er die Tapferkeitsmedaille. Wohl wenige Männer haben so viele wunderbare Dinge erlebt wie er.«

»Ihr Herr Gemahl meint ja freilich, dass man ein wenig vorsichtig sein und nicht alles glauben soll, was er erzählt.«

»Nun ja! Leutnant von Hacke ist wie ein Kind. Die Fantasie geht zuweilen mit ihm durch. Aber was macht das? Geträumt oder erlebt? Im Grunde kommt es ja auf dasselbe heraus. Und es gibt ja im Voraus schon genug Menschen von der langweiligen Art.«

In diesem Augenblick kam die verzagte Haushälterin aus dem Esszimmer hereingeschlichen.

»Was wollen Sie, Steensen?«, fragte Frau Lindemark, und ihre Stimme wurde laut und herrisch.

Die alte Person zuckte zusammen.

»Ich wollte ein paar Stücke Torf aufs Feuer legen.«

»Machen Sie sich keine Mühe.«

Die Alte kehrte verlegen um, und als er ihre in die Höhe geschobenen Schultern von hinten sah, kam dem Kandidaten der Gedanke, dass sie gewiss draußen gestanden und ihre Unterhaltung belauscht hatte und nur hereingekommen war, um sie zu stören. Er entsann sich der Empörung, mit der Frau Lindemark vorhin, bei Besprechung des russischen Romans, Nathalias Einsperrung durch den Stiefvater zur Verhinderung ihrer Flucht erwähnt hatte, und er fragte sich selbst, ob dieser Zorn vielleicht eine persönliche Veranlassung habe. Der Gedanke versetzte seine dichterische Fantasie in lebhafte Erregung. Umgab Lindemark seine Frau mit betrauten Spionen? Saß hier ein lauerndes Ohr hinter jedem Türspalt, ein spähendes Auge an jedem Schlüsselloch? –

Er bekam keine Gelegenheit, weitergehende Betrachtungen darüber anzustellen. Lindemark kam jetzt aus seinem Arbeitszimmer herein. Er hatte eine Papprolle in der Hand, die er auf den Tisch legte.

Im selben Augenblick, als seine Frau ihn hörte, erstarrten die Muskeln in ihrem Gesicht. Ein aufflammender Strahl von Hass, der an ein gehetztes Tier erinnerte, zuckte in ihren Augen auf. Als er sich näherte und sie vorsichtig auf die Schulter klopfte, indem er sagte: »Liebe Astrid, wir bekommen heute Abend zu Ehren unseres Gastes wohl einen Grog« – da machte sie keinen Versuch, das kalte Entsetzen zu verbergen, das sie bei seiner Berührung empfand.

Lindemark breitete seine Rolle auf dem Tisch aus und sagte, zu dem Kandidaten gewendet:

»Wollen Sie mir den Gefallen tun und sich dies ein wenig ansehen. Es ist ein Plan von meinem Gut. Ich glaube, es wird am besten sein, wenn Sie sich ein wenig damit bekannt machen, ehe wir morgen auf das Terrain hinauskommen. Es wird Ihnen den Überblick erleichtern. – Sehen Sie, hier unten in dieser Ecke liegt also Großhof, und diese bunte Linie bezeichnet die Grenzen des Gutes. Und nun muss ich Sie gleich daran erinnern, dass die ganze Gegend einstmals in längst entschwundenen Zeiten üppiges Ackerland mit Dörfern, Kirchen und großen Eichenwäldern gewesen ist, von denen man an einzelnen Stellen mehrere Fuß unter der Sandschicht noch Überreste finden kann. Mit dem bedauerlichsten Leichtsinn hat man damals diese Wälder abgeholzt, die der Gegend Schutz gegen die Zerstörungen des Sturmes und des Sandtreibens gewährten. Schließlich hat die Bevölkerung notgedrungen die Gegend verlassen und sie gänzlich der Herrschaft der wilden Naturkräfte überlassen. Nicht wahr? Es liegt etwas Niederschlagendes in dem Gedanken, dass hier in diesem Sandmeer, wo wir jetzt nur mit der äußersten Sorgfalt und dem angestrengtesten Fleiß die widerstandsfähigsten Strauchgewächse zum Wachsen bringen können – dass hier einstmals Bauern singend hinter dem hölzernen Pflug hergegangen sind – dass hier große Kornäcker gewogt – vielleicht auch Nachtigallen gesungen und Nester gebaut haben … Nun, mit Gottes Hilfe wird wohl einmal eine Zeit kommen, wo die milden und freundlichen Mächte des Lebens wieder Wohnung in diesen Gegenden nehmen werden.«

Er fügte dies letztere mit gedämpfter Stimme und in verändertem Tonfall hinzu, als richtete er in Gedanken die Worte an einen andern Zuhörer.

Frau Lindemark hatte sich währenddessen von ihrem Stuhl erhoben. Während der langen Auseinandersetzung ihres Mannes ging sie unruhig im Zimmer hin und her, berührte bald diesen, bald jenen Gegenstand, als werde sie von Unentschlossenheit gequält. Schließlich setzte sie sich an das offen stehende Klavier, klimperte ein wenig und begann dann den ersten Vers von Liebmanns »Sturmgesang am Strande« zu der bekannten Begleitung vor sich hin zu summen:

»Ein Hünengrab am Meer,
Der Himmel wolkenschwer,
Ein schaumumkränzter Möwenstrand –
Mein Heim, mein Vaterland!«

»Kennen Sie das Lied?«, unterbrach sie jetzt ihren Mann und drehte den Kopf nach dem Kandidaten um.

»Ich kenne es nicht nur, gnädige Frau, sondern durch einen besondern Zufall ist es mir noch vor wenigen Stunden durch mein Gedächtnis gezogen. Liebmann ist mein Lieblingsdichter.«

»Auch der meine!«

Sie wandte sich wieder dem Klavier zu und sang nun mit voller Stimme alle Verse. Ihr Gesang war gänzlich ungeschult, und der Kandidat fühlte sich anfänglich ein wenig wunderlich berührt durch ihre Misshandlung der schönen Melodie. Es währte aber nicht lange, bis ihn die Verwegenheit fesselte, mit der sie sich von dem Pathos der Worte hinreißen ließ:

»Gar mancher preiset dein Sankt-Hans,
Wenn du zu kurzem Sommertanz
Aufheftest dir das Nebelkleid
Mit des Südens entliehener Herrlichkeit.
Nein, lieber sing' ich dir zu Ehr',
Wenn des Nordwinds Zuchtrut' braust daher,
Hin über Berg und Tal und Bach
An einem schwarzblauen Wintertag.
Noch lieber aber grüßte ich
Am herbstlichen Abend im Boote dich,
Wenn der Tag verglimmt, und des Meeres Flut
Tiefrot wird gefärbt von der Sonne Glut.
Umbrause, du salzige nordische See,
Das Hünengrab dort auf dänischer Höh',
Und ein Hünengeschlecht, gewaltig wie du,
Erweck uns noch einmal aus unsrer Ruh'!«

Der Kandidat sah verstohlen zu Lindemark hinüber, der auf einem Stuhl Platz genommen hatte. Er saß hier mit gesenktem Kopf, die Hände auf den Knien, als wäre er in Hoffnungslosigkeit versunken.

Als der Gesang beendet war, erhob sich Frau Lindemark mit trotziger Haltung und ging auf die Tür zu.

»Gehst du schon hinauf, Astrid?«, fragte Lindemark flehend.

Sie antwortete ihm nicht, nickte dem Kandidaten Gute Nacht zu und verließ das Zimmer.

Der Kandidat schlug die Augen nieder, als sie gegangen war. Lindemark tat ihm leid, und er konnte sich nicht entschließen, ihn anzusehen, als dieser seinen Plan nun wieder ausbreitete, um seine Erklärung fortzusetzen.

Dies geschah nun auch auf eine sonderbar springende Weise, die seine Geistesabwesenheit verriet. Ein paarmal hielt er völlig inne und erhob den Kopf, als horche er nach etwas. Als die Haushälterin mit der Groganrichtung hereinkam, wandte er sich an sie und sagte:

»Es war mir, als wenn meine Frau geschellt hätte.«

»Ja, Rolf soll hinaufkommen. Er war unten in der Küche, und gnä' Frau wollten –«

»Es ist gut!«, unterbrach er sie schnell und errötete bis über die Stirn. »Ach, sehen Sie doch bitte gleich einmal nach dem Ofen.«

Noch eine Stunde saßen die beiden Herren allein in dem großen Zimmer und rauchten. Aber trotz des Grogs schleppte sich die Unterhaltung nur langsam hin. Als die Uhr auf dem Sekretär zehn schlug, sagte Lindemark:

»Ja, jetzt müssen Sie verzeihen. Hier an der Westküste gehen wir früh zur Ruhe. Sie zürnen mir ja nicht, weil ich das so geradeheraus sage.«

Er leuchtete seinem Gast selbst in das Fremdenzimmer am andern Ende der Diele hinüber und sagte Gute Nacht. Aber mochte nun die Gemütsbewegung schuld daran sein oder die ungewohnte westjütische Kost, der Kandidat wurde plötzlich von einer Unruhe in seinem Magen aufgeschreckt und sah sich gezwungen, seinen Gastfreund zu bitten, ihm den Weg zu dem verborgenen Ort zu zeigen, der in jedem wohlgeordneten Hause der Einsamkeit geweiht ist.

Lindemark rief eine Magd herbei – begleitet von dem rundbäuchigen Küchenmädchen, das eine Laterne trug, musste er eine abenteuerliche Wanderung über den Hofplatz und durch eine finstere Gasse zwischen Stallgebäuden vornehmen, wo die Gewalt des Sturmes nahe daran war, ihn umzureißen, dann weiter, vorüber an einem großen Schuppen und einem Dunghaufen, über dem eine Reihe von Schubkarren lag, die sich mit ihren in die Höhe gestreckten Armen im Mondschein ganz gespensterhaft ausnahmen.

Als er endlich seinen Bestimmungsort erreichte, dankte er seiner Begleiterin und verschwand in dem Verschlag.

In ihrer ländlichen Treuherzigkeit blieb die Magd mit der Laterne in der Hand draußen stehen und wartete, und diese Aufmerksamkeit hatte zur Folge, dass er sich auf dem Rückwege in eine Unterhaltung mit ihr einließ, soweit der Sturm es gestattete. Es waren jedoch äußerst mundfaule Antworten, die er auf seine Fragen nach Großhof und seinen Bewohnern erhielt. Namentlich war die Magd gänzlich abgeneigt, sich über ihre Herrin zu äußern. Jedes Mal, wenn er versuchte, sie über die Familie auszuforschen, antwortete sie unabänderlich: »Dat weet ik nich'.« – »Dor weet ik nichts nich' von.«

Weiter kam er auf diesem Wege nicht mit ihr. Und nun waren sie auch wieder beim Wohnhaus angelangt, wo Lindemark auf der Diele stand und wartete. Der Kandidat dachte das Seine dabei, als er sah, wie Lindemark sich persönlich vergewisserte, dass die Haustür sicher verschlossen und die eiserne Stange davorgelegt war.

Niemals hatte der Kandidat eine fürchterlichere Nacht verbracht. Obwohl das Bett weich war wie ein Vogelnest, konnte er nicht einschlafen infolge des Sturmes, der sich um Mitternacht mit einer Gewalt erhob, so dass er schließlich aufstand und zum Fenster hinausguckte, um zu sehen, ob nicht die Welt im Begriff sei, unterzugehen. Ein heulender, brüllender und röchelnder Chor ertönte rings um ihn her. Es war, als befände er sich auf dem Boden der Hölle. Wenn er von Zeit zu Zeit, überwältigt von seiner Müdigkeit, einschlummerte, wurde er im Traum von allen Schrecken des Todes erschüttert. Er fantasierte von wilden Urwaldbestien, die sich um das Haus scharten, um ihn zu zerreißen. Er träumte von fauchenden Riesentigern, die vom Dachfirst herabgeschlichen kamen, von fabelhaften Elefanten, die in ihrer Wut die breiten Stirnen gegen die geschlossenen Türen des Hauses rammten; von großen Horden von Flusspferden, die in einer Wolke von aufgewirbeltem Sand draußen vom Meer her über die Dünen gestampft kamen und ein schreckliches Kampfgebrüll aus ihren rosenroten Schlünden ausstießen.

Am nächsten Morgen, als er zum Frühstück hereinkam, fand er die Stuben leer. Nur die alte Haushälterin schlich mit dem Staubbesen umher. Als er sie fragte, ob die Herrschaften schon auf seien, antwortete sie, der Herr sei in den Stall hinübergegangen.

»Und die gnädige Frau?«

Die Alte sah ihn mit ein paar guten, traurigen Augen unsicher an.

»Gnä' Frau steht erst später auf … nich' vor Mittag«, sagte sie auf eine Weise, als habe sie es eigentlich nicht sagen wollen. »Das hat der Doktor ihr verordnet, glaub ich«, fügte sie auch schnell hinzu.

»Ist die gnädige Frau krank?«

»Ach nein – so eigentlich krank –«, murmelte sie und schickte sich an, eifrig die Bücher auf Lindemarks Schreibtisch zu ordnen, als sei sie bange, dass sie sich wieder verplappern könne.

Im selben Augenblick steckte ein Mädchen den Kopf zur Tür herein und rief mit Angst in der Stimme:

»Steensen, schnell … Gnä' Frau klingelt!«

Die alte Person warf sofort die Bücher, die sie in der Hand hatte, hin und eilte hinaus. Draußen auf dem Gang lief sie in der Eile gegen eines der andern Mädchen des Hauses, das ebenfalls rief: »Schnell, Steensen … Gnä' Frau hat geklingelt.« Es war, als verbreiteten sich auf einmal Unruhe und Entsetzen über das ganze große Haus.

Nach einer Weile kam Lindemark vom Hof herein. Er begrüßte seinen Gast herzlich und schien erfreut, ihn zu sehen. Und doch wollte es dem Kandidaten scheinen, als sei er noch ernsthafter als am vorhergehenden Tage. Es sah so aus, als sei auch für ihn die Nacht ein Kampf mit bösen Träumen gewesen.

Gleich nach dem Frühstück machten sie zusammen eine Wanderung über das Gebiet von Großhof. Der Sturm war noch immer sehr heftig, und sie hatten ihn gerade in den Augen. Im Südwesten, von woher der endlose Zug von schmerbäuchigen Wolken sich über das Land hereinwälzte, begann es, sich ein wenig aufzuklären. Das bedeute, sagte Lindemark, dass sich der Wind gegen Abend legen werde.

Um einen Überblick über die Gegend zu gewinnen, bestiegen sie zuerst einen länglichen Dolmen, der auf dem nächsten Felde lag, nicht weit von der umfangreichen Gruppe der Wirtschaftsgebäude. Sie befanden sich hier am Rande einer großen Wiesenstrecke, durch die ein Bach floss. Die Wiese war kreuz und quer von Gräben durchzogen, die durch ein verwickeltes System von Schleusenwerken miteinander in Verbindung standen. In der Ferne sah man die weißgrauen Dünen.

Dann machten sie sich auf den Weg nach der Anpflanzung, die im Westen längs der Dünengrenze lag. Es war eine lange und beschwerliche Wanderung über sandige Felder und aufgebrochene Heide. Sie mussten sich mit ihrem ganzen Gewicht gegen den Wind anstemmen, und ein paarmal blieb der Kandidat stehen, weil ihm der Atem ausging.

»Das ist wahr!«, rief Lindemark, der die ganze Kraft seiner Stimme anwenden musste, um den Sturm zu übertönen. »Ich darf ja nicht vergessen, Ihnen zu sagen, dass heute Morgen ein reitender Bote von Gutsbesitzer Hansen auf Sandhof hier war – Sie erinnern sich seiner wohl noch von gestern Abend. Morgen ist Frau Hansens Geburtstag, und meine Frau und ich sind schon lange dazu eingeladen. Der Bote brachte den Bescheid, dass Sie natürlich herzlich willkommen wären, falls Sie sich uns anschließen wollten.«

Der Kandidat dachte ein wenig über die Sache nach. Er hatte im Grunde wohl Lust, Gebrauch von der Einladung zu machen. Wenn Frau Lindemark mitfuhr, so geschah das sicher, weil auch Leutnant von Hacke da sein würde, und die Aussicht, einer Begegnung zwischen den beiden beizuwohnen, wirkte verlockend. Aber er fand es unbescheiden, so lange hier zu bleiben. Auch hatte er schon gesagt, dass er gleich nach Tische aufbrechen wolle.

Indessen kam Lindemark allen Einwendungen zuvor, indem er erklärte, dass sowohl seine Frau als auch er selber es als Beweis dafür auffassen würden, dass er sich auf Großhof wohlfühle, wenn er sich entschlösse, seine Abreise hinauszuschieben; und als der Kandidat dessen ungeachtet ein wenig mit der Antwort zögerte, drang er so kräftig in ihn, dass dem jungen Manne ganz wunderlich dabei zumute wurde. Er fragte sich selbst, welchen Gedanken Lindemark wohl dabei haben könne, dass er ihn unter den augenblicklichen unglücklichen Verhältnissen in seinem Hause behalten wollte. Geschah es in der Hoffnung, dass er als Blitzableiter wirken würde? Oder war es jene Absicht, ihn als kleinen Harfenspieler David zu verwenden, der durch seine Unterhaltung den schwermütigen, finstern Sinn seiner Frau erheitern sollte?

Er dankte für die Freundlichkeit und versprach zu bleiben. Und nun gingen sie eine Weile nebeneinander her, ohne zu sprechen. Der Weg wurde immer beschwerlicher. Sie wateten bis über die Knöchel in Sand.

Und immer deutlicher hörte man durch den Sturm das tiefe, gleichsam unterirdische Dröhnen des Meeres.

Endlich erreichten sie die »Plantage« und stiegen auf einen Hügel hinauf, um die ganze Anpflanzung übersehen zu können. Es war, als stünden sie mitten in einem kriegerischen Verhau. Überall im Heidekraut waren Löcher von Spatentiefe gegraben, und in einem jeden stand eine kleine Fichtenpflanze, die nicht weit über dem niedrigen Wall von aufgegrabenem Sand aufragte, der an der West- und Nordseite des Loches lag, um Schutz zu gewähren. Nur draußen, der See zunächst, wo die großen Dünen den Wind abfingen, war die Anpflanzung an einigen Stellen wie ein zwergartiger kleiner Nadelwald aufgeschossen.

Lindemark kehrte dem Wind den Rücken zu und zeigte mit dem Stock in die Runde, nannte Zahlen und erklärte. Da draußen, fern im Osten schwebten die vielen Gebäude von Großhof und sein minarettartiger Meiereischornstein gleich einer Luftspiegelung über der großen, kahlen Wüstenlandschaft.

»Sehen Sie die Senkung im Terrain vor Großhof? Denken Sie sich dies natürliche Bassin mit dem Ablaufwasser aus dem Überrieselungswerk angefüllt. Es entsteht, mit andern Worten, ein See, der so zu liegen kommt, dass das Wohnhaus sich darin spiegelt. Stellen Sie sich dann vor, dass die Bepflanzung um den See zu einem Wald herangewachsen ist … Das kann ganz hübsch werden, nicht wahr? Der größte Teil von dem, was jetzt Heide ist, wird zu der Zeit unter dem Pflug sein. Das übrige wird bepflanzt werden. Der Fichtengürtel hier längs der Düne wird einmal imstande sein, die Macht des Westwindes zu brechen. Bisher bin ich noch nicht sehr weit gekommen – wie Sie sehen. Ich hatte ja freilich von Anfang an geglaubt, dass es bedeutend schneller vorwärtsgehen würde. So habe ich das ganze Stück hier nicht weniger als viermal umpflanzen müssen. Es geht mit der Urbarmachung in der Natur wie mit jeglicher andern Erziehung: Es gilt in erster Linie, die Gabe der Geduld zu besitzen.«

Auf seine stille Weise fuhr er fort, seine Zukunftshoffnungen zu entwickeln. Während ihnen der Sturm höhnisch in die Ohren pfiff und das dumpfe Dröhnen der Brandung sich wie eine finstere Drohung in seine Rede mischte, stand er hier so zuversichtlich und bekannte seinen Glauben an den endlichen Sieg der guten und lebenbewahrenden Mächte.

Aber sein Ton klang wehmütig. Er sagte es geradeheraus, dass er die Hoffnung aufgegeben habe, seine Träume vollkommen verwirklicht zu sehen. Aber für die Nachwelt zu arbeiten, sei auch eine große Freude »Wie lange ist es her, seit Sie anfingen?«, fragte der Kandidat.

»Gut zehn Jahre. Gewissermaßen schulde ich meiner Frau die Idee zu dem Unternehmen.«

»Ihrer Frau?«

»Wie ich Ihnen gewiss erzählt habe, stand die Wiege meiner Frau in einer der berühmtesten Waldgegenden Dänemarks. Als wir uns verlobten, kam mir der Gedanke, den Versuch zu machen, ihr einen Ersatz für die Schönheit zu schaffen, auf die sie um meinetwillen verzichtete. Mit der Vertrauensseligkeit, die ein junges Glück zeitigt, bildete ich mir damals ein, dass ich im Handumdrehen ein Ergebnis würde hervorzaubern können.«

»Auf die Weise ist die ganze Anlage also eine Art Morgengabe für Ihre Frau Gemahlin?«

»So können Sie es gern nennen. Ich habe die Plantage auch nach ihr benannt.«

»Ich habe übrigens den Eindruck gewonnen, dass Ihre Frau sich allmählich ganz in die Verhältnisse hier eingelebt hat und das Idyll ihrer Heimatgegend gar nicht mehr entbehrt.«

Lindemark wurde aufmerksam.

»Hat sie mit Ihnen darüber gesprochen?«

»Die gnädige Frau erwähnte es gestern. Sie liebe die Gegend hier, sagte sie, und gerade um ihrer wilden Rauheit willen.«

Lindemark schlug die unruhig fragenden Augen nieder und verstummte. Dann stiegen sie den Hügel hinab und begaben sich auf den Heimweg.

Der Kandidat bereute jetzt, was er gesagt hatte. Er hatte auf diesem Spaziergang eine andere Anschauung über den Charakter seines Wirtes bekommen. Dieser sanfte, melancholische Mann konnte sicher kein Haustyrann sein, geschweige denn ein Henkersknecht, der aus Eifersucht sein Heim zu einem Gefängnis machte. Der Kandidat fing an, den Umfang seines Unglücks zu verstehen und Mitleid mit ihm zu empfinden.

Sie kehrten rechtzeitig zum Mittagessen zurück, aber als sie zu Tische gingen, stellte es sich heraus, dass der Stuhl der Hausfrau leer stand und ihr Gedeck weggenommen war. Lindemark machte eine Entschuldigung in ihrem Namen. Sie habe diese Nacht nicht gut geschlafen, erklärte er, und sei deswegen in ihrem Zimmer geblieben.

Gleichzeitig brachte er eine Entschuldigung vor, weil er gleich nach Tische fort müsse. Zwischen seinen vielen Vertrauensposten war auch der des Taxators des Kreditvereins, und er müsse notgedrungen bei einem Visitationsgeschäft auf einem eine Meile entfernten Gute zugegen sein.

So war denn der Kandidat den ganzen Nachmittag sich selbst überlassen. Und da er zu müde war, nun wieder hinauszugehen, verbrachte er die Zeit in seinem Zimmer, wo er in einem großen Lehnstuhl saß und las.

Er hatte den Bücherschrank untersucht und zu seiner Überraschung ein Originalausgabe-Exemplar von Bentsens Märchendrama »König Tag und Königin Nacht« gefunden. Es war ihm eine Wonne, dieses Hauptwerk dänischer Literatur in seiner ursprünglichen, spartanischen Ausstattung in der Hand zu halten, in der alten Frakturschrift gedruckt, wie man sie jetzt nur noch in volkstümlichen Kalendern sieht. Und während er sonst fast alle Poesie geringschätzte, die vor Liebmann lag, ließ er sich allmählich von dem Wohlklang der Verse hinreißen.

Die lange Personenliste versetzte ihn sofort in Stimmung: »König Tag, 20 Jahre; Königin Nacht, 15 Jahre; Wind, Hofmarschall; Dämmerung, ein Herold; Sternendeuter, Opferpriester, ein Hofnarr, ein alter Mann mit einem Buckel; Meister Schmiedehammer, Geselle Blasebalg; eine erhängte Frau; eine tausendjährige Eiche, Luftgeister, Erdgeister; ein blasser Mann; Nymphen, drei Nachtigallen, Chor der Wellen, eine Stimme von oben, ein Henker, zwei Henkersknechte usw.« – das war eine Speisekarte, bei der einem literarischen Feinschmecker schon das Wasser im Munde zusammenlaufen konnte in Erwartung gewürzter Genüsse.

Er genoss mit Kennermiene die wirkungsvolle Einleitung, wo zwei Waldnymphen in einer stürmischen Mondscheinnacht am Ufer eines klingenden Baches eng umschlungen im Gebüsch sitzen. Sie zittern vor Kälte, obwohl sie sich ganz in ihr langes, aufgelöstes Haar gehüllt haben, das die nackten Leiber wie ein Mantel bedeckt. Die eine ist blond, die andere dunkel; und die erstere ist ebenso sanft und wehmütig, wie die andere schlagfertig und derb ist. In mustergültigen Versen schütten sie einander ihre Herzen aus und klagen über die prosaische Zeit, die sie zu trauriger Einsamkeit und zu Vergessenheit verurteilt hat. In einem Wechselgesang erzählen sie einander überlieferte Sagen aus den Tagen ihrer Urgroßmütter, als selbst die Götter um die Gunst der Nymphen warben und die Wälder zu ihrer Ehre von den frohen Gesängen der Jugend widerhallten.

Die Unterhaltung stockt, als ein Notschrei durch das Sturmgesause bis zu ihnen dringt. Die Blonde zuckt zusammen und fragt ängstlich, was das sein kann.

»Oh, das ist die Eulenmutter in Kindesnot.
Ihr Liebesgetändel sie jetzt wohl bereut!«

Also tröstet die dunkle Nymphe ihre erschreckte Freundin, und diese ziemlich gewagten Worte, die anstößig gewesen sein würden, wenn sie einer Sudelmagd in den Mund gelegt worden wären, werden den jungen Mädchen in den Erziehungsanstalten vorgelesen, weil es Nymphensprache und Poesie ist.

Jetzt gibt sich die Blonde ganz ihrer Verzweiflung hin, wirft sich der Freundin um den Hals und vertraut ihr ihr Unglück an.

Dies besteht bekanntlich darin, dass sie sich in den jungen König Tag verliebt hat, der in wechselnden Verkleidungen einsam und unbekannt in seinem Reich umherwandert, um Heilung für sein krankes Gemüt zu finden. Er ist ein verschlossener, träumerischer Geist. Er leidet an dem, was man in der romantischen Dichtung feierlich Melancholie und Weltverachtung nennt, in der Sprache des täglichen Lebens aber korrekter als Magenkatarrh und Mangel an Pepsin bezeichnet. Er wird von der fixen Idee verfolgt – die auch die des Dichters zu sein scheint –, dass er durch seine Forschungen in den Werkstätten der Natur und der Weisheit zu hellsehend geworden ist, so dass er die Leere aller Dinge durchschauen kann.

Deswegen hat er jetzt seinen gelehrten und glänzenden Hof, sein alchemistisches Laboratorium, seine Sternendeuter und seine adeligen Geliebten verlassen, um zum Volk hinabzusteigen und aus der Quelle der heiligen Einfalt zu trinken, von der man in der Welt der Poesie stets eine ähnliche Wirkung erwartet wie in der wirklichen von einer Karlsbader Kur.

Die blonde Waldnymphe erzählt ihrer Freundin, dass sie vor Kurzem dem König begegnet ist, als er eines Tages, als junger Bauer verkleidet, durch den Wald gewandert kam. Auf den allerersten Blick hatte sie sich in seine schöne Person verliebt, was, wenn es einem gewöhnlichen Frauenzimmer geschehen wäre, todsicher anstößig gewesen sein würde, wohingegen es in der höheren Poesie und zwischen Rangpersonen der Geisterwelt gerade das Zeichen der erhabensten Liebe ist.

Der vermummte König ist unglücklicherweise in seine eigenen, finstern Gedanken vertieft gewesen und hat sie gar nicht gesehen.

»Ach, nicht schaut er die bleiche Maid der Nacht.

– was so zu verstehen ist, dass der Blick des Königs noch geblendet ist von dem falschen Schein des Tages, sein Sinn ist noch zu sehr nach außen gewendet, um das dunkle Innere des Daseins zu fassen, jene mystische Nachtseite der Menschenseele, von der so manch ein Dummkopf in der Vergangenheit und der Gegenwart fabuliert und fistuliert und sich dadurch einen dauernden Ruf für Tüchtigkeit geschaffen hat.

Jetzt ergreift – zur Überraschung uneingeweihter Leser – eine alte Eiche das Wort, jedoch erst, wie es scheint, nachdem sie sich rücksichtsvoll geräuspert hat (»Wie seltsam kracht es in dem Baum!«).

Die alten Eichen treten in der Poesie immer als Sprachrohr des weitschauenden Geistes, der graubärtigen Weisheit, auf:

»Hell blitzt aus der Erinnerung Nacht
Des Glückes Gold in tiefem Schacht,
Niemand es sich dienstbar macht!
Zu der Hoffnung blauen Höhen
Junge Herzen pochend flehen.
Kennen nicht des Lebens dunkle Pfade.
Fürcht dich nicht in der Not,
Bitter nur ist Wintertod –
Und im Hoffen liegt noch Gnade!«

So beginnt sie ihren berühmten Gesang, in dem, wie man sagt, eine tröstliche Lebensphilosophie für den enthalten sein soll, der so glücklich ist, zu verstehen. Aber nun mischt sich ein Chor von jubelnden Naturgeistern in die dunkle Rede der Eiche. Es tönt aus der Luft, aus den Wolken, aus dem Walde, und die Wellen des Baches summen:

»Wir Wellen gehn
Auf Silberzehn
Wir gleiten
Und schreiten
Den Blümlein zur Seiten.«

Währenddessen sind die herzzerreißenden Notschreie immer näher gekommen. Und nun stürzt ein schreckgelähmtes Bauernmädchen – die Martha des Personenverzeichnisses – mit wirr aufgelöstem Haar auf die Bühne. Sie ist auf dem Wege zu dem großen Bauernfest, das im zweiten Akt des Dramas dargestellt wird, hat sich aber im Walde verirrt und ist vor Angst wahnsinnig geworden. Einen Augenblick steht sie zitternd da und lauscht. Sie glaubt sich verfolgt und redet wirre Worte von schwarzen Gestalten mit blutroten Augen. Dann stößt sie abermals einen Schrei aus und will weiterlaufen, strauchelt aber über eine Baumwurzel und fällt in eine todähnliche Ohnmacht.

Orchester.

Unter sanfter Musik kommen die beiden Nymphen, die hinter einem Busch Zeuge dieses Auftritts gewesen sind, wieder zum Vorschein. Sie umkreisen sie tanzend, bestreichen sie mit Mohnsaft. Plötzlich ruft die Dunkle aus:

»O Schwester, sieh der goldnen Locken Flut,
Sie strömen nieder, teilen in zwei Lager sich,
Und diese bleiche Wang', den schlanken Hals,
Das Grübchen in des Kinnes weicher Rundung –
Es ist, als sähe ich dein eignes Bildnis,
O Schwester, in des Baches Wasser abgespiegelt.«

Mit welchen Worten sie – kurz und gut – ausdrücken will, dass sie eine auffallende Ähnlichkeit zwischen ihrer Freundin und dem verunglückten Bauernmädchen findet. Hiermit wird bekanntlich die Handlung des Dramas in Bewegung gesetzt. Sie macht der bleichen Maid der Nacht den Vorschlag, die Kleider des Mädchens anzulegen. In dieser Verkleidung, mit der sie auch dem ungeöffneten Menschenauge sichtbar wird, soll sie sich nach der Dorfschenke begeben, wo das vorhin erwähnte ländliche Fest gefeiert wird und wo sich auch der junge König einfinden soll.

Während sich das Mädchen entkleidet und der blonden Nymphe dessen Kleider anzieht, tönt es wieder aus der Luft, und die musikalischen Wellen des Waldbaches fallen ein:

»Wir Wellen gehn
Auf Silberzehn,
Wir gleiten,
Wir schreiten
Den Blümlein zur Seiten.«

Hier unterbrach der Kandidat die Lektüre. Ein Wagen war auf den Hof gefahren, und nun hörte er Lindemarks Stimme draußen auf der Diele. Gleich darauf wurde er zum Abendessen gerufen. Frau Lindemark war jetzt aus ihrem Zimmer heruntergekommen, und in der großen, kalten Essstube wiederholte sich nun genau dieselbe Szene vom vorhergehenden Tage. Ohne sich um den Gast zu kümmern, fütterte sie ihren Hund und belustigte sich damit, ihn nach den guten Bissen schnappen zu lassen, die sie ihm auf ihrer Gabel hinhielt. Nach Tische kehrten sie und der Kandidat ins Wohnzimmer zurück, während Lindemark mit dem Verwalter in seinem Arbeitszimmer nebenan eine Besprechung hatte.

Frau Lindemark nahm ihren Platz in ihrem niedrigen Lehnstuhl unter der Lampe, und so wie am vorhergehenden Abend stellte sich der Kandidat hinter einen Stuhl auf der andern Seite des Tisches. Mit einiger Mühe kam eine Unterhaltung in Gang.

Frau Lindemark erinnerte ihn an die begeisterten Worte, die er über ihre Heimat geäußert hatte, und fragte, ob er sich dort längere Zeit aufgehalten habe.

»Ich muss gestehen, gnädige Frau, dass ich selbst niemals da gewesen bin. Aber ich hatte eine alte Tante, die in ihrer Jugend dort gelebt hat.

Sie war voll Lob über Vejle, über die Umgebung des Städtchens wie auch über seine Bewohner.«

»Dann hat sie sicher auch von meinem Großvater erzählt. Er war zu jener Zeit der Mann, von dem in Vejle am meisten geredet wurde.«

»Darf ich fragen … wie war der Name Ihres Herrn Großvaters?«

»Kapitän Junge. ›Der Kaperkapitän‹ wurde er übrigens meist genannt.«

»Der Großvater der gnädigen Frau war nicht Offizier?«

»Nein, er war Kapitän auf seinem eigenen Schiff – der ›Seeadler‹ hieß es. Haben Sie nicht davon gehört?«

»Ich entsinne mich nicht –«

»Es war wohl nur eine kleine Schute – aber zweimal hat er damit die Erde umsegelt, und ich glaube wohl, dass er ringsumher auf der Welt viele galante Abenteuer erlebt und auch allerlei mysteriöse Dinge auf diesen Reisen unternommen hat. Ich entsinne mich, dass von einer Verbindung mit Sklavenhändlern an der Goldküste geflüstert wurde. Ein Wagehals war er auf alle Fälle. Ein Mann mit Temperament. Es hat mich oft belustigt, an die entsetzten Mienen zu denken, die die Leute aufsetzten, wenn sie von ihm sprachen.«

Der Kandidat ertappte sich darauf, dass auch er große Augen zu ihrer Erzählung machte. Er war nicht wenig überrascht über den Familienstolz, der hier zu Worte kam. Aber jetzt kam Lindemark aus seinem Zimmer herein, und nach einer Weile erhob sich seine Frau und sagte Gute Nacht.

Bald darauf brachen auch die andern auf. Mit ländlicher Ungeniertheit sah Lindemark nach seiner Uhr und erinnerte daran, dass es Schlafenszeit sei. Ringsumher im Hause war es still geworden. Man hörte nicht mehr das Holzschuhgeklapper der Küchenmägde unten im Keller. Ein paar Türen waren mit schwerem Dröhnen geschlossen worden. Die Leute waren zur Ruhe gegangen.

Als der Kandidat in seinem Zimmer Licht angezündet hatte und das Rollo herunterlassen wollte, verfiel er in Sinnen und betrachtete den Mond, der über einer Wolkenbank am östlichen Himmel stand. Das Fenster lag nach einer Ecke des Gartens hinaus, wo einige armselige Sträucher hinter einem Erdwall im Schutz gegen den West- und Nordwind aufgewachsen waren. Lindemarks Voraussagung in Bezug auf das Wetter hatte Stich gehalten. Der Sturm war im Begriff, sich zu legen. Vorläufig spukte er jedoch noch mit vielen sonderbaren Geräuschen um den Giebel herum.

Plötzlich spitzte er die Ohren und wandte sich um. Von der Treppe zur oberen Etage, wo die Schlafzimmer lagen, klang grobes Hundegebell herab, das ihm zu erkennen nicht schwer wurde. Es war der große Köter der Gnädigen. Auch Lindemarks Stimme konnte er von einer Stelle ganz am andern Ende des Hauses hören. Lindemark schien das Tier durch Drohungen zum Schweigen bringen zu wollen, aber je mehr er es beschwichtigte, umso rasender wurde es. Da hörte man dort oben eine Tür hart ins Schloss werfen, und nach einer Weile beruhigte sich der Hund.

Der Kandidat dachte das Seine dabei. »Ach ja«, sagte er zu sich selbst, indem er anfing, sich zu entkleiden. »Dies ist wirklich ein großer Jammer.«

Mit einem wahrhaft unheimlichen Gefühl kroch er unter das Deckbett und versuchte einzuschlafen. Und als ihm das nicht gelang, weil sein Sinn zu unruhig war, zündete er wieder ein Licht an und machte sich daran, in »König Tag und Königin Nacht«, das er auf dem Nachttisch liegen hatte, weiterzulesen.

Er war zu dem komischen Intermezzo gelangt, das in den ersten Akt des Dramas nach der großen Umkleidungsszene der Nymphen eingeschoben ist. Die blonde Maid ist in den Kleidern des Bauernmädchens fortgegangen, und hereinhumpelt jetzt, eine Laterne in der Hand, der Vertreter der Philisterei und der stumpfsinnigen Vernunft im Stück, Herr Literat Klexmeier, ein jämmerlicher Krüppel, der sich auf die Beschäftigung gelegt hat, seiner Zeit Moralpredigten zu halten, Ungerechtigkeiten zu rügen, Missbräuche aufzudecken, Torheiten zu geißeln und allerlei spießbürgerliche Tugenden zu preisen.

Auch er befindet sich auf dem Wege nach dem ländlichen Fest und hat sich in dem Märchenwalde verirrt. Er schäumt vor Wut und schwört, dass er nie wieder einen Fuß über das Straßenpflaster hinaussetzen will. Obwohl der Hintergrundvorhang im selben Augenblick aufgeht und eine mondbeschienene Wiese erblicken lässt, in deren Nebeln ein anmutiger Elfentanz aufgeführt wird, verflucht er die Dunkelheit und gelobt sich, einen Band Satiren über die wieder ins Leben gerufene Stimmungspoesie und Mondscheinlyrik schreiben zu wollen.

Die Vergeltung für diese poetische Ketzerei bleibt denn auch nicht aus.

Als er sich am Fuße der philosophischen Eiche niederlegen will, um ein mitgebrachtes Brot zu verzehren, gewahrt er beim Schein der Laterne das ohnmächtige, schlafende Bauernmädchen, das nackend im Gras ausgestreckt liegt. Anfänglich glaubt er, dass es eine Leiche sei, und flieht entsetzt. Die Neugier treibt ihn aber zurück, und als er sieht, dass das Mädchen atmet, geht eine Verwandlung mit ihm vor. Der ehemalige Materialist und Leugner kniet andachtsvoll neben seinem Fund nieder und ist plötzlich nicht mehr im Zweifel darüber, dass er das Glück gehabt hat, eine schlafende Waldnymphe zu überraschen.

Jetzt folgt die Szene in der Dorfschenke, bei Vater Ister, wo die Klarinetten klingen und die Jugend tanzt. Von Liebe entbrannt, verfolgt der König im Gedränge eine bleiche und schüchterne Maid und befreit sie schließlich aus der zudringlichen Umarmung eines betrunkenen Bauernburschen, dem Bräutigam der richtigen Martha, der Forderungen an sie und sein Bräutigamsrecht macht. Es kommt zu einer Prügelei. Ein Messer blitzt in der Luft, und der König stürzt zu Boden.

Weiter kam der Kandidat nicht. Er war aufmerksam auf einen leisen, dumpfen Laut geworden, auf ein Pochen, das er anfänglich vom Sturm hervorgerufen glaubte, weshalb er nicht weiter darauf geachtet hatte, das ihn aber jetzt beunruhigte, weil es sich auf eine Weise wiederholte, die keinen Zweifel darüber aufkommen ließ, dass es von Menschenhand herrührte.

Er richtete sich auf dem Ellbogen auf und starrte nach dem Fenster hinüber, wo er das Rollo herabzulassen vergessen hatte. Von dort her war der Laut gekommen. Und plötzlich fühlte er, wie sein Herzschlag stockte und die Haare ihm zu Berge standen. Er gewahrte draußen ein Antlitz, ein bleiches Oval, das wie an die Fensterscheibe gepresst wirkte.

Viele Sekunden währte es jedoch nicht, bis er den mächtigen Schnurrbart und das blutrote Halstuch des Dünenassistenten erkannte. »Großer Gott!«, dachte er. »Was will der verrückte Mensch hier?« Schnell stieg er aus dem Bett, zog einige Kleidungsstücke über und öffnete das Fenster mit großer Vorsicht, um niemand im Hause zu wecken.

Ein sausender Wind fuhr ins Zimmer, löschte das eine Licht im Armleuchter auf dem Nachttisch und füllte die weißen Gardinen, so dass sie sich blähten wie ein paar Segel.

»Hab ich Sie erschreckt, Verehrtester?«, sagte der Leutnant mit gedämpfter Stimme. »Pardon! Ich kam ganz zufällig hier vorüber und sah, dass noch Licht bei Ihnen war. Hab ein bisschen promeniert bei dem schönen Wetter. Da fiel mir ein, dass ich die Gelegenheit benutzen könnte, um Ihnen eine Entschuldigung wegen meines gestrigen Benehmens zu machen. Offen gestanden, ich hatte ein bisschen zu viel getrunken … Das kann ja dem Besten passieren, nicht wahr? Und ich glaube nicht, dass ich meiner Ehre etwas damit vergebe, wenn ich einem Gelehrten – einem philosophischen Forscher – eine Entschuldigung ausspreche. Sie lagen, wie ich sah, gerade da und studierten. Irgendein sehr gelehrtes Werk natürlich. Ich hoffe, wie gesagt, Sie werden mich, einen älteren Kavalier, pardonieren.«

Der Kandidat war verwirrt. Er wusste nicht, was er tun sollte, um ihn zum Gehen zu bringen.

»Nun, wie gefällt Ihnen der Aufenthalt hier, Verehrtester? Die Gnädige ist eine höchst einnehmende Dame, nicht wahr? … Ach, Ihre Augen strahlen ja förmlich, junger Mann. Mein Kompliment! … Natürlich! Ihr Mund ist mit sieben Siegeln geschlossen! Die Ehre einer Dame! – Aber Sie haben sich hier doch häuslich niedergelassen, nicht wahr? … Ja, was vermag nicht ein vertrauliches Lächeln, ein heimlicher Händedruck … Nur ganz ruhig! Es ist undelikat von mir, Sie zu Indiskretionen verleiten zu wollen. Außerdem – offen gestanden –, ich habe das Interesse für dies ziemlich einförmige Katz-und-Maus-Spielen zwischen den Menschen verloren. Die Frauen gehören der Jugend. Wenn man mein Alter erreicht hat, so hat man wichtigere Materien zu bedenken. Dann kommt die große Lebensfrage und fordert Lösung. – Gestatten Sie mir, Sie sind Theologe, nicht wahr?«

»Ich? … Ich bin Philologe.«

»Freilich, ja. Aber auch als Philologe studieren Sie die Religion … philosophische Religion, natürlich. Sie verstehen? – Sagen Sie mir doch, sind in den letzten Jahren eigentlich neue philosophische Systeme entstanden? Zu meiner Zeit war es dieser – ja, wie hieß er doch gleich? – Hegel, nicht wahr? Sie kennen ihn natürlich. Vorzüglicher Philosoph! Aber wie war es doch gleich? Glaubte Hegel eigentlich an die Unsterblichkeit – ich meine an die Auferstehung, an das Leben im Jenseits und all dergleichen?«

Der Kandidat fühlte sich absolut nicht aufgelegt zu einer philosophischen Diskussion hier mitten in der eiskalten Zugluft, die nun auch das zweite Licht ausgeblasen hatte. Der Kopf des Leutnants, der Hut mit der Auerhahnleier und der Flintenlauf, der ihm über die Schulter ragte, zeigten sich jetzt auf dem Hintergrund der weißen Mondnacht.

»Ich verstehe! … Die Wissenschaft entwickelt sich. Die Unsterblichkeit. Was ist das? Pfaffengewäsch! Wenn man tot ist, so ist die Rechnung quittiert. Wir dürfen zwischen unsern Tannenbrettern liegen und auf eine Auferstehung in Form von Wasserdämpfen, Kalkstoffen und andern Düngemitteln warten. Wir werden das Leben hier auf der Erde vielleicht als blühender Busch, als Wolke, als fruchtbarer Regen fortsetzen. Im Grunde ein ganz erhabener Gedanke, nicht wahr?«

Der Kandidat unterbrach ihn und bat ihn zu bedenken, dass es Nacht sei und dass er leicht die Bewohner des Hauses oder die Hunde wecken könne.

»Die Hunde kennen mich … sie sind meine Freunde. Aber jetzt will ich Sie nicht länger aufhalten. Tun Sie mir nur den Gefallen, diese kleine Störung der Familie gegenüber nicht zu erwähnen. Das könnte Veranlassung zu Missverständnissen geben. Wie gesagt, es war ganz zufällig, dass ich hier vorüberstrich. Versprechen Sie mir Diskretion?«

»Ich verspreche es.«

»Ich danke Ihnen. Gestatten Sie mir, Ihnen die Hand zum Abschied zu drücken! Glauben Sie um Gottes willen nicht, Verehrtester, dass ich irgendwie neidische Gefühle in Bezug auf Sie hege. Gestatten Sie mir, mich Ihren Freund zu nennen. Ich versichere Ihnen, ich bin es.«

Der Kandidat fand in der Dunkelheit die knochige Hand des Leutnants, die dieser über das Fensterbrett hereingereicht hatte.

»Darf ich Ihnen nur noch einen Rat erteilen, Herr Kandidat … einen *avis d'ami*. Ich sah, dass Sie dalagen und lasen, als ich kam. Geben Sie acht, dass Sie sich dieser Beschäftigung nicht allzu viel hingeben. Das macht die Lenden schlapp … und Frauen gegenüber gilt es vor allen Dingen, stets *en vigueur* zu sein. Zeigen Sie auch keine Nachsicht! Bewahren Sie die Contenance, mein Herr! Wie der Pole sagt: Man soll sich nie weiter von seiner Leidenschaft fortreißen lassen, als dass man die Sommersprossen der Geliebten zählen kann. Sie finden diese

Ratschläge vielleicht unritterlich, nicht wahr? Glauben Sie mir aber, ich rede aus Erfahrung. Sie werden selbst sehr bald zu dem Eingeständnis gelangen, dass sich die Frauen nicht gerade dazu eignen, das Ansehen des Menschengeschlechts zu erhöhen. Ich grüße Sie! Gute Nacht!«

»Gute Nacht«, erwiderte der Kandidat erleichterten Herzens.

»Ach, hören Sie mal! ... Nur noch ein Wort!«, sagte der Leutnant und kehrte zurück, nachdem er sich ein paar Schritte entfernt hatte. »Sie sollten wohl nicht zufällig im Besitz irgendeines stärkenden Mittels sein ... eines narkotischen Medikaments, Sie verstehen? Ich leide zur Zeit arg an Schlaflosigkeit. Das Meer da draußen bei mir ist ein unruhiger Schlafgefährte. Es schnarcht so verdammt in diesen Herbstnächten.«

»Es tut mir leid, aber ich habe nicht das Geringste.«

»Sind Sie ganz sicher? Tun Sie mir den Gefallen und sehen Sie einmal nach. Reisende pflegen doch irgendetwas von der Art mitzunehmen für etwa eintretende Krankheitsfälle ... ein wenig Opium oder dergleichen.«

»Ich habe wirklich nichts.«

»Dann scheren Sie sich zum Teufel!«, murmelte er und schlenderte von dannen.

Der Kandidat schloss das Fenster. Eine kleine Weile blieb er stehen und folgte ihm mit den Augen, während die gebeugte Gestalt langsam über die Heide verschwand. Dann ließ er das Rollo herunter und kroch in das warme Bett.

Als Lindemark und sein Kopenhagener Gast am nächsten Vormittag von einem Rundgang durch die Ställe zurückkehrten und auf der Diele standen, wo sie ihre Mäntel aufhängten, kam die alte Mamsell Steensen aus den Wirtschaftsräumen herein. Der Kandidat konnte ihr ansehen, dass sie dem Gutsbesitzer eine wichtige Mitteilung zu machen hatte. Er begab sich deswegen sofort in sein Zimmer, ließ aber aus Neugier die Tür angelehnt stehen, so dass er horchen konnte.

»Haben der Herr das Neuste schon gehört?«, hörte er die Haushälterin sagen.

»Was für Neustes?«

»Von dem Leutnant?«

»Von Leutnant Hacke? Was ist's mit ihm?«

»Der Herr kennen doch Kren Pilegaard?«

»In Tomerup?«

»Ja, sein Hof liegt hier südlich vom Dorf, gerade am Wege.«

»Na – und was weiter?«

»Da ist der Leutnant über Nacht eingebrochen. Er ist wohl duhn gewesen. Als Kren Pilegaard den Lärm hörte und herauskam, soll der Leutnant mit seinem Gewehr auf ihn gezielt und gesagt haben, er wollt' ihn totschießen.«

»Woher haben Sie die Geschichte?«

»Die Fischbirthe war eben hier. Sie saß in der Küche und erzählte es. Sie hatte selbst mit Kren Pilegaard gesprochen. Aber da kommt der Verwalter. Er hat es auch in der Mühle gehört.«

Die Haustür ging auf. Ein Mann trat schnell herein und fragte, wann die Herrschaften fahren wollten.

»Wie verhält sich die Sache, Petersen?«, fragte Lindemark. »Haben Sie auch von dem Skandal gehört, den Leutnant Hacke über Nacht angestellt haben soll. Ist das denn ganz zuverlässig?«

»Es ist garantiert. Ich habe selbst mit Kren Pilegaards Frau gesprochen.«

»Dann ist er also mit andern Worten jetzt ganz unzurechnungsfähig geworden. Aber was ist denn eigentlich geschehen? Wie hat es sich zugetragen?«

»Der Leutnant hat wohl zu den Mädchen 'rein gewollt. Er hat an ihr Fenster geklopft, und als sie anfingen zu schreien, rief er ihnen zu – ja, was Hübsches war das nun gerade nicht.«

»Dann sollen Sie Ihren Mund nicht damit besudeln! Sorgen Sie nun dafür, Petersen, dass der geschlossene Wagen nachgesehen und gut geschmiert wird. Wir fahren um fünf!«

Es war kurz vor Tische. Frau Lindemark saß im Wohnzimmer, und hier kam es nun zu einem erregten Wortwechsel zwischen ihr und ihrem Mann, der ihr sofort von dem nächtlichen Abenteuer des Dünenassistenten berichtete.

Frau Lindemark sagte:

»Ich weiß nicht, was du damit beabsichtigst, mir dies alles zu erzählen. Es geht mich ja gar nichts an. Geh zu der Steensen! Sie ist ja deine Vertraute. Und sie pflegt sich ja für Weiberklatsch zu interessieren.«

»Hier ist keine Rede von Weiberklatsch. Petersen, der eben nach Hause gekommen ist, bestätigt den Bericht der Fischbirthe Wort für Wort.«

»Also dem Verwalter vertraust du dich an. Ich fürchte, du fängst an, unsere Dienstboten mit deiner Familiarität zu ermüden. Amüsement haben sie wohl schon lange davon gehabt.«

»Das überlasse du nur mir! Von der Seite hat meine Ehre nichts zu befürchten. Aber ich wollte, dass du ausnahmsweise einmal erfahren solltest, was für eine Art von Mensch dieser Herr von Hacke ist. Ein Kerl, der sich damit brüstet, dass er die Unzuchtshäuser in Aalborg besucht, und der nun durch fremder Leute Fenster einbricht, um wehrlose Frauen zu vergewaltigen. Was sagst du dazu, Astrid?«

»Nichts! Aber dass – gerade du! – mir das erzählen willst ... Ja, das sieht dir ähnlich! Vergewaltigen sagst du. Wenn du durchaus meine Meinung wissen willst, so verzeihe ich zehntausendmal lieber dem Mann, der eine Frau mit Gewalt nimmt, als dem, der so lange bettelt und bittet und vor ihr kriecht, bis sie schließlich aus Mitleid nachgibt.«

»Ach, diese hochtrabenden Redensarten! So weit ist es mit dir gekommen! Sage mir doch, Astrid, wie soll dies enden? Wenn du keine Rücksicht auf mich nehmen willst – und das erwarte ich nicht mehr: Du gibst mich ohne Schonung dem Spott und dem Gelächter der Leute preis – aber denke doch wenigstens an unsere Kinder. Sollen Kay und die kleine Ingeborg wirklich –«

»Nenne sie nicht!«, schrie sie fast.

»Ja ... denn da regt sich doch dein Gewissen, Astrid.«

»Du irrst! Ich hab es dir zehntausendmal gesagt, dass ich keine Verantwortung für sie habe. Ich habe mir nie gewünscht, sie zu bekommen. Es sind deine Kinder ... nicht meine.«

»Was willst du damit sagen?«

»Du hast mich angefleht, dich zu heiraten ... hast mich angefleht, hier heraufzuziehen ... hast mich angefleht, Mutter zu werden. Du wolltest Erben für das Gut haben. Du kauftest mich, so wie du deine andern Zuchttiere kauftest.«

»Astrid! So wagst du zu reden! Fühlst du denn nicht, wie du sowohl dich selbst als auch mich entwürdigst?«

»Nein, sondern du hast mich entwürdigt. Statt dass ich meine Kinder in Freiheit hätte gebären können ... mich aus eigenem Antrieb und freiem Willen hingebend ... hast du ... pfui! Mir ekelt, wenn ich an damals denke!«

»Willst du mir eines sagen, Astrid? An dem Tage – du entsinnst dich dessen wohl noch –, als ich dich zum letzten Mal vor unserer Hochzeit in Vejle besuchte, und du mich am Morgen nach der Bahn begleitetest – da sprangst du zu mir ins Abteil hinein und schlangst die Arme um mich und flüstertest mir ins Ohr, ich sollte dich auf der Stelle entführen – weißt du das noch?«

»Ach – Kindereien!«

»Und weißt du noch, dass du dann mitfuhrst, und dass wir auf der nächsten Haltestelle ausstiegen und den Tag zusammen im Walde verbrachten? ... Du nanntest dich Danae und mich Zeus. Und du küsstest die Blätter der Bäume, als wir uns trennten und nanntest den Wald das Heim unserer Liebe und danktest ihm.«

»Schweig still! ... Du lügst!«

»Warum sagst du das? Du weißt ja, dass jedes Wort Wahrheit ist.«

Sie wurden durch Mamsell Steensen unterbrochen, die aus dem Esszimmer hereinkam und fragte, ob angerichtet werden könne. Einen Augenblick darauf tat sich die Tür nach der Diele auf, und der Kandidat trat ein, sonderbar verlegen und mit rotem Kopf. Er hatte draußen gestanden und das Ganze gehört. Es war durch einen Zufall geschehen, und im Grunde schämte er sich nicht wenig, dass er stehengeblieben war, statt in sein Zimmer zurückzukehren. Aber es war zu interessant gewesen, heimlicher Zeuge dieses ehelichen Zusammenstoßes zu sein. Er hatte sogar einen Versuch gemacht, durch das Schlüsselloch zu gucken.

Sie setzten sich zu Tische, und die Mahlzeit war noch unheimlicher als an den vorhergehenden Tagen.

Frau Lindemark war im Grunde diejenige, die bei dieser Gelegenheit am meisten sprach. Zum Erstaunen des Kandidaten schien sie in geradezu angeregter Stimmung zu sein. Ein paarmal lachte sie sogar, wenn auch recht unmotiviert. Auffallend war auch die Aufmerksamkeit, die sie ihm plötzlich erwies. Im Gegensatz zu bisher trat sie als Wirtin auf und sorgte dafür, dass er bedient wurde. Obwohl er kaum Appetit verspürte, zwang sie ihn, seinen Teller zu füllen.

Dabei vernachlässigte sie jedoch ihren Hund nicht. Und gerade als sie ein Stück Fleisch in die Höhe hielt und ihn foppte, indem sie ihn danach schnappen ließ, sah sie verstohlen über den Tisch zu ihm hinüber, mit einer Vertraulichkeit im Blick, die nicht ohne Süße war und ihn verwirrt machte.

»Sie haben vergessen, mir den Zeitschriftenartikel zu geben, den sie mir neulich zu lesen empfahlen«, sagte sie. »Er ist ja so interessant.«

»Einen Zeitschriftenartikel?«, fragte er.

»Ja, über die konventionellen Vorurteile, glaube ich. Sie haben ihn ja hier.«

Dem Kandidaten stand das Herz still. Was beabsichtigte sie damit? Ihre Unterhaltung neulich abends über den russischen Roman und ihre kühne Verteidigung des Mordes, den die Heldin an dem Stiefvater verübte.

Und ihm fuhr der Gedanke durch den Kopf, ob sie wohl irgendeine Untat im Schilde führte und versuchen wollte, ihn zum Bundesgenossen zu werben?

»Sie haben mich missverstanden«, sagte er. »Ich habe das Heft nicht bei mir … es liegt in Kopenhagen.«

Sie senkte den Blick und ließ jetzt das Stück Fleisch in den geifernden Schlund des Tieres fallen.

»Das ist schade! Ich hätte wohl Lust gehabt, den Artikel zu lesen. Die konventionellen Vorurteile – das ist gerade das, worunter die Menschheit leidet. Kennen Sie den Verfasser? Wie heißt er?«

»Karl Herda. Es ist wohl ein Pseudonym.«

»Ist er ein Däne?«

»Das weiß ich nicht.«

»Nein, er ist sicher kein Däne! Hierzulande sind wir alle brave und dem Gesetz gehorsame Bürger.«

»Mahlzeit!«, unterbrach Lindemark sie und schob seinen Stuhl zurück. Als er dem Gast die Hand drückte, versuchte er zu lächeln. Aber seine Lippen waren weiß.

Auch diesen Nachmittag verbrachte der Kandidat in seinem Zimmer. Statt aber die Lektüre von »König Tag und Königin Nacht« fortzusetzen, ging er in der Stube auf und nieder und wartete in tiefer Unruhe darauf, dass die Uhr fünf werden sollte. Nie war ihm das Rad der Zeit so mühlsteinschwer erschienen wie in diesen Stunden. Er war überzeugt, dass etwas Entscheidendes bevorstand. Aber was? Eine Flucht? Eine nächtliche Entführung? Oder wirklich ein Mord? … Unsinn! Eine

Dame wie Frau Lindemark konnte vielleicht mit dem Gedanken spielen. Konnte sich vielleicht auch zuzeiten davon versuchen lassen, aber ernst damit zu machen – nein. Das hatte sie auch selbst neulich abends geäußert, als sie über Bitschkows Roman sprachen.

Präzise fünf Uhr hielt der Wagen vor der Treppe. Es war ein geschlossener Wagen von veraltetem Aussehen mit hohen Rädern, Klapptritt und S-förmigen Federn. Er wurde von den Leuten auf dem Gut »der Wagen der gnädigen Frau« genannt, weil er nur zum Vorschein kam, wenn sie, was selten geschah, an der Geselligkeit der Gegend teilnahm. Wetter und Wege mussten außerdem einigermaßen gut sein, da es sonst nicht für ratsam erachtet wurde, sich in einem geschlossenen Wagen hinauszuwagen, hier, wo die Nebenwege so schlecht waren und der Sturm ihn auch leicht umwehen konnte.

Lindemark und der Kandidat standen beide reisefertig im Wohnzimmer. Die Gnädige ließ jedoch auf sich warten. In der Küche wurde behauptet, sie habe die letzten beiden Stunden vor ihrem Spiegel gesessen. Mamsell Steensen war ein Mal über das andere zu ihr hinaufgerufen worden, um ihr beim Ankleiden behilflich zu sein, und man konnte die Mädchen umhergehen und kichern hören.

Beim Anblick von Lindemark in Frack und weißer Halsbinde war es dem Kandidaten fatal, dass er in seinem täglichen Anzug erscheinen musste, der obendrein von der Reise ein wenig mitgenommen war. Lindemark aber beruhigte ihn, indem er von einer ähnlichen Gesellschaft erzählte, wo ein auf der Reise befindlicher Gast in hohen Stulpstiefeln und einer Lederweste erschienen war, ohne dass jemand Anstoß daran genommen hatte. Überhaupt dürfe er sich keine Erwartungen in Bezug auf eine wirkliche Festlichkeit machen. So etwas kenne man hier in dieser Gegend nicht. Man kam wesentlich zusammen, um gemeinsam die Freuden der Tafel zu genießen.

Endlich erschien Frau Lindemark, und der Kandidat sperrte die Augen auf. Er konnte sie kaum wiedererkennen. Die Burgfrau aus dem Mittelalter in der düsteren Kleidung war in eine ärmellose Weltdame in hellblauem Seidenkleide mit gewelltem Stirnhaar und Karmin auf den Lippen verwandelt. Sie ging schnellen Schrittes durch das Zimmer und hinterließ einen Duft von Brennschere und Parfüm.

Draußen auf der Diele half Mamsell Steensen ihr in einen großen Pelzmantel hinein, den sie zuvor am Ofen erwärmt hatte. Dann stiegen sie in den Wagen, und nachdem sie alle drei gut eingepackt waren, rollten sie von dannen.

Die Fahrt währte ungefähr eine Stunde, und während der ganzen Zeit wurde fast gar nicht gesprochen. Frau Lindemark, die allein auf dem Vordersitz saß, damit das Kleid nicht zerknittert werden sollte, hatte sich gleich zurückgelehnt mit einer Unnahbarkeitsmiene, die dem Kandidaten den letzten Rest von Mut benahm, eine Unterhaltung zu versuchen. Und wie sie so dasaß in dem schwindenden Tageslicht, den Pelzkragen um die Ohren, offenbar ausschließlich in Anspruch genommen von ihrer Erwartung, ward es ihm klar, an welches Raubtier sie ihn die ganze Zeit erinnert hatte. Ihr bleiches, scharfes Gesicht, der rote Mund und diese runden, grauen Augen riefen in ihm die Erinnerung an die Wölfin im Zoologischen Garten wach, wenn sie im Hintergrund des Bauers ausgestreckt lag, den spitzen Kopf auf den Vorderpfoten ruhend – und unbeirrt durch das neugierige Publikum – ihre wilden und blutigen Waldträume träumte.

Lindemark saß mit erkämpfter Ruhe da und sah zum Fenster hinaus. Aber der Kandidat spürte seine Nervosität an der Weise, wie er seine Hände beständig hin und her bewegte.

»Welch ein Elend!«, dachte er und hatte ein unheimliches Gefühl, als ob eine vierte Person im Wagen zugegen sei, ein unsichtbarer Passagier – der Tod. Und all dieser entwürdigende Jammer um eines Helden von so trauriger Gestalt willen wie Leutnant von Hacke!

Er wandte sich ab, trocknete den Tau von der Fensterscheibe mit dem Fensterriemen und starrte auf die Landschaft hinaus. Sie waren in die Dünen hineingekommen. Riedgrasbekleidete Abhänge umgaben sie von allen Seiten. Schritt für Schritt arbeiteten sich die Pferde den mit Heidekraut belegten Weg entlang, der sich zwischen graugrünen oder aschgrauen Sandhügeln hinschlängelte. An einigen Stellen hatten die Dünen ein wildzerrissenes Aussehen – wie eine Brandung, die erstarrt und verstummt ist. An andern Stellen erhoben sie sich zu mächtigen, sanft anschwellenden Wogen, völlig nackend, so vom Leben entblößt, als seien sie im selben Augenblick aus dem Schoß des Meeres aufgestiegen. Und so wunderlich grabesstill war es in diesen Schluchten, wohin der Wind nicht gelangte. Man hörte nur das Knarren des Wagenleders und den unterirdischen Laut der Brandung, die gegen den Strand donnerte.

An einer Stelle öffnete die Dünenreihe sich nach Westen zu, und man sah das Meer mit seinen drei weißen Schaumverbrämungen ganz nahe. Hier setzte der Wind wieder ein und schüttelte die alte Karosse, so dass die Fensterscheiben klirrten. Der Kandidat aber saß da, versunken in die Anschauung der schwer daherrollenden Tiefe, die ihn mit beängstigender Macht ergriff. Er hatte sich den Anblick nicht so erdrückend gedacht. In der Gemütsstimmung, in der er sich befand, wirkte er auf ihn wie ein Bild von der Unerbittlichkeit und dem Grauen des ganzen Daseins, beängstigte ihn wie eine böse Vorahnung von unabwendbarem Unglück, das auch sein eigenes Leben bedrohte. Und ihn erfasste ein tiefes Mitleid mit sich selbst und mit der ganzen Menschheit, die um ihrer Leidenschaften willen zu Selbstvernichtung und Erniedrigung vorausbestimmt war.

Die Gesellschaft war eine Stunde versammelt gewesen. In allen Zimmern brannten Lampen und Kerzen. Im Wohnzimmer saßen die Damen noch beim Empfangstee und den Schalen mit Eingemachtem, während sich die meisten Herren in dem Zimmer des Wirts niedergelassen hatten und Zigarren rauchten oder aus Pfeifen pafften. Sie saßen hier und debattierten über die nächtlichen Streiche des Leutnants bei Kren Pilegaard und die möglichen Folgen, die diese neue Äußerung seiner Zügellosigkeit für ihn haben konnte.

Er selbst war noch nicht gekommen, was übrigens nur den Kandidaten in Erstaunen versetzte. Zu den aristokratischen Freiheiten, die Leutnant von Hacke sich nahm, gehörte auch die, dass er sich zu den Gesellschaften einfand, wann es ihm passte. Selbst, wo er erwarten konnte, Frau Lindemark zu treffen, kam er oft erst spät am Abend und war dann nicht ganz nüchtern.

Die meisten älteren Herren waren sehr bedenklich bei der Sache und meinten, der gute Leutnant komme diesmal wohl kaum umhin, Bekanntschaft mit dem »Loch« zu machen. Ein jüngerer Agrarier vom Kurzhalstyp, der in Bezug auf den Schnurrbart offenbar den Leutnant zum Vorbild genommen hatte, nannte dahingegen Hacke einen famosen Kerl. Zum Teufel auch, eine Mannsperson müsse doch Erlaubnis haben, hin und wieder mal auf den Hinterbeinen zu gehen. Übrigens sei Hacke mit Grund gereizt gewesen. Es sei kein Sinn darin, hierher zu reisen und ihm ins Gehege zu kommen.

Bei den letzten Worten sah er herausfordernd zu dem Kandidaten hinüber, der allein für sich an einen Türpfosten gelehnt stand, wo er Gegenstand einer zudringlichen und recht peinlichen Aufmerksamkeit war. Gleich bei seiner Ankunft hatte der Wirt, der dickköpfige Gutsbesitzer Hansen, ihn draußen auf der Diele beiseitegenommen und ihm mit einem Grinsen ins Ohr geflüstert: »Na, Kopenhagener, da haben Sie eine schöne Bescherung angerichtet!«, und als er ins Wohnzimmer hineinkam und vorgestellt wurde, hatte er die Leute die Köpfe zusammenstecken und flüstern sehen.

In einem kleinen Zimmer neben dem Herrenzimmer, der Schulstube des Hauses, die in Veranlassung des Tages ausgeräumt war, stand Lindemark und unterhielt sich mit einem großen, graubärtigen Mann, dem Schullehrer Johansen. Auch sie sprachen über den Leutnant.

»Wahrhaftig, ich finde, dass dies eine Geschichte ist, die zur Sprache gebracht werden soll und muss«, sagte Herr Johansen und bohrte Lindemark einen großen, torfbraunen Zeigefinger in die Brust hinein. »Unter uns gesagt – aber was ich Ihnen hier erzähle, Herr Lindemark, das bleibt unter uns –, der Pfarrer ließ mich heute Mittag rufen – er ist ja leider heute durch sein Magenleiden behindert –, aber dann kamen wir dahin überein, dass wir jetzt das Einschreiten der Behörden fordern müssen. Diese schädliche Nachsicht darf nicht länger obwalten. Es ist unsere unabweisbare Pflicht, als Christenmenschen zu verlangen, dass diese Untat nicht ungerügt hingeht oder mit einer geringen Geldstrafe abgemacht wird.«

»Beabsichtigen der Pfarrer und Sie, eine Klage gegen den Dünenassistenten einzureichen?«, fragte Lindemark mit gespanntem Ausdruck.

»Hm … wir haben die Frage in Erwägung gezogen und sind zu dem Ergebnis gelangt, dass wir unsere Namen nicht mit solch einer schmutzigen Sache in Zusammenhang bringen dürfen. Aber indem wir hoffen und glauben, dass wir uns in Übereinstimmung mit allen rechtdenkenden Elementen in der Bevölkerung befinden, haben wir heute dem Hardesvogt unter der Hand Mitteilung über das Vorgefallene zugehen lassen.«

»Dann ist es also schon geschehen!«

Herr Johansen sah nach beiden Seiten, um sich zu vergewissern, dass sie allein waren. Und als er den Kandidaten dort am Türpfosten stehen sah, dämpfte er die Stimme.

»Ein Mann hier aus der Gemeinde, einer unserer zuverlässigsten Freunde – seinen Namen zu verschweigen, habe ich versprochen –, wollte gerade heute in einer andern Angelegenheit zum Hardesvogt – und da bat ich ihn, im Laufe der Unterredung die Aufmerksamkeit des Betreffenden auf die Sache zu lenken und von dem Ärgernis zu reden, das sie hier in weiten Kreisen erregt hat, und ihm in dieser Veranlassung Vorstellungen zu machen.«

»Erwarten Sie wirklich ein Ergebnis von einer solchen Einwendung?«

»Ja – ich hoffe das Beste. Und wahrlich, es ist hohe Zeit, dass der heidnischen Wildheit, die hier seit bald zwei Jahren ihr Spiel getrieben hat, ein Riegel vorgeschoben wird. Die Jugend ist auf bedenkliche Weise davon angesteckt worden. Selbst die Frauen. Ja, ja, das wissen Sie am besten, Lindemark!«

Die Aufmerksamkeit des Kandidaten wurde in diesem Augenblick dadurch abgelenkt, dass ein paar Herren vor ihm stehen blieben und ihn begrüßten. Mit dem einen hatte er kurz zuvor gesprochen. Es war ein Herr Langer, ein Mann zwischen dreißig und vierzig Jahren, der sich gleich vorgestellt und sich lustig einen akademischen Mitbürger *invite Minerva* genannt hatte. Er war Gutsbesitzer Hansens Hauslehrer, ein Typ von der Art verunglückter Studenten, wie man sie damals ringsumher auf den großen Gütern in den entlegenen Gegenden von Jütland treffen konnte. Leute, die nach ein paar missglückten Universitätsjahren aufgrund von Hunger und Schulden aus der Hauptstadt hatten auswandern müssen, und die dann in einer solchen Gutsbesitzersfamilie eine Zufluchtsstätte fanden, von deren materiellen Gütern sie sich seither nicht loszureißen vermochten. Dort hatten sie gutes Essen, eine warme Ofenecke und ein für Freunde und Gläubiger unaufspürbares Versteck, in dem sie sich mit ihrem Missgeschick verbergen konnten.

Kam dann vielleicht noch eine unglückliche Verliebtheit in irgendeine Gutsbesitzerstochter hinzu, so erhielt das Selbstgefühl seinen letzten Knacks. Jahr für Jahr sank so ein ehemaliger Akademiker tiefer hinab in ein erbärmliches Dasein, in dem das Essen, die Tabakspfeife und die dicken Daunenbetten das einzige waren, was Wirklichkeit für ihn bedeutete – bis er schließlich als Schreiber auf einem Gutskontor oder als Insasse des Armenhauses gänzlich versumpfte.

Herrn Langers großer brauner Bart hatte bereits angefangen, an den Spitzen zu ergrauen, und seine hohe, ein wenig schwer vornübergeneigte Gestalt in dem blankgetragenen Frack, der an den Ärmeln zu kurz war, machte einen äußerst verkommenen Eindruck. Von selbst würde der Kandidat niemals auf den Einfall gekommen sein, dass dieser Mann einstmals eine Berührung mit der Wissenschaft gehabt hatte.

Nur eine gewisse, verschleierte Melancholie in seinen kleinen, dunklen Augen ließ ahnen, dass sich hinter all diesem trägen Fett Überbleibsel von geistigem Leben regten, und außerdem gefiel sich der Mann in einer trocknen humoristischen Ausdrucksweise, die an den Ton im Studentenverein und in der Regens[1] zu früheren Zeiten erinnerte.

Sein Begleiter, den er als Leuchtturmwärter Enevoldsen vorstellte, war eine seemannsartige Erscheinung in blauem Jackenanzug, mit Tätowierungen an den Händen.

»Ich höre, der Herr Kandidat ist hierhergekommen, um Kulturzustände zu studieren«, sagte dieser Mann mit einer gewissen Feierlichkeit. »Sollte Ihr Weg Sie am Lögstruper Feuer vorüberführen, so sollen Sie herzlich willkommen sein, falls Sie eingucken wollen.«

Der Kandidat neigte den Kopf zum Dank.

»Ich weiß nicht, ob Sie sich auch für Hühnerzucht interessieren. In dem Fall könnte ich Ihnen einen Bestand zeigen, der, wie ich wohl sagen darf, einer der besten in Vendsyssel ist. Meiner Ansicht nach, Herr Kandidat, hat die Hühnerzucht hierzulande keineswegs die Anerkennung gefunden, die sie verdient. Ich unterschätze unsern Butterexport und unsere Fleischproduktion durchaus nicht, Gott bewahre! Aber ich sage: Eine rationell betriebene Hühnerindustrie – das ist Dänemarks Zukunft! Diese Sache muss aber als Volkssache aufgenommen werden, Herr Kandidat. Mit Ernst und mit Liebe, nicht wahr?«

»Ich verstehe mich nicht auf dergleichen«, erwiderte der Kandidat ziemlich ablehnend.

»Hö, hö, hö!«, grunzte Herr Langer. Er stand mit den Händen in den Hosentaschen da und wiegte sich auf seinen schiefen Absätzen, und seine Stimme klang, als spräche er in eine leere Tonne hinein. »Ich meinerseits sage aus gänzlichem Herzen Ja und Amen, Leucht-

1 Stiftung aus dem Mittelalter, Freiwohnungen für Studenten.

turmwärter! Ein anmutiges Zukunftsbild, das Sie da entrollen! Ein Huhn in jedermanns Kochtopf – wie er sagte –, dieser hochselige, verrückte König. Alle Trübseligkeiten des Lebens auf Kükensorgen reduziert! Gott gebe, dass diese Sache gedeihen und unserm alten Dänemark zu Glück und Segen gereichen möge! Kükerükü!«

Im selben Augenblick vernahm man einen lauten Lärm hinter ihnen. Es war der Wirt, der in die Hände klatschte und zu Tische rief und die Herren bat, die Damen aufzufordern. Es hatten sich bereits Zeichen von Ungeduld zwischen den Gästen gezeigt, die nach dem Essen verlangten. Er wollte deswegen nicht länger warten, weder auf Herrn von Hacke noch auf den Kreisarzt, der ebenfalls noch nicht gekommen war.

Die Tischdame des Kandidaten war eine impertinente kleine Erzieherin von einem der andern Güter in der Gegend, die ihre Stumpfnase in die Luft steckte und das Gesicht abwandte, um ihrem Missvergnügen darüber, ihn zu Tische bekommen zu haben, Ausdruck zu verleihen. Dies kam ihm gerade sehr gelegen. Er konnte sie nun mit gutem Gewissen dem Herrn an ihrer rechten Seite überlassen und zu seinen eigenen trübseligen Betrachtungen zurückkehren.

Lange war es ihm jedoch nicht beschieden, ungestört dazusitzen. Allmählich, als das Essen und der Wein die Stimmung steigerten, rief ihn bald dieser, bald jener von den Herren an, um ihm zuzutrinken. Als sich nun auch der junge, kurzhalsige Agrarier mit dem von Hacke'schen Schnurrbart die »Ehre ausbat« und gleichzeitig auf drohende Weise verlangte, dass ausgetrunken werde, da ward er sich klar darüber, dass man beabsichtigte, ihn unter den Tisch zu trinken, und er erhob von jetzt an nur das Glas, ohne zu trinken. Obwohl mehrere von den Herren aus diesem Grunde unangenehm wurden, sich gekränkt stellten und versuchten, ihn durch höhnische Zurufe herauszufordern, ließ er sich nicht anfechten. Es war ihm völlig gleichgültig, was diese brüllenden Ochsen von ihm dachten. Je lauter der Lärm und die Wildheit um ihn her wurden, umso nüchterner ward seine eigene Gemütsstimmung, umso weniger imponierte ihm diese heldenmäßige Großmäuligkeit, die ringsumher am Tische aufkam.

Sein Blick schweifte ständig zu Frau Lindemark hinüber, die auf dem Ehrenplatz neben dem Wirt saß. Auch sie schien so ziemlich außerhalb des Ganzen zu sein. Mit einem formellen Lächeln tat sie so, als lauschte sie den Witzen ihres schwadronierenden Tischherrn, während ihre runden, nervösen Augen mit einem angespannten Ausdruck in die Luft hinausstarrten, als horchte sie quer durch den Lärm nach Fußtritten in weiter Ferne. Aber als die Zeit verging, ohne dass Herr von Hacke kam, veränderten sich ihre Züge sichtbar. Die Enttäuschung machte sie erstarren. Der Zorn verwandelte schließlich die Augen in lauter Pupille.

Nach mehrstündigem, kannibalischem Essen und Trinken erhob man sich von Tische mit glühenden Gesichtern, die Augen in Gelee. Unter brüderlichen Umarmungen und mit gewaltigen Handschlägen zerstreuten sich die Gäste ringsumher in den Zimmern. Von den Herren waren außer dem Kandidaten nur Lindemark und Schullehrer Johansen völlig nüchtern. Die beiden letzteren hatten sich in eine Fensternische zurückgezogen und wandten der lärmenden Gesellschaft den Rücken zu. Um seinen trunkenen Verfolgern zu entgehen, ging der Kandidat in das Schulzimmer, das im Augenblick leer war. Hier stand er und betrachtete die Anschauungsbilder an der Wand, als plötzlich schwere Schritte hinter ihm erschallten. Er wandte sich um und befand sich von Angesicht zu Angesicht mit Herrn Langer.

»Hö, hö, hö! Also hier haben Sie sich ›förtillfället‹, wie der Schwede sagt, auf Eier gelegt, Verehrtester!«, begann er mit seiner Bauchrednerstimme. »Gestatten Sie mir, in aller Naseweisheit eine gewisse Frage an Sie zu richten?«

Er stand mit einer brennenden Zigarre in der Hand da und bemühte sich, das Gleichgewicht zu halten. Der Bart um den Mund war noch nass von dem letzten Glas. Eine Atmosphäre von Speisen und Spiritus entströmte seinem großen, schwammigen und schweißigen Körper, so dass dem Kandidaten beinahe übel wurde.

»Eine Gewissensfrage? Wie meinen Sie? Ich kenne Sie ja gar nicht.«

»Na, na, man immer sachte mit die jungen Pferde, mein Herr! Übrigens ist es aber keineswegs meine Absicht, Sie von meiner eigenen Großmächtigkeit zu unterhalten. Geradeheraus gesagt – wie lange gedenken Sie, die Gegend noch mit Ihrer Anwesenheit zu beehren?«

»Ich muss gestehen, dass das eine höchst auffallende Frage ist.«

»Verehrtester! Ich traue Ihnen hinreichend Scharfblick zu, um bemerkt zu haben, dass ein gewaltiges Gewitter an dem ehelichen Himmel des Ehepaares Lindemark heraufzieht.«

»So?«

»Und Sie werden vielleicht auch kapiert haben, mein Lieber, was für eine Mannsperson es ist, der sich die Gnädige, leider Gottes, an den Hals geworfen hat – in effigie, natürlich. Ich weiß zufällig, dass Sie den Betreffenden neulich abends im Bugstädter Krug getroffen haben.«

»Aber weswegen erzählen Sie mir das alles?«

»Ja, denn dann kennen Sie Hacke wohl zur Genüge, um den Skandal begreifen zu können, den er über Nacht gemacht hat.«

»Nein – ich muss gestehen, ich begreife kein Wort.«

»Herr Gott, Mensch! Haben Sie denn gar keine Einsicht? Können Sie denn nicht verstehen, dass Hacke rasend, wahnsinnig eifersüchtig ist?«

»Eifersüchtig? Auf wen?«

»Auf Sie natürlich. Auf wen denn sonst?«

»Auf mich ... Aber das ist doch so irrsinnig!«

»Ja, weiß Gott, es ist irrsinnig! Das ist es absolut. Aber deswegen können Sie sich doch darauf verlassen, dass es sich so verhält. Sie kennen wohl noch nicht recht viel vom Leben, Herr Kandidat! Und am allerwenigsten von der Li-a-be! Miau-Miau! Sehen Sie, Hacke kann es nun einmal nicht vertragen, dass auch nur der Geruch einer fremden Mannsperson in Frau Lindemarks Nähe kommt. Und Sie haben sich jetzt ganze zwei Tage in Großhof aufgehalten, Mensch!«

Der Kandidat gestand nun, dass er allerdings eine Missstimmung zwischen seinen Wirtsleuten bemerkt habe, und dass er das sehr bedauerlich finde.

»Aber Frau Lindemark hat ihren Mann wohl nie geliebt?«

»Die! Die ist so vergafft in ihn gewesen wie ein Spatz in einen warmen Pferdeapfel. Die ersten Jahre, als sie hier war, trug sie lange Männerstiefel unter den Röcken und storchte mit dem Gemahl draußen auf den Feldern herum – sie musste ja immer die erste an der Spritze sein. Lindemark war damals ein mörderlicher Pfadfinder in ihren Augen – ein wahrer Apostel. Die Frauen müssen den Geliebten nun absolut zu einem Helden machen. Das ist das Verteufelte dabei!«

»Aber ich begreife wirklich nicht ... Ein Mensch wie Herr von Hacke – ein armseliges Wrack.«

»Sagen Sie, was können Sie eigentlich nicht begreifen? Es ist, weiß Gott, alles unbegreiflich hier in dieser Welt, folglich kann man sich ebenso gut die Mühe sparen, darüber nachzugrübeln. – Also das, worauf Sie aufmerksam zu machen ich mir erlauben wollte, ist, dass Hacke ja nicht so ganz zuverlässig ist. Wenn er sich als Kavalier und Krieger in Positur stellt, so kann man nie wissen, wozu er sich verpflichtet fühlt. Er ist in letzter Zeit arg herunter gewesen. Er soll auch davon geredet haben, dass er jetzt ein Punktum hinter sich machen will … so ein kleines rundes Punktum hier oben in die Schläfe, Sie verstehen wohl. Und sollte etwas dergleichen geschehen, so wäre es ja nicht angenehm für Sie, die Veranlassung dazu gewesen zu sein.«

»Davon kann auch gar nicht die Rede sein. Ich reise nämlich morgen – ganz bestimmt.«

»Es freut mich sehr, das zu hören, will ich Ihnen sagen. Denn trotz aller seiner Faxen und Gebärden ist Hacke doch – na ja, ein armseliges Wrack, wie Sie vorhin so schön bemerkten. Herr Gott, erst in einem solchen Zustand kommen wir flachgebauten Jollen an einen solchen Ozeanflieger nahe heran. Solange der sich draußen auf dem blauen Meer unter vollen Segeln tummelt, oder wenn er mit ein paar Lappen einen fliegenden Sturm abwettert … sehen Sie, der Anblick wird uns Landkrabben nie vergönnt! Erst wenn die Masten über Bord gegangen sind und die Schute leck geworden ist und an Land treibt … ja, dann dürfen wir beim Begräbnis lamentieren. Aber jetzt will ich Ihnen was sagen, Verehrtester: So ein armer zersplitterter Schiffsrumpf, der in der Nacht an Strand geworfen worden ist und wie ein Aas daliegt – ja, das kann schlimm genug aussehen, wenn man am Morgen von daheim aus den schwülen, heißen Federbetten dahergeschlendert kommt. Aber – Tod und Teufel, Brüderchen! – so ein Anblick packt einen trotzdem wunderlich süß. Es singt so sonderbar um die Masten so eines hilflosen Wracks, das auf den großen Dünungen des Meeres geschaukelt hat. Sie können auch Gift darauf nehmen, dass der Leutnant einen netten kleinen See ganz hier in unserer kleinen Mistlache angerichtet hat. Ehe er selbst gekommen war, hörten wir ja von seiner Tapferkeitsmedaille und seinen Weibereroberungen und andern tollen Streichen. Frau Lindemark war wahrlich nicht die einzige von unsern Damen, die in ihn weg waren, ehe sie sich das wilde Tier erst einmal ordentlich angesehen hatten.«

»Hat sie sich denn wirklich gleich in ihn verliebt?«

»Ja, bis über beide Ohren.«

»Das ist ja sonderbar. Ein Adonis ist er doch nicht.«

»Gott, wie wenig Sie sich auf die Li–a–be verstehen, glücklicher junger Mann! Wenn das Herz einer Dame frei ist, ist es verflucht gleichgültig, wer die nächste Einquartierung wird. Übrigens haben sie und Hacke bis auf den heutigen Tag wohl nicht viele Dutzend Worte miteinander gewechselt.«

»Wie meinen Sie das?«

»Ganz einfach, Freundchen! So sonderbar es klingen mag, wenn es sich um einen Mann von Welt wie Hacke handelt – er ist verlegen wie ein Konfirmand. Er versteht sich gar nicht darauf, mit Damen zu plaudern. Er kleistert sich an einen Türpfosten fest und steht da und dreht seinen Bart und blitzt mit den Augen und sieht andächtig und leidenschaftlich aus. Eine verrückte Schraube! Er kommt nicht zu Wort, ehe er zwischen uns Mannsleuten sitzt und trunken wird und unangenehm sein kann.«

»Aber sagen Sie mir, bitte – wenn sie ihre gegenseitigen Gefühle doch kennen, was man ja annehmen muss, warum machen die Menschen der Sache da nicht ein Ende? Warum lassen Lindemark und seine Frau sich nicht scheiden? Und wenn Lindemark nicht will, warum springt sie nicht zum Fenster hinaus zu dem andern und lässt sich von ihm entführen?«

»Das verhüte Gott! Womit sollten wir andern uns hier denn wohl in Zukunft unterhalten? Nee, es ist gut so, wie es ist. – Was helfen einem auch die vollen Herzen, wenn das Portemonnaie leer ist? Und Hacke erinnert, weiß Gott, nicht an den Keller der Nationalbank. Offengestanden, ich glaube nun auch nicht, dass Frau Lindemark, wenn es zum Klappen käme, das Risiko laufen würde. Danach ist sie nicht. Sie ist doch nicht wenig verhätschelt, bemeldete Dame. Sie würde sich gewiss schönstens dafür bedanken, auf Lebenszeit zu Liebe und Quellwasser verurteilt zu werden. Nee, Verliebtheit, das ist bloß so was, was unsere Damen zum Zeitvertreib haben. Es hat keinen Zweck, die Sache zu feierlich zu nehmen. Das ist nun meine Erfahrung.«

»Meine nicht«, dachte der Kandidat bewegt. Er hatte im Laufe des Tages seiner verlassenen kleinen Freundin in Kristianshafen mehrmals einen reuevollen Gedanken hinübergesandt.

Laut fragte er, ob Frau Lindemark denn nicht selbst Mittel habe. Sie sei ja die Enkelin eines Abenteurers, der an der Goldküste gefahren und sagenhafte Schätze heimgebracht habe.

»Also die Geschichte hat sie Ihnen auch aufgetischt? Ja, die ist gut!«

»Wieso? Ist das eine Unwahrheit?«

»Na, das Wort ist ja reichlich krass, wo es sich um eine Dame handelt. Die Geschichte ist gut, sage ich. Es sind die bekannten Adlerträume des Kanarienvogels. Ihr Großvater war wirklich ein braver Schiffer, der mit Kohlen nach England fuhr. Ich bin selbst aus Vejle, folglich kenne ich die Familie. Ihr Vater war ein armer Lehrer, und die Mutter und ein paar Schwestern leben noch drüben in dem Städtchen. Sie haben ein Stickereigeschäft. Nee, reich kann sie, verdammt und verflucht, nicht werden, ehe sie den Gemahl nicht ins Jenseits befördert hat. Aber dahin wird sie es schließlich auch noch bringen.«

Der Kandidat fühlte gleichsam einen Stoß in die Herzgrube.

»Halten Sie sie wirklich zu so etwas imstande?«

»Wieso? Allen Ernstes? ... Hö, hö, hö!«, lachte Herr Langer mit seinem tiefsten Tonnengelächter, das die Fettschichten auf seinem großen Körper erbeben machte. »Lasset uns alle beten! ... Sind Sie verrückt, Mensch! ... Übrigens war da im vergangenen Jahr ein Bauernweib, das ihrem Mann mit einem Strumpfband den Atem abschnürte, um sich mit dem Knecht zu verheiraten. Aber sie war daran gewöhnt, Hühnern und Lämmern und dergleichen den Hals abzuschneiden. Das macht einen gewaltigen Unterschied.«

Sie wurden von einem jungen Herrn unterbrochen, der aus dem Herrenzimmer hereinstürmte. Sie hatten beide nicht die eigentümliche Stille bemerkt, die während ihrer Unterhaltung die übermütige Munterkeit in den andern Stuben abgelöst hatte. Jetzt rief der junge Mann erregt:

»Stehen Sie hier, Langer? Haben Sie das Neueste gehört?«

»Was?«

»Hacke soll in Zwangsverwahrung genommen werden. Er sitzt in seiner Wohnung unter Bewachung. Morgen kommen sie und holen ihn. Wollen wir uns darein finden?«

»Das sind doch wohl Lügen?«

»Da kommt Dr. Brammer. Nun können Sie selber hören.«

Der Kreisarzt in eigener Person hatte die Nachricht mitgebracht. Er kam jetzt ins Herrenzimmer, und von allen Seiten strömten die Gäste um den kleinen, dicken Mann zusammen, der mit Fragen bestürmt wurde.

»Unsinn!«, sagte er, zu ein paar jungen Herren gewendet, die sich erlaubt hatten, Einspruch zu erheben. »Ich habe Hacke längst reif fürs Irrenhaus gehalten. Er ist ganz unzurechnungsfähig. Wie denken Sie über die Szene, die er neulich abends in der Bjergstedter Schenke gemacht hat. So ganz unmotiviert mit einer Flinte innerhalb der vier Wände loszuknallen. Dergleichen Einfälle hat nur ein Wahnsinniger. Ich übernehme nach jeder Richtung hin die Verantwortung.«

»Es ist wirklich ein Jammer um ihn!«, erklärte einer der Zurechtgewiesenen von Neuem. »Hacke ist ein famoser Kerl!«

Aber nun ergriffen andere das Wort, um dem Kreisarzt beizustimmen. Es entstand eine Zänkerei für und wider den verunglückten Leutnant, der, ohne es zu wissen oder sich darum zu kümmern, die Bevölkerung bereits in zwei kämpfende Lager geteilt hatte.

Die Nachricht von der unheimlichen Begebenheit hatte sich bald in den Zimmern verbreitet und überall große Bestürzung hervorgerufen. In der Essstube, aus der bereits alle Möbel mit Ausnahme des Klaviers herausgeräumt waren, hatten schon einige junge Paare mit dem Tanze begonnen. Aber jetzt gelangte das Gerücht auch da hinein; die Musik verstummte, und die Paare strömten heraus. Aller Augen sahen sich verstohlen nach Frau Lindemark um. Sie hatte zwischen den andern Damen im Wohnzimmer gesessen, war aber gleich unter irgendeinem Vorwand in das Damenzimmer gegangen. Ringsumher in den Ecken flüsterte man, dass sie weiß wie ein Tischtuch gewesen sei.

An einem der Fenster saß ihr Mann und trommelte mit den Fingern auf das Fensterbrett. Seine andre Hand, die das Knie umfasste, hielt sich ebenfalls keinen Augenblick ruhig. Der sonst so besonnene und willensstarke Mann kämpfte mit einem krampfhaften Zittern, das er nicht zu beherrschen vermochte.

Mitten im Zimmer stand Schullehrer Johansen und strich sich den Bart mit unschuldiger Miene. Als einer der andern Gäste vor ihm stehen blieb und über die Begebenheit sprach, schüttelte er wehmütig den Kopf und bedauerte herzlich, dass es ein solches Ende mit dem Leutnant nehmen müsse.

»Jetzt kommt es nur darauf an, ob Hacke sich ruhig dareinfinden wird, sich einsperren zu lassen«, sagte der andere. »Ich meinerseits zweifle sehr daran.«

»Das wird sich ja nun zeigen.«

In der Nähe standen einige junge Mädchen eng umschlungen und flüsterten. Sie waren ganz in Anspruch genommen von dem Geschehenen. Während die meisten von den älteren Leuten dort in der Gegend, namentlich die Frauen, den Stab über Frau Lindemark gebrochen, ja sogar geäußert hatten, dass sie nicht mehr mit ihr zusammenkommen wollten, war die weibliche Jugend schwärmerisch betört von ihrem und des Leutnants tragischem Liebesverhältnis.

Eines der Dienstmädchen des Hauses trat zu Lindemark heran und brachte ihm einen Bescheid. Er antwortete mit einem Kopfnicken, erhob sich dann und ging suchend in den Zimmern umher, bis er den Kandidaten fand.

»Sie haben wohl nichts dagegen, jetzt nach Hause zu fahren? Meine Frau fühlt sich müde. Und es ist ja auch nicht mehr früh.«

Auch andere Gäste schickten sich an, aufzubrechen. Die Stimmung war ja doch unwiederbringlich gestört für diesmal, und mehrere von den Familien hatten einen Heimweg von ein paar Meilen. Obwohl Gutsbesitzer Hansen und seine Frau sie mit aller Gewalt zurückzuhalten suchten, ließen sie sich nicht überreden, sondern baten, das Anspannen bestellen zu lassen.

Frau Lindemark war die erste, die in ihrem Pelzmantel hereinkam, um sich zu verabschieden. Sie war noch sehr blass, und unter den Augen lagen blaue Schatten. Trotzdem musste der Kandidat unwillkürlich denken, dass sie gewiss nicht gefühllos sei für das feierliche Schweigen, das sie auf dem Wege durch die Zimmer begleitete. Es lag etwas Theatralisches in ihrer Haltung, etwas in hohem Grade Bewusstes in ihrem Wesen. Die strengen Mienen der älteren Damen und die Teilnahme in den jungen Augen schien sie zu bemerken, nach der unterschiedlichen Weise zu urteilen, mit der sie ihnen die Hand reichte. Als sie schließlich an den Kreisarzt herankam, blieb sie einen Augenblick stehen und maß seine rundliche Person von Kopf bis zu Fuß. Dann wandte sie ihm verächtlich den Rücken, ohne Lebewohl zu sagen. –

Bald darauf saßen sie alle drei wieder im Wagen und fuhren den mühseligen Weg heimwärts nach Großhof. Sie hatten sich jeder in seine Ecke zurückgelehnt, und es wurde kein Wort geredet. Der Kandidat saß da mit einem beklemmenden Gefühl und wagte kaum zu atmen aus Angst, seine Gemütsstimmung zu verraten. Er hatte gesehen, wie Frau Lindemark, als ihr Mann ihr beim Einsteigen hatte behilflich sein wollen, seine Hand weggestoßen hatte; und als sie dann saßen, hatte sie dafür gesorgt, dass die Entfernung zwischen ihnen so groß wie möglich wurde. –

Anfänglich war es dunkel im Wagen. Der eine konnte kaum die Umrisse des andern unterscheiden. Aber bei einer Biegung des Weges fiel der Mondschein plötzlich auf Frau Lindemark, ohne dass sie selbst es merkte. Sie saß wie auf der Hinfahrt, den Pelzkragen in die Höhe geschlagen. Es war nicht viel weiter von ihr sichtbar als ihre runden Wölfinnenaugen. Weit geöffnet und fast grün in dem weißen Licht, starrten sie mit einem Ausdruck vor sich hin, der den Kandidaten schaudern machte. Es war ihm, als könnte er ganz in ihre Seele hineinsehen, könnte ihre Gedanken verfolgen, wie sie ohnmächtig mit wilden Mordplänen spielten, Rache und blutige Tat umkreisend wie die Katze den warmen Brei.

Eine Stunde später fuhren sie auf Großhof vor, und als der Kandidat – todmüde und zermartert – in seine Stube kam, fand er zu seinem Erstaunen einen Brief auf dem Tisch liegen. Der musste mit der Post gekommen sein. Es war eine Briefmarke darauf. Aber er war nicht aus Kopenhagen, und die Handschrift war ihm unbekannt.

Er schnitt den Umschlag auf, und es durchzuckte ihn wie ein Blitzstrahl, als er den Brief mit von Hackes Namen in großen Schnörkeln und Bogen unterschrieben sah.

»Mein Herr!

Es wird Sie hoffentlich nicht verwundern, diese Zeilen von meiner Hand zu empfangen. Wie ich mir über Nacht erlaubte, Ihnen gegenüber zu äußern, habe ich mich vom ersten Augenblick an von Ihrer Persönlichkeit angezogen gefühlt, und es muss mir daher gestattet sein, Ihnen von Neuem meinen Glückwunsch darzubringen. Ich nenne keinen Namen. Ich wiederhole nur: Glück und Erfolg in jeder Beziehung!

Ich vermute, dass Sie heute Abend zusammen mit der Ungenannten an der Gesellschaft bei Gutsbesitzer Hansen in Sandhof teilnehmen werden. Auch ich bin eingeladen, ziehe aber die Freiheit vor, wobei ich mich jedoch aus gewissen Gründen nicht weiter aufhalten will.

Die eigentliche Veranlassung zu diesem Schreiben ist, dass ich zu unserer Diskussion über das Unsterblichkeitsproblem noch eine kleine Bemerkung hinzufügen will. Was ist eine Menschenseele? Ein Instrument, auf dem uns unbekannte Mächte spielen. Wohlan. Also gibt es doch etwas außerhalb des Individuums, etwas Überirdisches, wie wir zu sagen pflegen, von dem das Individuum abhängig ist, und was wiederum von dem Individuum abhängig ist. Dies muss feststehen. Aber wenn dem nun so ist, kann da die Seele also nicht aufhören zu existieren, solange das Überirdische oder sogenannte Ewige besteht, was mit andern Worten bedeutet, dass sie unsterblich ist. Hiervon bin ich jetzt auch völlig überzeugt.

Dies habe ich nicht unterlassen wollen, Ihnen im Vertrauen mitzuteilen.

Alexander von Hacke.«

Am nächsten Tage verließ der Kandidat Großhof. Er hatte abermals eine unruhige Nacht verbracht. Sobald es hell geworden war, stand er auf und machte sich reisefertig. Der Sturm hatte seine Stimme wiedergefunden. Es tönte und pfiff durch jeden Spalt im Hause. Er hatte ein Gefühl, als befände er sich im Innern einer alten, verstimmten Orgel. Jedes Mal, wenn eine Tür irgendwo im Hause geöffnet wurde, fuhr der Wind quer durch das ganze Gebäude, schlug andere Türen auf und verstärkte alle klagenden, fauchenden und heulenden Laute, als hätte jemand auf das Pedal des Orgelwerks getreten.

»Welch ein Schreckensreich!«, dachte er, als er am Fenster stand und über die endlose Heidelandschaft mit der einsamen Landstraße hinaussah, die der Weg zur Hölle sein zu müssen schien. Hier kannte man nicht einmal die Abwechslung, die der Wechsel der Jahreszeiten an andern Orten hervorruft. Hier waren keine Wälder, die grünten und gelb wurden, auch keine winterlichen Freuden, keine Schlittenbahn und Schellengeklingel. Lindemark hatte ihm erzählt, die Temperatur sei zu allen Zeiten des Jahres so ziemlich die gleiche, und wenn Schnee käme, so fegte der Sturm ihn wieder weg. Hier herrsche ewiger Herbst, eine schwere und düstere Novemberstimmung ohne Hoffnung und ohne Abschluss.

Auf dem Wege nach den Zimmern hinüber traf er Mamsell Steensen, die auf der Diele stand und Lindemarks Wagenpelz bürstete.

»Will der Gutsbesitzer ausfahren?«, fragte er.

Die Alte sah ihn mit ihren einfältig bekümmerten Augen an.

»Der Leutnant ist über Nacht gestorben.«

»Gestorben?«

»Ja – oder wie man es nun nennen will. Der Amtsvorsteher und der Kreisarzt sitzen im Herrenzimmer.«

Als er dahinein kam, fand er die fremden Herren auf Lindemarks Sofa sitzen. Trotz des frühen Morgens stand da vor ihnen auf dem Tische ein Teebrett mit Portwein, wie es dort in der Gegend bei allen Gelegenheiten Gebrauch war. Sie saßen da und pafften ihre Zigarren und waren in mitteilsamer Stimmung. Hacke habe sich erschossen. Trotz der angeordneten Bewachung, die Befehl gehabt habe, ihn nicht zu verlassen, habe er Gelegenheit gefunden, seine Reiterpistole herauszuholen und sich eine Kugel durch den Unterkiefer zu schießen. Die beiden Herren kamen gerade von der Leichenschau. Alles deute daraufhin, sagten sie, dass er sich seit längerer Zeit mit dem Gedanken getragen habe, sich das Leben zu nehmen, die Entscheidung aber immer wieder hinausgeschoben habe. Bei der gerichtlichen Haussuchung habe man unter seinen Papieren einen Taufschein gefunden, auf dem er außen am Rande die Worte: »Und gestorben am 3. September« hinzugefügt und später wieder ausgestrichen habe.

Lindemark war tief erschüttert. Er ging im Zimmer auf und nieder und wiederholte fortwährend dieselben klagenden Worte.

Gleich nachdem der Kreisarzt und der Amtsvorsteher vom Hofe heruntergefahren waren, machte er sich fertig, um zu fahren. Auch in dieser Veranlassung hatte er irgendein öffentliches Amt auszufüllen. Er verabschiedete sich von dem Kandidaten, der ihm zuvor mitgeteilt hatte, dass er notgedrungen abreisen müsse, und auf dessen Bemerkung, dass er so früh am Tage wohl keine Gelegenheit haben würde, der gnädigen Frau Lebewohl zu sagen, erwiderte er schnell, er werde nicht vergessen, ihr seinen Gruß zu überbringen.

»Sie werden wohl begreifen, dass die traurige Nachricht einen gewissen Eindruck auf meine Frau gemacht hat. Hacke war ja doch ein

Freund des Hauses. Und bei allen seinen Fehlern war er ein Mensch, den man lieb haben musste. Wir haben beide große Teilnahme für ihn.«

Eine Stunde, nachdem er gefahren war, hielt ein anderer Wagen vor der Tür, der den Kandidaten nach der Bjergstedter Schenke zurückbringen sollte, von wo aus er am Nachmittag mit der Post weiter kommen konnte.

Er hatte gerade seinen Mantel angezogen, als die alte Steensen die Treppe vom Schlafzimmer herunterkam und mit Zeichen großer Unruhe den Bescheid überbrachte, dass die gnädige Frau ihn vor seiner Abreise gern sehen und mit ihm sprechen wolle.

Er war nicht sonderlich erfreut über diese Aufforderung. Übernervös, wie er war, ängstigte er sich vor dem Eindruck, den ihr Zustand auf ihn würde machen können.

Er wurde in ein kleines Zimmer geführt, das neben Frau Lindemarks Schlafstube lag. Hier saß sie am Fenster, das weiche, blonde Haar über einem lose sitzenden, dunkelroten Morgenrock aufgelöst. Als er hereinkam, erhob sie sich, ging ihm sonderbar automatisch entgegen, ergriff seine Hand, bat ihn, Platz zu nehmen und setzte sich wieder in ihren Stuhl.

Freilich sah sie sehr angegriffen aus, aber es war nichts von der Wildheit an ihr, vor der er sich gefürchtet hatte. Sie war erstaunlich ruhig und beherrscht. Allerdings hatten ihre Worte einen etwas singenden Klang, wie das in der höchsten Ekstase unwillkürlich der Fall zu sein pflegt. Aber ihre Rede war gedämpft und still, und sie saß mit der Hand unter der Wange da wie jemand, der in einem großen und erhebenden Gefühl ausruht. Der Gedanke durchzuckte ihn, ob ihr hier nicht ein herrlicher Traum in Erfüllung gegangen war. Ein Mann, obendrein ein Krieger, ein Edelmann, der sich um ihretwillen das Leben nahm! ...

Sie fragte ihn, ob er gehört habe, was geschehen sei, und wie er darüber denke. Er habe Leutnant von Hacke ja getroffen, nicht wahr? Herr Hacke sei ein sehr ungewöhnlicher Mensch gewesen. Aber das Leben sei nicht gut gegen ihn gewesen. Die Zeit sei nicht für großangelegte Persönlichkeiten. Deshalb habe man ihm auch nichts Besseres wünschen können, als was jetzt geschehen war. Keine wirklichen Freunde. Und so arm – ach, so grenzenlos arm trotz seiner vornehmen

Geburt und seiner vielen reichen Verwandten. Nein, es sei nur gut, dass er neuen Demütigungen überhoben war. Man habe gesagt, er sei exzentrisch, und das war er auch gewesen. Aber er hatte ja so viele Wunden im Krieg davongetragen. Auch am Kopf. Aber nun habe er Frieden. Und er habe einen schönen Tod gefunden. O es sei etwas Stolzes um den Tod, wenn er so das freiwillige Werk des Menschen sei!

Als sich der Kandidat nun erhob, um Lebewohl zu sagen, nahm sie wie in Zerstreutheit seine ausgestreckte Hand und betrachtete ihn eine Weile stumm.

»Wie alt sind Sie eigentlich?«

»Dreiundzwanzig.«

»Leben Sie in Kopenhagen?«

»Ja.«

»Und nun wollen Sie fort? Lassen Ihre Geschäfte Ihnen keine Zeit mehr?«

»Nein, ich muss notwendigerweise nach Kopenhagen.«

»Ja, ja!«

Sie gab seine Hand frei und wandte sich nach dem Fenster um, während er sich mit einer Verbeugung nach der Tür zurückzog.

Wenige Minuten später saß er im Wagen und fuhr durch das Tor hinaus. Vor ihm lag die große, leere Heide.

»Und was nun?«, fragte er sich selbst. »Was nun? Und wohin?«

Zurück zu Katharina? Zurück zu ihren Umarmungen auf dem kleinen Sofa im Kabinett? Zu ihres Vaters Moralpredigten und ihrer Mutter Fleischtöpfen? In Wirklichkeit zweifelte er nicht daran, dass sie ihm verzeihen würde, wenn er ihr reuevoll beichtete und seine Verirrung eingestand. Wahrscheinlich hatte sie seines Abschiedsbriefes noch niemand gegenüber Erwähnung getan, so dass das alte Verhältnis ohne peinliche Erklärungen andern gegenüber wiederhergestellt werden konnte. Binnen Kurzem konnten sie vielleicht heiraten, wodurch ihm ein ruhiges und angenehmes Leben bereitet wurde, das es ihm ermöglichte, sich ganz der Ausübung seines Dichterberufes zu widmen. Katharina war ja nämlich nicht nur ein liebes und häusliches Mädchen, das so wie ihre Mutter eine tadellose Hausfrau werden konnte; sie war auch nebenbei eine gute Partie. Hierüber hatte er sich seinerzeit vergewissert, indem er in der Steuerliste nachgeschlagen hatte.

Zu seiner eigenen Verwunderung fühlte er sich dennoch nicht ganz befriedigt von diesen Zukunftsaussichten. Trotz allem, was er in diesen Tagen erfahren hatte, war da bei einem solchen Vaudeville-Idyll beständig etwas, das ihm zuwider war – ja, es war fast, als ob er jetzt weniger denn je imstande sein würde, sich bei dem ehelichen Glück zu beruhigen. Während er hier auf dem Wagen saß und der Sturm um ihn her heulte, fühlte er mit Angst und stillem Beben, dass er für die bürgerliche Gesellschaft unwiderruflich verloren war. So traurig leerhändig er auch von dieser Entdeckungsreise in das Wunderreich des Glücks zurückkehrte, er hatte nun einmal den Teufel im Nacken und musste bis an seinen Tod seinem Sporn gehorchen, Hopp! Hopp! Im Galopp! – – –

Hier endet dieser Bericht von dem tragischen Liebesverhältnis eines alternden Romeos und Julias. Es bleibt nur noch übrig, dem geduldigen Leser einige zerstreute Mitteilungen über die späteren Lebensschicksale der auftretenden Personen zu machen.

Einige Zeit nach seiner Rückkehr nach Kopenhagen erhielt der Kandidat einen (unfrankierten) Brief von Herrn cand. phil. Hauslehrer Langer, den er um ein wenig Nachricht über die weitere Entwicklung der Verhältnisse in Großhof gebeten hatte. Der alte Studentenvereinler sandte ihm zehn engbeschriebene Seiten mit einer humoristischen Schilderung von der Beerdigung des Leutnants. Er erzählte von dem großen Gefolge, das die ganze Kirche gefüllt habe, und von den anwesenden jungen Damen, die während der Rede des Pfarrers so ergriffen waren und so herzlich schluchzten, dass man eine Korsettstange nach der andern ringsumher in den Stühlen habe springen hören.

Von Frau Lindemark erfuhr der Kandidat mehrere Jahre später auf anderm Wege, dass sie überraschend schnell ihre große Liebe vergessen habe, um derentwillen sie Großhof in Verruf gebracht und Mann und Kinder heimatlos gemacht hatte. Nach Herrn von Hackes Tode war die Mutterliebe in ihr erwacht, und sie hatte die Kinder wieder nach Hause kommen lassen. In dem Verhältnis zu ihrem Mann trat indessen keine Veränderung ein. Sie schämte sich seiner nach wie vor, fühlte sich schmählich an eine Sklavennatur gefesselt, die durch Verschlagenheit und hinterlistige Verstellung Macht über sie gewonnen hatte. Eine Zeit lang war sie religiös beeinflusst gewesen. Sie, die früher die

Geistlichen verachtet hatte, versäumte niemals, den langen Weg nach der Kirche zu fahren, mochte das Wetter sein, wie es wolle. Da der alte Propst durch Schwächlichkeit behindert war, den Gottesdienst zu verrichten, predigte ein junger, rotwangiger Kaplan von bäurischer Abstammung, in dem sie durchaus einen Heiligen sehen wollte, der vorausbestimmt sei, Märtyrer für die Sache der Kirche zu werden; und es fehlte nicht viel, dass sie auch dem Manne selbst diesen Glauben an seinen erhabenen Beruf beigebracht hätte. Es wurde überhaupt ringsumher in der Gegend allerlei über die beiden geredet. Bis er eines schönen Tages zu ihrer bittern Enttäuschung eine wohlhabende Hofbesitzerstochter heiratete und statt den Tod auf dem Felde der Mission zu suchen, eine fette Buchweizenpfarre auf Fünen antrat. Seit dieser Zeit versank sie in einen Zustand des Stumpfsinns, der mehr und mehr den Charakter der Geisteskrankheit annahm. Man erzählte, sie sitze fast immer oben in ihrer kleinen Stube am Fenster und starre mit einem leeren, gleichsam erloschenen Blick auf die Heide hinaus.

Bessere Gelegenheit hatte der Kandidat, das Schicksal der kleinen Katharina aus eigener Anschauung beobachten zu können. Kopenhagen ist ja freilich eine große Stadt, aber doch nicht so groß, als dass man nicht in Straßenbahnen und ähnlichem stets der Gefahr ausgesetzt ist, Leute zu treffen, die man am liebsten vermeiden möchte. Übrigens galt es auch von ihr, dass sie sich schnell tröstete. Nach einer Trauerzeit von kaum drei Monaten verlobte sie sich mit einem Krämer in der Hauptstadt. Viele Jahre tat sie, wenn sie einander begegneten, als kennte sie ihn nicht. Und wenn sie von ihrem Mann begleitet war, so schmiegte sie sich lächelnd an ihn in einem erheuchelten Zärtlichkeitsanfall. Später, als sie eine Frau in den Dreißigern geworden war, matronenhaft von Gestalt und Auftreten wie ihre Mutter, erwiderte sie eines Tages – wenn auch mit großer Feierlichkeit – seinen ehrerbietigen Gruß. Einige Zeit darauf, am Vormittag des Heiligen Abends, als sie sich zufällig in einem überfüllten Laden begegneten, wechselten sie einige Worte über das Wetter und den schrecklichen Schmutz auf der Straße, worauf sie ihm die Hand gab. Er begriff, es sollte bedeuten, dass sie verziehen hatte.

Was nun schließlich den Kandidaten selbst anbetrifft, so ist es an der Zeit zu offenbaren, was der denkende Leser im Übrigen wohl schon verstanden haben wird, dass er es ist, der diese kleine Erinnerung aus jungen Tagen niedergeschrieben hat. Gestatten Sie mir also, meine Vermummung abzunehmen und mich als Verfasser der Erzählung vorzustellen, als der unwürdige Magister Glob, vierzig Jahre alt, Privatlehrer und Verfasser von Schulbüchern, mit einer kleinen Anstellung an einer der Kopenhagener Bibliotheken.

Dass ich mich daneben in die schöne Literatur eingedrängt und dadurch das Unglück gehabt habe, Unwillen bei verschiedenen der wirklichen, langhaarigen Poeten von Gottes (und Rezensenten) Gnaden zu erregen, wird einem Teil der Leserwelt vielleicht bekannt sein. Ich erwähne das in aller Bescheidenheit und fühle sehr wohl, dass es einer Entschuldigung bedarf, wenn ich mich jetzt wieder erkühne, nach der wohlwollenden Aufmerksamkeit des Publikums zu angeln und die Kritik mit dieser Unbedeutendheit von meiner Hand zu belästigen.

Was übrigens mich selbst und meinen wenig interessanten Lebenslauf betrifft, so brauche ich kaum mehr hinzuzufügen. Falls meine geehrten Leser in Kopenhagen ansässig sind und eines Morgens gegen neun Uhr zufällig eines bebrillten Herrn ansichtig werden sollten, der in größter Eile um die Ecke der Klosterstraße schlüpft, einen Regenschirm in der Hand und ein Päckchen Hefte unterm Arm – so bin ich das und befinde mich auf dem Wege nach der Schule. Oder, wenn Sie um die Mittagszeit nach der Kgl. Bibliothek kommen, um ein Buch zu leihen, so wird der Konfuseste von den zwei, drei Konfusen, die hier von Amts wegen das Publikum anschnauzen, wie – zu meinem Bedauern – behauptet wird, auch meine Wenigkeit sein. Und wenn Sie endlich in einer späten nächtlichen Stunde durch die öde, widerhallende Norderstraße gehen und in einem sonst dunklen Hause hoch oben unterm Dach ein erleuchtetes Fenster sehen, so bin ich das abermals, ich, Magister Glob, der, eine Feder in der Hand, dort oben am Schreibtisch steht und träumt … von einer neuen Zeit und einer neuen Generation träumt, die Temperament und Leidenschaft nicht mit Hysterie verwechselt, die nicht gedankenlos mit den großen Passionen spielt wie Kinder mit Streichhölzern, sondern sich ihnen in Angst und Beben hingibt und sich von ihnen emporheben lässt wie die kleinen Vögel, die auf dem Rücken der Adler über hohe Bergzinnen reiten … träumt, während ich über das Pult gebeugt stehe, die Teetasse vor mir, und meinen bescheidenen Beitrag zu dem Erstehen eines solchen Zukunftsgeschlechts beisteure, indem ich Aufgaben verbessere, Bücherkataloge verfasse und hin und wieder, als Tintenkleckser, solche kleinen belehrenden und moralisierenden Erinnerungen aus meinem eigenen Leben niederschreibe ... gar nicht zu reden von meinem lange angekündigten griechischen Wörterbuch für Schulgebrauch und häusliche Übungen, das sich jetzt wirklich seiner Vollendung nähert und im Voraus allen Interessenten ehrerbietigst empfohlen sein soll.

Dekadente Erzählungen

Im kulturellen Verfall des Fin de siècle wendet sich die Dekadenz ab von der Natur und dem realen Leben, hin zu raffinierten ästhetischen Empfindungen zwischen ausschweifender Lebenslust und fatalem Überdruss. Gegen Moral und Bürgertum frönt sie mit überfeinen Sinnen einem subtilen Schönheitskult, der die Kunst nichts anderem als ihr selbst verpflichtet sieht.

Rainer Maria Rilke Die Aufzeichnungen des Malte Laurids Brigge **Joris-Karl Huysmans** Gegen den Strich **Hermann Bahr** Die gute Schule **Hugo von Hofmannsthal** Das Märchen der 672. Nacht **Rainer Maria Rilke** Die Weise von Liebe und Tod des Cornets Christoph Rilke

ISBN 978-3-8430-1881-4, 412 Seiten, 29,80 €

Karl-Maria Guth (Hg.)
Erzählungen aus dem
Sturm und Drang

HOFENBERG

Erzählungen aus dem Sturm und Drang

Zwischen 1765 und 1785 geht ein Ruck durch die deutsche Literatur. Sehr junge Autoren lehnen sich auf gegen den belehrenden Charakter der - die damalige Geisteskultur beherrschenden - Aufklärung. Mit Fantasie und Gemütskraft stürmen und drängen sie gegen die Moralvorstellungen des Feudalsystems, setzen Gefühl vor Verstand und fordern die Selbstständigkeit des Originalgenies.

Jakob Michael Reinhold Lenz Zerbin oder Die neuere Philosophie **Johann Karl Wezel** Silvans Bibliothek oder die gelehrten Abenteuer **Karl Philipp Moritz** Andreas Hartknopf. Eine Allegorie **Friedrich Schiller** Der Geisterseher **Johann Wolfgang Goethe** Die Leiden des jungen Werther **Friedrich Maximilian Klinger** Fausts Leben, Taten und Höllenfahrt

ISBN 978-3-8430-1882-1, 476 Seiten, 29,80 €

Erzählungen aus dem Sturm und Drang II

Johann Karl Wezel Kakerlak oder die Geschichte eines Rosenkreuzers **Gottfried August Bürger** Münchhausen **Friedrich Schiller** Der Verbrecher aus verlorener Ehre **Karl Philipp Moritz** Andreas Hartknopfs Predigerjahre **Jakob Michael Reinhold Lenz** Der Waldbruder **Friedrich Maximilian Klinger** Geschichte eines Teutschen der neusten Zeit

ISBN 978-3-8430-1883-8, 436 Seiten, 29,80 €